Is dit mijn ki

Nicola Stevens en Christopher Stevens

# *Is dit mijn kind?*

Vertaald door Bob Snoijink

ARENA

Oorspronkelijke titel: *A Real Boy*

Omslagontwerp: DPS, Amsterdam
Foto voorzijde omslag: Getty Images
Foto's achterzijde omslag: Christopher en Nicola Stevens
Typografie en zetwerk: CeevanWee, Amsterdam
ISBN 978-90-8990-017-3
NUR 302

'Van dit prachtige, eerlijke boek kunnen we veel leren, niet alleen over autisme, maar ook over de buitengewone, onzelfzuchtige aanvaarding die voortkomt uit onvoorwaardelijke liefde. Tegelijkertijd onthult het een aantal onaangename waarheden over de strijd die je in onze zogenaamd beschaafde maatschappij moet leveren om aanspraak te maken op de rechten van gehandicapten.'

Jane Asher, voorzitter van de National Autistic Society

'Zonder meer schitterend. We hebben gelachen en gehuild. Zo veel bekende situaties en zo herkenbaar... *Is dit mijn kind?* helpt een beter begrip te kweken voor autisme bij degenen die de aandoening niet begrijpen.'

Marina Blore, Trustee, Wishing Well House

*Noot van de schrijvers: dit boek hebben we samen geschreven, net zoals we David samen hebben grootgebracht. Chris heeft het meest achter het toetsenbord gezeten, dus ons verhaal wordt met zijn stem verteld.*

Onze bijzondere dank gaat uit naar Davids inspirerende onderwijzers en het hele personeel van de Briarwood-school, voor hun toewijding en geduldige steun.

# *Proloog*

Het jongetje keek van zijn moeders heup om zich heen in de crèche. Hij had blonde krullen en groene ogen, en zijn mond vormde een vragende 'o'. Toen zijn moeder hem neerzette, klemde hij zich nog even vast aan haar arm voordat hij dapper op eigen benen ging staan. Zijn rode anorak zat nog dichtgeritst en de juffrouw van de crèche keek hem stralend aan.

'Maakt u zich maar geen zorgen,' zei de juffrouw. 'Kijk maar. Hij kan niet wachten tot jullie weg zijn, zodat hij met al dat speelgoed aan de gang kan gaan. Ja toch, David?'

Dus we gingen. We hadden de hele ochtend overlegd of we hem met veel tamtam moesten achterlaten, of dat we stilletjes de benen zouden nemen. Uiteindelijk besloten we luidkeels 'Tot straks, David!' te zeggen en er als een haas vandoor te gaan. We hadden hem nog nooit aan iemand toevertrouwd, zelfs niet aan zijn grootouders, maar het was geen onverwachte stap. We hadden al elf maanden naar een geschikte peuteropvang voor David gezocht. Deze leek ons ideaal: een klein klasje, een zonnige speelplaats en ervaren personeel dat naar onze chaotische stroom instructies luisterde. Tijdens de rondleiding van een half uur had ons driejarig zoontje de verfpotten, de piano en de verzameling steppen geïnspecteerd, en zichzelf in de keuken van een jamgebakje bediend.

'Hij voelt zich thuis,' zeiden we. 'Straks neemt hij zijn koffer mee en gaat hij hier wonen.'

Het personeel glimlachte toegeeflijk toen we onszelf dat aanpraatten. Het is gewend aan bemoeizieke ouders in Noord-Bristol. Het is heel gebruikelijk dat beide ouders de leiding van de crèche aan een kruisverhoor onderwerpen en de rapporten van de schoolinspectie willen lezen. Blijkbaar waren we minder neurotisch dan sommige andere ouders, omdat we geen expert van Oxford of Cambridge noch een feng shui-specialist hadden meegebracht.

En bovendien zou hij de eerste keer maar een uurtje blijven. Dat zouden we wel overleven. We hadden trek in een sterke kop koffie, dus reden we naar Starbucks.

'Dit is voor het eerst in vijf jaar dat we zonder kleuter in een cafeetje zitten,' zei mijn vrouw Nicky, toen we ons op een bank in het souterrain lieten zakken.

Ze controleerde haar mobiel om te zien of er geen noodoproep van de crèche op de voicemail stond. Er was geen bereik. We waren totaal van onze kinderen gescheiden. We hadden het gevoel alsof we hen in de steek hadden gelaten.

De rust ging in rook op toen we terugreden naar de crèche en parkeerden, nog voordat we de motor af hadden gezet. David krijste. Hij was het, dat was duidelijk. Geen enkel ander kind kon dat aanhoudende gesnerp voortbrengen, als een cirkelzaag die door een glasplaat jaagt.

We moesten drie keer aanbellen voordat iemand ons hoorde. Het lawaai uit de crèche was oorverdovend. Wij waren eraan gewend, en nóg kon het geluid ons verbijsteren en alle gedachten en woorden uit ons brein verdrijven. De juf die opendeed, een meisje van tegen de twintig, keek ons met open mond aan en wij keken met open mond terug.

David bevond zich in de voorste ruimte met de twee oudste medewerksters. Alle andere kinderen waren naar het handenarbeidvertrek achter een zware deur aan de andere kant van de gang geloodst. Onze zoon lag met zijn armen en benen wijd op de grond en sloeg met zijn hoofd in de schoot van een leerkracht. Hij probeerde zich aan haar greep te ontworstelen, zodat hij met zijn hoofd op de vloer kon rammen.

Hij was vuurrood, maar het was al een oude blos, van een uitgeput rood, alsof de energie van zijn strijd op raakte.

Hij staakte zijn gekrijs even om amechtig op adem te komen.

'Ik denk dat hij al bedaart,' hijgde de leidster.

'Is het dan nog erger geweest?' vroeg ik. Ze knikte met grote ogen en David sloeg weer met zijn achterhoofd op haar been. Nicky ging op haar hurken zitten om op hem in te praten en zijn handen vast te houden, maar hij had er geen idee van dat we terug waren.

'Het begon ongeveer twee minuten nadat jullie waren vertrokken,' zei de juf. 'Zonder waarschuwing. Opeens zette hij een keel op, gooide hij alle tafels en stoelen om en niets hielp.'

'We nemen hem mee naar huis,' zei ik.

'Dat is maar het beste,' beaamde de juf nadrukkelijk. Ze gaf Nicky Davids rode jas.

Er was iets vreemds aan de jas. Hij was niet beschadigd, niet vies... Hij leek gewoon anders dan anders.

De rits was open.

'Toen u Davids jas uittrok,' zei mijn vrouw, die haar best deed om Davids arm in de mouw te duwen, 'hebt u toen zijn rits opengemaakt?'

'Dat hadden we niet uitgelegd,' zei ik.

Nicky probeerde met een verbeten mond Davids andere arm in de mouw te krijgen. Terwijl hij met zijn hoofd tegen haar schouder ramde, greep ze de uiteinden van de rits, deed ze in elkaar en trok hem dicht tot aan zijn kin.

Het gillen stopte.

David zakte in zijn moeders armen. Met een zucht viel hij in slaap.

'Ik had u moeten waarschuwen,' zei ik tegen de juf. 'Ik dacht dat ik het had gezegd, maar ik was het vast vergeten, er was ook zo veel uit te leggen...'

'David kan er niet tegen als zijn rits los is,' zei Nicky. 'Die jas draagt hij buiten, binnen en in bed. Overal behalve in bad.'

'Maar hij moet hem toch af en toe uittrekken,' protesteerde de leidster. 'We wilden niet dat hij het te warm zou krijgen.'

'Soms mag je hem over zijn hoofd uittrekken, maar die rits moet dicht blijven.'

Ze tilde hem op. Hij was heel klein voor iemand die zo'n kabaal kon maken.

'Ik wou dat hij met een handleiding was geleverd,' zei ik toen we hem in zijn zitje gespten. '*David: handleiding voor de eigenaar*... Net als die boekjes die je bij de auto krijgt, met driedimensionale diagrammen om te laten zien welke delen van zijn hersens ontbreken, en een gids om problemen op te lossen. Zoek in de index: "krijsen zonder aanleiding" en dan krijg je een heel hoofdstuk diagnostiek.'

'Het is onze eigen schuld,' zei Nicky. 'We hadden ze voor die rits moeten waarschuwen. Arme David, hij wist natuurlijk niet wat hem overkwam.'

Ik schudde mijn hoofd. 'Er is gewoon te veel om uit te leggen. Als we die rits hadden genoemd, waren we wel iets anders vergeten. En het meeste is heel moeilijk te accepteren. Ik weet zeker dat ze me niet serieus namen toen ik zei dat ze *Here We Go Round The Mulberry Bush* moesten zingen voordat ze zijn luier verschoonden. Wat we echt nodig hebben,' herhaalde ik, 'is een "David-handleiding".'

Het is nu acht jaar later, en hier is de handleiding, het boek dat we bij zijn geboorte meegeleverd hadden moeten krijgen. Het is een eerste lesboek waarin stap voor stap een taal wordt uitgelegd die je niet met woord of gebaar kunt spreken. En het is ook een constructietekening waarmee je van alledaagse onderdelen een buitengewoon gezin kunt bouwen.

Het zijn geen 'misèremémoires'. De schappen in de supermarkt staan daar tegenwoordig vol mee: verhalen over verwaarloosde en mishandelde kinderen. Als u zo'n boek zoekt, is dit niets voor u. Niemand heeft David ooit verwaarloosd. Hij staat in het middelpunt van de belangstelling. Hij is meestal ook het gelukkigste kind ter wereld... en als hij dat om de een of andere reden niet is, krijgen we dat allemaal te horen.

Dus vergeet de 'misère' maar. En 'mémoires' is ook geen goed woord. Dit is geen boek met herinneringen, omdat de feiten op deze bladzijden nog steeds onze dagelijkse werkelijkheid zijn. Het is meer een reisboek, het dagboek van een expeditie die begon als een uitstapje naar *Mothercare* en veranderde in een ontdekkingsreis naar de niet in kaart gebrachte delen van de jungle van het ouderschap... of een reis naar een land zonder communicatie waar elk idee op zijn kop staat.

Het is vooral een boek over het leven met onze zoon. Hij is anders dan alle andere kinderen, maar dat maakt hem niet minder menselijk. Hij blijft een echte jongen.

# *Een*

Het telefoontje van het ziekenhuis kwam aan het eind van de middag, toen ik net naar mijn werk vertrokken was. Nicky kropte het nieuws tot halverwege de avond op, maar toen kon ze het niet langer binnenhouden. Ze belde de receptie van de krant met de vraag of ze haar wilden doorverbinden, iets wat ze nog nooit had gedaan. Toen ik opnam, kon ze niets uitbrengen. Ze snikte het uit.

Ik zei tegen mijn chef dat mijn vrouw niet lekker was en ging naar huis. Toen ik thuiskwam, was Nicky opgehouden met huilen. Ze lag in een witte ochtendjas van linnen en kant met opgetrokken knieën en een stuk papier in haar hand op de bank, en de hond lag droefgeestig met zijn kop op haar tenen.

Op het papier had ze de resultaten opgeschreven van een bloedonderzoek dat eerder die week in de kraamkliniek was uitgevoerd. Onze ongeboren baby was dertien weken oud, groot genoeg om er op de echo niet alleen menselijk uit te zien, maar tot onze trots leek hij ook sprekend op zijn ouders. We wisten zeker dat het een jongetje was, door de manier waarop hij op zijn rug lag, met zijn benen achteloos over elkaar geslagen en met een arm opzij alsof hij een koekje pakte.

De echoscopie had twintig minuten geduurd, de bloedproef amper twintig seconden. Dat laatste hadden we niet verwacht en we hadden er ook niet om gevraagd, maar weigeren zou misschien onbeleefd zijn geweest. 'Het is maar een routineonderzoek,' had de zuster achteloos gezegd, alsof het idee dat er iets mis kon zijn met onze baby te vergezocht was voor nadere discussie.

En nu waren de resultaten binnen en die gaven aan dat de kans dat onze baby het downsyndroom zou hebben ruim twee keer zo hoog was als gemiddeld. We waren allebei negenentwintig en de kans dat ons kind een afwijking in zijn chromosomen zou hebben, zou één op zeshonderd moeten zijn. In plaats daarvan wees de bloedproef aan dat het één op tweehonderdvijftig was.

We bespraken alles wat dat kon inhouden. Statistisch betekende het dat Nicky tweehonderdvijftig baby's kon krijgen – waarmee ze een productie aan de dag zou leggen die zelfs konijnen zouden bewonderen – waarvan maar één kind een mongooltje zou zijn. Praktisch gezien betekende het ook dat onze ongeboren baby wel of niet dat extra 'chromosoom 21' had dat voor het syndroom verantwoordelijk is; daarop hadden de resultaten geen invloed.

Latere echo's konden beter uitwijzen of onze baby gehandicapt geboren zou worden. Intussen zou de foetus groeien, zich ontwikkelen en meer op ons gaan lijken. Als we tijdens de volgende, pakweg, zes weken zouden ontdekken dat deze baby inderdaad met het downsyndroom behept zou zijn, konden we voor beëindiging van de zwangerschap kiezen. Dat zou dan het einde zijn... als we dat zouden besluiten.

Ze konden mijn vrouw direct op down laten onderzoeken. Dat heet amniocentese, ofwel vruchtwaterpunctie, en het ziekenhuis had al een afspraak voor Nicky gemaakt om er met de arts over te praten. De procedure was grof en eenvoudig: er zou met een lange naald een monster van het vruchtwater uit de baarmoeder worden genomen.

'We willen eerst de moeder spreken,' zei de dokter, 'vanwege het geringe risico op complicaties.'

'Wat voor complicaties?' vroegen we.

'In een heel klein deel van de gevallen kan de proef tot een miskraam leiden. We weten niet waarom.'

'Hoe klein?'

'Ongeveer één procent.'

'Dus u raadt ons aan een kans van één op honderd te accepteren dat we onze baby vermoorden om te ontdekken of we de een-op-tweehonderdvijftigloterij van het downsyndroom hebben verloren?'

Zodra ik begon te spreken, hief de arts zijn hand op, maar ik was te opgefokt om mijn mond te houden. Nicky keek net zo geërgerd als ik me voelde. Voordien had ik me nooit een situatie kunnen voorstellen waarin ik tegenover een dokter driftig zou worden.

'Ik raad u niets aan,' zei hij. 'We praten er alleen maar over.'

'Maar dan nog... weet u,' zei Nicky, 'denk ik niet dat ik in staat ben om... U weet wel.'

En ik wist het wel. Ik wist het zeker. Ik had er ook geen woorden voor, maar ik besefte dat we het leven dat we in haar hadden laten ontstaan iets verplicht waren. Dat leven wensten we het allerbeste ter wereld toe. Als dat betekende dat we het zwartste scenario onder ogen moesten zien, zouden we ons uiterste best doen.

Zes maanden later werd James geboren. Hij mankeerde niets. Nu is hij veertien en hij ligt af en toe nog steeds met de benen over elkaar op zijn rug, en soms steekt hij een arm uit om een stukje fruit of een koekje te pakken.

Toen James bijna twee was, onderging Nicky haar eerste echoscopie van ons tweede kind. Deze verborg zijn persoonlijkheid beter. Hij zag er sterk en gezond uit en was diep in slaap. 'Hij heeft in elk geval het juiste aantal hoofden,' schertste ik.

Nicky verkoos geen bloedonderzoek te laten doen. Dat besluit had ze al veel eerder genomen. We wilden graag dat alles in orde zou zijn met onze nieuwe baby. En als er, God verhoede, iets mis mocht zijn, wilden we dat niet van tevoren weten.

Toen ik mijn vrouw voor het eerst zag, zat zij in de bus en ik niet. Het was maar een glimp van twee seconden van een buitengewoon knap meisje met een strik in het haar; ze was in een oogwenk voorbij, maar dat moment omvatte alles waardoor het leven plotseling goed is. Ook al zou ik haar gezicht nooit meer zien, dan zou ik me dat meisje in de bus vijfentwintig jaar later waarschijnlijk nog steeds herinneren.

Die bewuste week was ik een universitaire studie begonnen. Zeven oersaaie jaren op een jongensgymnasium waar economie en klassieke talen werden gedoceerd door in toga gestoken leraren die alle lof voor Enoch Powell hadden, maakten plaats voor anekdotes en gekeuvel, vermomd als colleges van docenten die naar de kroeg en sigarettenrook geurden. Ik liep over van optimisme. Het leven bruiste hoopgevend. Zelfs de bussen zagen er mooi uit.

De volgende morgen stond het meisje uit de bus op de trappen van de universiteit, mooier dan ooit, met een vriendin te praten. Natuurlijk slenterde ik op haar af om me met een zelfverzekerde glimlach voor te stellen... Althans dat zou ik hebben gedaan als ik zeker had geweten dat ik 'Hallo, ik ben Chris' kon zeggen zonder me in mijn tong te verslikken. In plaats daarvan staarde ik zes weken lang tijdens de lunch in de eetzaal naar haar en verborg ik blozend mijn hoofd in mijn trui wanneer ze terugkeek, tot haar vriendin me via een vriend van mij een briefje stuurde dat ze de beveiliging zouden inschakelen als ik niet ophield met staren.

Ik slaagde erin zo veel woorden te stamelen dat arrestatie werd voorkomen, maar volgens mij wist ik pas een hele zin over mijn lippen te krijgen toen we op een regenachtige 5-novemberviering voor het eerst met elkaar uitgingen. Bij Cardiff Castle stak ze me per ongeluk met de punt van haar paraplu in mijn gezicht. 'Geeft niet,' zei ik. 'Ik heb nog een oog.' En ze moest lachen, niet omdat er een paraplu in mijn wang stak, maar omdat ze vond dat ik iets geestigs had gezegd.

Ik herinner me onze eerste kus en onze eerste maaltijd en zo veel andere eerste dingen dat het me de hele ochtend heeft gekost om deze zin op te schrijven... Maar de mooiste herinnering was die eerste keer dat ik haar aan het lachen maakte.

Ze is nog steeds hartveroverend gevaarlijk met de paraplu.

Toen we allebei eenentwintig waren, had ik een baan bij de avondkrant van Cardiff, studeerde Nicky er aan de universiteit en woonden we samen. Sommige stellen ontwikkelen een stille relatie, gebaseerd op wederzijds begrip, waarin de ware aard van de band zich laat kennen door wat er niet wordt gezegd. Zo waren wij niet. Wij praatten constant. Ik wist zeker dat ik verliefd was toen ze drie uur lang uitweidde over de rollen in een film die ze de avond tevoren had gezien (*Ryan's Daughter* met John Mills, die ik niet heb gezien omdat de film het nooit kon halen bij de wijze waarop zij hem navertelde). We gingen zelden naar nachtclubs of feestjes omdat we daar niet makkelijk konden praten, en we vielen ook niet vaak voor drie uur in slaap omdat de gesprekken maar niet ophielden, al moest ik om zes uur op om de bus te halen. Dat was voornamelijk mijn schuld, want ik kon mijn mond niet houden. Ik kan zwijgen tot ik begin te praten, en dan kan ik niet meer stoppen. *Deze jongen heeft last van woordendiarree*, schreef de gymleraar op mijn eerste rapport. *Zijn mond moet worden afgeplakt.*

De zes woorden die ik het vaakst uit Nicky's mond heb gehoord, zijn: 'Mag ik ook eens wat zeggen?'

Na haar afstuderen kreeg ze een baan als researcher bij het plaatselijke radiostation Red Dragon en daarna als presentatrice van een wekelijks programma over invalidenthema's. We zijn geen van beiden gehandicapt; ze vond het werk gewoon fascinerend, en het duurde niet lang voordat ze een post kreeg op de universiteit van Bristol waar ze opleidingen organiseerde voor studenten met een handicap. We verhuisden naar de overkant van de Severn, waar we het kleinste appartement in het chicste huis van Clifton kochten. Het was een Regency-villa – gebouwd van de buit uit de Britse koloniën – met een voorportaal van dertig meter dat zich uitstrekte van het eigenlijke huis naar de weg, zodat de dames nooit blootgesteld hoefden te worden aan de elementen (of het uitschot) wanneer ze uit hun rijtuig stapten.

Ons appartement was tien keer zo klein als de hal. Het was zo klein dat je zijwaarts, eerst met de linkervoet, de keuken in moest schuiven. Zette je eerst je rechtervoet, dan stond je met je rug naar het fornuis, en er was geen ruimte om te keren. We kregen de bank niet door de voordeur, dus moesten we een andere kopen die meer weg had van een hondenmand. Die werd dan ook door de hond in beslag genomen, dus zaten wij op het bed.

We vonden het een heerlijke woning. Vrienden vroegen: 'Het is zo klein, heb je niet het gevoel dat je constant op elkaars lip zit?' Dan lachten we maar wat.

Nicky wilde in het wit trouwen, en aldus gebeurde: de bruiloft was in februari 1993 in Lapland, zo ver boven de poolcirkel dat de dagen maar een paar uur duurden en de nachten werden verlicht door spookachtig groene rivieren langs de hemel, het noorderlicht.

Op de ochtend van de trouwplechtigheid hulden we ons in de trouwkleding die we heel voorzichtig hadden ingepakt en liepen we vanuit onze hut over een spoor van samengepakte sneeuw bij een temperatuur van veertig graden onder nul naar de hotelreceptie, waar een drietal Lappen, rendierherders, stonden te wachten om ons naar een naburig dorp te brengen waar de plechtigheid zou plaatsvinden. Ze wierpen één blik op Nicky's schitterende japon van zijde en fluweel, die vele weken salaris, maandenlang ontwerpen en passen en meten had gekost, en barstten in lachen uit.

'Je kunt in die kleren wel met de rendieren mee rijden,' zei de jongste Lap in behoedzaam Engels, 'maar wanneer we in het dorp aankomen, wordt het een begrafenis in plaats van een bruiloft.'

Ze haalden sneeuwpakken tevoorschijn met lagen voering zo dik als tractorbanden. Daarna deden ze glimlachend een stap achteruit om te kijken hoe de bruid zich zou verkleden.

Ik joeg hen naar buiten de sneeuw in. Na de rit naar het dorp was hun wraak zoet toen ik uit de rendierslee stapte om een foto te maken en tot mijn hals in de sneeuw wegzakte.

De woorden van de Finse plechtigheid waren schitterend. We beloofden elkaar lief te hebben en te steunen, met maar één doel dat ver verheven was boven alle andere: een gezin stichten. Dat was precies onze privéreden om te trouwen. We hadden zeven jaar samengewoond en nu wilden we kinderen.

Na de plechtigheid kregen we van Jussi, de hotelbaas, een rendiergewei en hij legde uit dat dat bij de Lappen een traditioneel vruchtbaarheidssymbool is. We hadden Nicky's graad in de psychologie niet nodig om erachter te komen waarom dat zo was, maar Jussi voegde eraan toe: 'Leg dit onder je bed en je zult een jongen baren.'

'En als we een meisje willen?' vroeg Nicky.

Jussi's mond zakte open. Hij ging de herders raadplegen en kwam terug: 'Als jullie een meisje willen, moet je een hamer onder het bed leggen. Geen moker, maar... zo'n hamer.' Hij kromde twee vingers.

'Een klauwhamer?'

Ik dacht dat ik het begreep, maar misschien was er iets bij de vertaling verloren gegaan. Na de huwelijksreis legden we het gewei onder ons bed in Bristol en binnen een jaar werd James geboren. Later schoven we een hamer onder de springveren... en toen werd er een hele sloperij geboren.

Ons appartement met maar één bed was te klein voor een gezin, er kon zelfs geen ledikantje bij. Toen Nicky zes maanden zwanger was, beseften we dat we dringend moesten verhuizen: ze paste niet meer in de keuken. Maar het appartement stond al een jaar te koop, en ondanks een tiental belangstellenden was er nog geen bod uitgebracht. De huizenmarkt was ingezakt, de hypotheekrente stond op vijftien procent en we moesten ons neerleggen bij een lagere vraagprijs dan we ervoor hadden betaald. De meeste mensen die door ons nest schuifelden, leken alleen maar een middagje gratis te willen kijken.

Een paar weken voor de bevalling schoot mijn vader ons te hulp met een lening, die hem feitelijk de tijdelijke eigenaar maakte van ons snoezige miniappartement dat eigenlijk een omgebouwd trappenhuis was, zoals we nu pas in de kleine lettertjes lazen. We verhuisden naar de andere kant van de stad, naar een rijtjeshuis met drie slaapkamers en een keuken die groot genoeg was om in te bowlen.

James arriveerde op 24 februari 1994. We waren gelukkiger dan ik ooit had durven hopen. Hij was een voorbeeldige baby. De vrouwen van de kleuteropvang in het zaaltje van de kerk aan het eind van de straat noemden hem *Smiler* en dat was nog zwak uitgedrukt, alsof je Liberace *de Opzichtige* zou noemen of Dzjengis Khan *Knorrepot*: wij hadden de zonnigste, vrolijkste knuffelbaby van Bristol. En al deden we ons best om het te verbergen, oplettende toeschouwers konden een tikje zelfingenomenheid bij ons bespeuren. Deze baby was zo welkom: we hadden alle medische raad bijgelovig tot op de letter opgevolgd en een ascetisch leven geleid zonder alcohol, maar met bergen foliumzuur, en we hadden ons suf geleend om hem de mooiste wieg van John Lewis in een pas geschilderde kinderkamer in een warm huis aan een veilige straat te geven. Ondanks de schrik die het bloedonderzoek ons had aangejaagd, was ons jongetje perfect geboren. En diep vanbinnen geloofden we dat dit kwam omdat we alles goed hadden gedaan.

Nicky ging weer twee dagen per week werken, als beroepskeuze-adviseur voor tieners. Ik deed de avonddienst bij het dagblad van de stad en overdag had ik de tijd van mijn leven: ik liep achter het wandelwagentje, verwarmde kommetjes gepureerd fruit en walste tijdens het babyballet door het wijkgebouw. We besloten dat één baby bij lange na niet genoeg was. We wilden er minstens acht, in identieke matrozenpakjes, op volgorde van grootte, eensgezind zingend. Als we alles volgens het boekje bleven doen, zouden acht stuks niet te veeleisend zijn. Om de zaak te bespoedigen, konden we de volgende keer een tweeling proberen te maken.

Toen James twee werd, was Nicky zes maanden zwanger en zeiden al haar vriendinnen dat ze veel te dik was voor alleen maar een tweeling; er moest minstens een drieling in haar buik zitten. Ze was waarschijnlijk zwanger van een hele schoolklas. Er werd trouwens wat afgevochten daarbinnen, er werd getrapt, geworsteld en gestampt. Zelfs onder een T-shirt zag haar buik eruit alsof er twee sumoworstelaars in een spaceshuttle zaten.

Op de echo was maar één baby te onderscheiden en het geslacht was niet te zien. Bij James was er geen twijfel geweest, die had in de baarmoeder blijk gegeven van een duidelijke persoonlijkheid. Als we voor hem zongen, of Mozart en Chopin voor hem draaiden, of maar wat tegen hem keuvelden om hem aan onze stem te laten wennen, zoals de babyboeken aanrieden, dan beloonde hij ons door zich uit te rekken of te kronkelen. Geen woest krijgertje spelen van de vechtclub... Alleen maar even kronkelen. Deze tweede baby was immuun voor kamermuziek en ons gekoer liet hem koud. James strekte zijn armpje om zijn moeders buik en drukte zijn oor op haar huid, en dan vroegen we: 'Kun je iemand horen? Klinkt dat als een broertje of een zusje?' James schudde verbaasd zijn hoofd, en zijn mysterieuze broertje of zusje hield zich muisstil, maar als Nicky zich later in de auto liet zakken of probeerde te slapen, begon de baby zich woest te roeren.

Na zeven maanden was het niet leuk meer. De baby was zo zwaar en lag zo ongemakkelijk, dat Nicky helse rugpijn kreeg. Met acht maanden kon ze amper uit bed komen. Fysiotherapie hielp niet en de huisarts kon haar alleen maar aanraden stil te blijven liggen en af te wachten. Toen de weeën uiteindelijk begonnen, leek ze niet zenuwachtig. Hoe zwaar de bevalling ook zou blijken te zijn, die luidde tenminste het eind van de zwangerschap in.

En zwaar was het. Er verstreken zeventien uur voordat de weeën zo vaak kwamen dat de kraamkliniek haar in de kleine uurtjes van 18 mei opnam. Het duurde nog een martelende tien uur voordat de baby tevoorschijn kwam. Tegen die tijd was Nicky de instorting nabij, hallucineerde ik bijna van vermoeidheid, was de afdeling een martelkamer en de arts met zijn batterij buizen en naalden de inquisiteur. Mijn vrouw lag te gillen en haar voeten lagen in grijze, metalen beugels. De realiteit van die herinneringen staat in mijn geheugen gegrift. Dit was niet de ontroerende knuffelscène die de geboorte van James had begroet.

De baby brulde toen de vroedvrouw het bloed wegsponste. De arts stiet een slap juichkreetje uit. Hij had niets meer van de grootinquisiteur; nu zag hij eruit als een arts die bang was geweest dat het zo tegenstribbelende kindje dood geboren zou worden. Terwijl hij zich met Nicky bezighield, mocht ik mijn nieuwe kind vasthouden.

'Een jongen of een meisje?' vroeg ik. Kijkend naar het verkreukelde gezichtje van de baby, kon ik het nog steeds niet zien.

'Ik ben vergeten te kijken,' zei de vroedvrouw. 'Zullen we eens? Lieve hemel... Het is zonder meer een jongen.'

Ik fluisterde: 'Je bent er, hoor. Ik ben je vader.'

Zijn blauwe ogen waren open en op mij gericht, maar ik had niet het gevoel dat hij me zag. Ik had de indruk dat hij net zo verbijsterd was als ik.

We noemden hem David. Het was een van een tiental namen waarmee we hadden gespeeld. Isobel, Greta en Ingrid waren nu van de baan, en hij was te blond om Ewan te heten (voor het geval u het zich afvraagt: Ewans kunnen rossig of donker zijn, maar niet blond, dat zou niet kloppen). David leek ons een serieuze naam die paste bij een ernstige baby, die zijn eerste vijf levensdagen etend en slapend doorbracht met een gezicht alsof de regeling hem niet helemaal lekker zat.

En daarna zette hij het op een huilen.

Gedurende de acht maanden die volgden, sliep David nooit langer dan veertig minuten achter elkaar en tussen die tukjes zaten nooit minder dan drie uur. Wanneer hij wakker werd, wilde hij gevoed worden. Nicky gaf hem de borst, en hij begon niet gewoon zijn maaltijd op te zuigen, maar hij viel erop aan als een leeuw op een zebra. Daarna huilde hij. Als we hem vasthielden, klaagde en blaatte en kreunde hij, en dat jammerlijke geluid nam langzaam maar zeker toe tot een oorverdovend gekrijs dat maar doorging en doorging tot het zichzelf opbrandde en David weer in slaap viel. Voor veertig minuten.

Hielden we hem niet vast, dan begon hij direct met het gekrijs en voerde hij het vanaf dat punt op.

Lastige nachten hadden we wel verwacht. Gebroken nachten horen er nu eenmaal bij als je een baby hebt. Het is een standaardbeeld voor jonggetrouwden, als een strip uit de jaren vijftig: verfomfaaide moeder ijsbeert om drie uur met een brullend bundeltje luiers, terwijl papa met open mond voor pampus in een leunstoel ligt te snurken. Dat hadden we al met James meegemaakt en toen voelde het als een spelletje.

Maar de verbrijzelde dagen en nachten na de geboorte van David waren helemaal niet leuk. We bleven elkaar voorhouden dat hij binnenkort zijn ritme wel zou vinden en dat we de uitputting tot die tijd maar voor lief moesten nemen. Maar het was moeilijk voor te stellen dat een baby die zo kon krijsen ooit zou ophouden. Zonder het met zo veel woorden te zeggen, vreesden we dat het alleen maar erger zou worden en dat was ook zo: Davids geschreeuw was vervuld van frustratie, alsof hij een veel grotere mond en longen nodig had om zich echt uit te kunnen drukken.

Na zes weken geblèr hadden we een aantal geïmproviseerde mechanismen ontwikkeld om ermee om te gaan. De eerste richtte zich op James. De nieuwe baby ontwrichtte zijn leven evenzeer als het onze (we bleven maar zeggen dat dit er ook bij hoorde: dat doen kleine broertjes nu eenmaal). We bleven James naar de peuterspeelzaal, dansles en lieve toneelstukjes brengen en gingen op koffievisite waar zijn bewonderaars bijeenkwamen. Omdat je van vrienden niet kon verwachten dat ze bewondering zouden opbrengen voor zeven kilo woest krijsend kind, namen we David niet mee. Dat bepaalde het patroon voor de volgende tien jaar: verdeel en heers.

Met overlevingstactiek nummer twee benutten we een kink in Davids gepantserde voornemen om zichzelf blauw te gillen: dat werd minder als hij reisde. Dan legden we hem in de kinderwagen voor een rondje park om de buren wat respijt van zijn kabaal te geven, en voordat we bij de hoek waren, begon hij al te kalmeren. Als we het rondje goed planden, staarde hij ruim een kilometer naar de lucht met een blik vol argwaan, alsof hij maar niet begreep waarom de wolken niet op hem neerstortten. En wanneer we dan thuiskwamen, sliep hij, wat ons veertig minuten de tijd gaf een maaltijd in de magnetron te zetten en op te schrokken, of om bewusteloos op de bank te vallen.

Om hem in de waan te brengen dat we op expeditie waren, duwden we de kinderwagen in de keuken heen en neer, of wiegden we hem in zijn autozitje op de keukentafel. Hij had behoefte aan constante beweging en die trucs werkten. Soms gingen er wel een paar hele minuten voorbij dat hij niet gilde.

We hadden behoefte aan vakantie. Voor de ouders zou zo'n tweeweekse vliegvakantie naar Turkije ideaal zijn, terwijl ze hun kinderen in huis opsloten met een koelkast vol chocoladeyoghurt en Cola Light. We kozen een gezinsuitstapje naar het noorden van Wales, waar mijn ouders een vakantiehuisje hadden in een caravanpark met uitzicht op Cardigan Bay. Het was er spectaculair en het was gratis, wat maar net iets meer was dan we ons konden veroorloven. Het vakantiehuisje was vier uur rijden, maar we dachten dat we wel snor zaten, want David hield van reizen. Dat klopte maar ten dele. Tot Builth Wells – dat halverwege lag – staarde hij de hele weg uit het raampje maar daar nam hij een besluit.

Misschien had hij na een paar uur in de gaten dat we niet naar het park gingen; misschien dacht hij dat zijn strot zijn beschermlaag kwijt zou raken als hij nog langer stil bleef.

De rest van de reis brandde een blijvend gat in mijn geheugen. Ik herinner me die reis nog net zo goed als die keer dat ik als kind van de trap viel en mijn tanden door mijn lip sloegen: ik kan me de ogenblikken nog voor de geest halen maar de pijn niet meer. Het brein heeft een veiligheidsmechanisme dat voorkomt dat je rampspoed en dreigende gekte opdregt.

Ik weet nog dat we twee uur door de Wye-vallei en over de bergen naar de kustweg reden, gevangen in een blikken doos met een gegil dat te pijnlijk was voor de oren: het boorde zich een weg door je schedel. Ik weet nog dat het al mijn concentratie kostte om de auto op de weg te houden en dat ik me pas voldoende kon ontspannen als David, die naast me op de passagiersstoel zat, stopte om op adem te komen. Ik weet nog wel dat Nicky en James ineengedoken op de achterbank huilend in elkaars armen zaten, allebei met hun vingers in hun oren.

In de buurt van Machynlleth veranderden de sporadische buien in een wolkbreuk. We draaiden de raampjes dicht zodat het kabaal nog meer werd ingekapseld, terwijl de ruitenwissers heen en weer zwiepten en het hemelwater het omringende heuvellandschap vertekende. De donderbui, het gegil en de claustrofobie smolten ineen tot een vibrerende hallucinatie, die nog erger werd toen de regen een van de wissers wegrukte.

Bij aankomst in onze badplaats stond ik half rechtop om te kunnen kijken door de plek die door de nog overgebleven ruitenwisser werd schoongeveegd. Ik parkeerde op de boulevard zodat James en zijn moeder naar een cafetaria konden hollen. Hem was het eerste ijsje van de vakantie beloofd en geen van beiden leek het erg te vinden om een nat pak te halen toen ze de auto ontvluchtten en de weg overstaken.

Inmiddels was Davids gegil niet meer constant. Het laaide af en toe op, maar hij was al sinds Bristol wakker en langzaam maar zeker gaf hij zich over aan de slaap. Ik keek in zijn mond. Die was rauw. Vervolgens ving ik een flikkering op van zijn ogen, voordat zijn gezicht weer samentrok en hij opnieuw een keel opzette. In dat korte ogenblik waren zijn irissen niet blauw. Ik wist dat ik de ochtend van zijn geboorte naar zijn gezwollen, gerimpelde gezichtje had gekeken en dacht, blauwe ogen, net als zijn broer. En sindsdien... Ik kon me niet meer herinneren David recht in de ogen te hebben gekeken.

Ik voelde me schuldig. Nog voor James kon praten, had ik hem vele uren aangekeken om te proberen zijn gedachten te lezen. Was dat een teken dat ik minder van David hield?

Toen Nicky en ik een tweede kind op stapel zetten, had ik een onuitgesproken angst gekoesterd: hoe kon ik ooit dezelfde aan adoratie grenzende genegenheid opbrengen voor een ander kind dan James? Het had iets weg van de echte versie van het malle, pruilerige spelletje dat Nicky en ik wel eens speelden: 'Als ik doodging en jij zou hertrouwen, zou jij dan net zo veel van haar houden als van mij?' (Het juiste antwoord was niet: 'Ik zou anders van haar houden,' maar: 'Ik zou nóóit kunnen hertrouwen!')

Het was niet moeilijk om het blonde dons op Davids hoofd te strelen en hem mijn barstende hoofdpijn te vergeven. Tenslotte zou ik zijn broer alles vergeven, en gelijke monniken gelijke kappen. Maar hoe kon ik beweren dat ik net zo veel van de baby als van de kleuter hield, als ik niet eens wist welke kleur ogen hij had?

Ik hield Davids hete handje tussen duim en wijsvinger en beloofde dat ik nooit minder van hem zou houden dan van James. Als hij me aankeek, zou hij weten dat ik het meende.

Maar ik kon zijn blik niet meer vangen. Wanneer zijn ogen open waren, draaiden zijn irissen van me weg. Het ene moment dacht ik dat ze bruin waren, het volgende leken ze blauw maar bloeddoorlopen en roodomrand. Als ik mijn nek uitstak en zijn trillende blik volgde, miste ik dat gevoel van contact, de band die ik zo dikwijls met James voelde. En ik gaf mezelf de schuld.

Pas als David sliep, kon ik een ooglid optillen en ontdekte ik dat ze blauw en op weg waren groen te worden, net als die van zijn moeder. Ik sloeg hem twintig minuten gade, en nu was zijn gezicht kalm en zonder angst, terwijl de regen in vlagen de autoramen waste.

En na een tijdje besefte ik dat ik wel van hem hield. Ik wist dat hij meer voor me betekende dan ik ooit voor mezelf kon betekenen, en dat was precies zoals ik mijn liefde voor James en voor Nicky definieerde. Mijn liefde voor David voelde anders, maar misschien kwam dat omdat hij ook een ander kind was.

# *Twee*

De vraag die iedereen stelt is: 'Wanneer wisten jullie het?' Het wezen van die vraag herbergt de angst voor het ongeziene: 'Wanneer besef-ten jullie dat er iets anders aan de hand was, iets verschrikkelijks, iets onzichtbaars?' Ouders van jonge kinderen vragen het met nadruk en doen geen moeite hun interesse als beleefd gepraat over koetjes en kalfjes te vermommen: 'Hoe oud was hij toen jullie erachter kwa-men?'

Meestal zeggen we dat we wisten dat er iets ernstig mis was voordat David twee jaar was.

'O, Josh/Lilly/Mike is bijna drie,' verzekeren ze ons. 'En Jessie is bij-na zes, we maakten ons een beetje bezorgd omdat ze zo laat ging pra-ten, maar nu gaat het prima.'

Misschien moeten ook de ouders van kinderen met een lichamelij-ke handicap zulke gesprekken glimlachend en knikkend verduren. Als David of James lichamelijk misvormd was, zouden ouders met een kind onderweg vragen: 'Was het te zien op de echo? Was het dus, eh... geen complete schok toen hij werd geboren? Want Sarah heeft net haar eerste echo gehad en het ziet er allemaal vrij normaal uit...'

Ouders van gezonde kinderen mogen botte en ongevoelige vragen stellen. Het is hun angst die aan het woord is, hun radeloze behoefte om te geloven dat hun baby niets kan overkomen. Ik vind dat ouders van gehandicapte kinderen botte en gevoelloze antwoorden mogen geven, anders draag ik bij aan de nutteloze mythe dat baby's met bij-zondere behoeften altijd bij heilige ouders worden geboren.

Dus zeg ik: 'In dit land heeft een op de zes kinderen een leerstoornis of een andere handicap. Dat wil zeggen dat een gezin met drie kinderen vijftig procent kans heeft dat er iets mis zal zijn. Handicaps zijn normaal en wijdverbreid. Er wordt alleen niet over gepraat.'

En het is een feit dat Nicky noch ik bewust hebben stilgestaan bij de mogelijkheid dat onze baby schreeuwde omdat er iets ernstig mis was met zijn hersenen, al had mijn vrouw jarenlang met gehandicapte studenten gewerkt. Wanneer David niet brulde, was hij aanbiddelijk. Ik heb eens met hem gepronkt – toen hij sliep – in een kleuterklasje in het zaaltje van de kerk, en toen zei een door de wol geverfde moeder wier oudste kind een vroegoud ventje van acht was: 'Geniet er maar van. Voor je het weet, is hij volwassen.'

En ik zei: 'Ik wou dat ik hem kon vriesdrogen, zodat hij altijd baby blijft.'

Dat is nu tien jaar geleden. Grapjes herinner ik me nooit, behalve dat ene. Ik hoorde het mezelf zeggen, en het klonk gevaarlijk en te arrogant om leuk te zijn. Het klonk ook als een leugen; wat ik echt wilde, was David helpen groot te worden.

Die week moet ik tientallen malle opmerkingen hebben gemaakt. De helft van mijn gesprekken met mensen die ik niet goed ken is wijsneuzig. Maar dat grapje is me bijgebleven, en dat kan alleen maar komen omdat ik op een bepaald niveau, dat mijn bewustzijn niet wilde erkennen, al vermoedde dat David altijd een baby zou blijven.

De eerste keer dat we onder ogen durfden te zien dat er iets mis met hem was – een kleinigheid, iets wat makkelijk te verhelpen zou zijn – was toen hij zestien maanden was. De wijkzuster onderzocht hem, woog hem, porde in hem en luisterde naar zijn longen. Ze vroeg hoeveel woorden hij kende en we zeiden: 'Eén. "A-duh." Dat betekent *dog*. Op diezelfde leeftijd kende zijn broer al zo'n honderd woorden, maar aan de andere kant kon David weer veel eerder lopen; tenslotte hebben ze allemaal toch andere talenten?'

De zuster maakte een aantekening, liet David wat flitsende lichtjes en draaiend speelgoed zien. Daarna ging ze achter hem staan en riep zijn naam.

Hij reageerde niet.

Ze riep nog eens, deze keer iets scherper. Daarna rammelde ze met een bel.

David negeerde haar.

'Hij weet dat u het bent,' zeiden we. 'Hij is te slim om zich in de luren te laten leggen.'

De zuster schudde haar hoofd. 'Hij hoort zich om te draaien. En zijn spraak ontwikkelt zich langzaam. Hebt u iets van een gehoorstoornis gemerkt?'

Of we dat hadden gemerkt? De hele straat was zich er pijnlijk van bewust dat David een reeks oorontstekingen had gehad. Het geschreeuw als gevolg van de pijn was nog doordringender, nog hardnekkiger dan zijn gewone geblèrde bezwaar tegen het onrecht van het bestaan. Bij ons laatste bezoek aan de huisarts kwam de dokter zijn spreekkamer uit gesneld om te zien waarom een kind zo vreselijk moest gillen. We waren nog maar in de vestibule, niet eens in de wachtkamer. Diezelfde dag zei een van onze buren bits dat ze ons kind de hele nacht had horen huilen. Ze woonde zeven huizen verder.

Elke oorontsteking was met antibiotica bestreden, maar de aandoening keerde telkens terug en heviger dan de keer daarvoor. Het kon zijn dat Davids gehoorgang verstopt zat, beaamde de huisarts. Hij kon wel eens een 'lijmoor' hebben, dan blokkeren proppen slijm het trommelvlies. Dat kon de reden zijn dat hij weinig hoorde en maar langzaam leerde praten. Het kon hem ook een bonkende hoofdpijn bezorgen, reden genoeg om dag en nacht te schreeuwen.

Dat leek de verklaring voor alle problemen van ons kind. Een lijmoor was makkelijk te verhelpen; kleine plugjes, of trommelvliesbuisjes, zouden in de buis van Eustachius worden ingebracht zodat het vocht weg kon.

'Hoe slaapt hij tegenwoordig?' vroeg de huisarts.

We zeiden dat het prima ging, dat hij gesteld was op zijn acht uur slaap en wij ook. We geneerden ons om uit te wijden, omdat we Davids slapeloosheid hadden verholpen met een dosis alternatieve geneeskunde die ons pure larie had geleken, maar onthutsend effectief bleek.

Na acht maanden van amper veertig minuten ongestoorde slaap met tussenpozen van vier uur, waren Nicky en ik bereid alles te proberen. We hadden ontdekt dat zijn slaappatroon een naam had: het Überman-slaapschema. Genieën variërend van Leonardo da Vinci en Thomas Edison tot Winston Churchill hadden zich erin geoefend. Door dag en nacht tweehonderd minuten te werken afgewisseld door veertig minuten slaap, werden er elke week topprestaties geleverd. David was een geboren genie. Hij zou waarschijnlijk meesterwerken gaan schilderen en wereldoorlogen winnen, of er op zijn minst een beginnen. Wij waren evenwel geen genieën maar wel onbeschrijfelijk uitgeput.

'Een echt genie,' klaagde ik, 'zou begrijpen dat dit allemaal goed en wel was voor Leonardo, maar voor mensen als wij is het marteling door middel van slaaponthouding.'

We probeerden zakjes lavendel in zijn ledikantje, we probeerden hem te verschonen en om te draaien, we probeerden hem te laten uithuilen, we probeerden hem in te bakeren, we probeerden dicht tegen hem aan te kruipen, we probeerden hem op te pakken en neer te leggen, we probeerden cd's met walvismuziek en baarmoedergeluiden, we probeerden te smeken, we probeerden terug te schreeuwen, we probeerden alles, al waren het klinkklare wanhoopsmaatregelen... zoals bijna zestig pond betalen voor een sessie 'hersenmassage' door een 'craniaal osteopaat'.

De craniaalmasseuse zei dingen als: 'Ik voel hier een ongewoon actief brein' toen ze haar vingertoppen achter in Davids schedel begroef. Ik zou gegild hebben van de lach als ik niet zo kapot was geweest en half in slaap op haar andere behandeltafel hing.

Diezelfde nacht sliep David acht uur en een kwartier. De volgende nacht ook en de volgende nacht weer.

Zijn 'ongewone hersenactiviteit' werd afgeleid door ongewoon amusement. We kochten een poppenhuis voor hem. Het enige wat hij deed was het deurtje eindeloos open- en dichtdoen. We lieten hem zijn eigen wandelwagentje duwen: hij duwde het een uur lang heen en weer over dezelfde barst in de stoep. We keken samen naar een video van Thomas de Trein: hij had geen oog voor het verhaal maar rende bij elke uitbarsting van de titelmuziek naar de tv om zijn neus tegen het scherm te drukken. In de dierentuin had hij geen belangstelling voor de dieren, maar de spiegelbal bij de ingang van het insectenhuis fascineerde hem.

De Bristol Zoo is voor honderden gezinnen met kleine kinderen een tweede thuis. De muren zijn hoog, de ingang wordt bewaakt, steppen en fietsen mogen er niet komen en er zijn geen auto's. Honden evenmin. Het is het enige park in de stad waar een kind van twee op het gras kan huppelen, kruipen, wankelen, glijden en rollen zonder iets smerigs aan zijn kleren te krijgen. Het is natuurlijk ook het enige park met leeuwen en krokodillen, maar een beetje ouderlijke oplettendheid kan voorkomen dat er iemand wordt opgepeuzeld.

Op een dag, vlak na Kerstmis, schoot die ouderlijke waakzaamheid tekort.

David klauterde over de klimrekken in de speeltuin van de diergaarde en ik probeerde hem kiekeboe te leren. Telkens wanneer zijn gezicht tussen de tralies verscheen, bracht ik mijn hoofd naar voren en zei ik: 'Boe!' Andere vaders kunnen met een goed getimed 'Boe!' ademloze opwinding bij peuters oproepen, maar ik deed het zeker verkeerd, omdat David me negeerde zoals je een stinkende dronkenlap in de bus negeert.

Er zwermde een meute padvinderijwelpen over de rekken en ik deed een stap naar achteren. Toen ze waren verdwenen, was David ook weg.

Ik werd direct overvallen door het eerste stadium van paniek. Wanneer een kind nog geen twee jaar is, is het al te lang als het vijf seconden uit het gezicht verdwijnt. Ik speurde de zachte ondergrond onder de rekken af om te zien of hij soms was gevallen, keek boven op de glijbaan om te zien of hij misschien klem zat en vervolgens keek ik om me heen in de dierentuin. Er was nog een drietal kinderen die even groot waren en ook een blauw jasje droegen, maar geen van hen was blond. Mijn paniek nam toe.

De ergste angst is de meest onwaarschijnlijke, maar zo afgrijselijk dat die je toch als eerste te binnen schiet voordat er aannemelijker gevaren in je opkomen: stel dat mijn zoon was meegenomen door een aanrander, een pedofiel, een kindermoordenaar?

Verhalen over kinderen die uit hun eigen tuin worden ontvoerd of worden doodgeslagen wanneer ze met hun ouders aan de wandel zijn in het bos zijn zeldzaam, maar te afgrijselijk om ooit te vergeten. Verhalen over kinderen die aan hun eind komen onder de wielen van SUV's of een vrachtwagen zijn vrij algemeen. Ik had er natuurlijk direct voor moeten zorgen dat David niet naar een uitgang zou lopen, waar hij op de hoofdweg terecht kon komen. Maar in plaats daarvan was ik bereid het park rond te hollen om iedereen vast te grijpen die een peuter onder zijn jas kon verbergen.

Een paar keer riep ik aarzelend zijn naam. Ik was veel te bang om me iets aan te trekken van vreemden die konden denken dat ik een slechte vader was omdat ik mijn kind was kwijtgeraakt, maar ik wist dat roepen geen zin had. Hij kwam nooit als we hem riepen. Nooit, niet één keer. David zou nog niet van de andere kant van de kamer komen als je zijn naam brulde. Hij zou zich niet eens omdraaien.

En als hij niet naar mij toe zou komen, moest ik hém gaan zoeken.

Ik zocht op zijn favoriete plekjes, het insectenhuis, het aquarium en de pinguïnvijver. Ik ging terug naar de speeltuin en herhaalde mijn ronde. Twintig minuten later, terwijl ik mijn uiterste best deed mezelf gerust te stellen dat het een afgesloten gebied was, deed ik wat ik meteen had moeten doen. Ik ging naar de receptie om hem als vermist op te geven, ging naar buiten om te kijken of hij niet dood op de weg lag en vroeg het personeel van de winkel bij de uitgang goed naar hem uit te kijken.

Toen ik weer een ronde door de dierentuin maakte, werd hij omgeroepen: 'Wil David Stevens alsjeblieft naar de informatiebalie gaan waar zijn vader op hem wacht?'

Ik besefte hoe anders David was dan wat andere mensen van een jongetje van zijn leeftijd verwachtten.

De omroeper ging er terecht van uit dat een jongetje van achttien maanden zijn eigen naam wel wist en zou beseffen dat hij verdwaald was. Misschien zou hij wel een ander gezin hebben gevonden en gezegd hebben dat hij zijn papa niet kon vinden.

Dat kon David allemaal niet. Dat lag voor de hand, hoewel ik dat toen pas besefte. Hij kon niet beter praten dan een baby van twee maanden en dat maakte hem makkelijker te vinden. Ik was niet op zoek naar een stout weglopertje of een angstig verdwaald lammetje. David had mijn afwezigheid waarschijnlijk niet eens opgemerkt. Hij deed waarschijnlijk gewone David-dingen. Hij moest in het insectenhuis zijn.

En dat was ook zo. In een hoekje waar ze niet op hem konden trappen lag hij ruggelings naar de spiegelbal te staren. Hij gaf geen enkele blijk dat hij me had gemist, noch dat hij begreep hoe bang ik was geweest. Ik probeerde hem te knuffelen, maar hij dook weg.

Hij wilde pas weg uit het insectenhuis toen de muziek uit de luidsprekers veranderde. De meeste kinderen zouden niet eens erg in de muziek hebben, want die werd overstemd door het gesnerp en getjilp van opgenomen insectengeluiden. David wachtte altijd op de laatste noot, en als het druk was en hij zich geen weg naar buiten kon banen voordat het bandje opnieuw werd afgedraaid, moest hij dat helemaal opnieuw uitzitten.

Ik hield de capuchon van zijn anorak vast – hij wilde mijn hand niet vasthouden – toen ik hem naar de uitgang begeleidde. Ik bedacht dat zijn lijmoor wel zou meevallen als hij die muziek kon horen. Opeens schoot David naar voren om onder de rok van een vrouw te duiken.

Ze had niet eens zijn kant op gekeken. Ik riep zijn naam, maar dat was nutteloos en de dame slaakte een gil, precies zoals je van een vrouw zou verwachten wanneer een vreemd kind met koude handjes onder haar rok duikt.

'Sorry, hoor!' zei ik. 'Het spijt me, hij denkt dat u zijn moeder bent.' Ik had geen idee of dat zo was, maar een paar weken daarvoor hadden we iets soortgelijks meegemaakt in de peuterspeelzaal, toen Davids hand in een decolleté was verdwenen. De manier waarop de vrouw in kwestie had gegild gaf me de indruk dat David wist wat hij zocht en het ook had gevonden.

De vrouw in de dierentuin gaf een ruk aan haar been en schreeuwde 'Hou op! Hou op!' tegen de kronkelende vorm. Ze stak een hand in haar tailleband om hem los te maken, maar het was duidelijk dat David iets stevig te pakken had. Ik hoopte dat het haar dijbeen was.

'Mag ik even?' vroeg ik en ik zakte door mijn knieën om Davids enkels vast te pakken. Ik wist niet of ik mijn hand onder haar rok kon steken. Dat was misschien te vrijpostig; ik weet nog steeds niet hoe je je in zo'n situatie moet gedragen.

David kwam stralend tevoorschijn. Omdat geen enkel excuus of uitleg zou volstaan, sleepte ik hem weg, met open mond nagestaard door zijn slachtoffer.

'Hoe was de dierentuin?' vroeg Nicky later.

'David heeft genoten,' zei ik.

Een week later gingen we naar het kinderziekenhuis. Dat was minder leuk. De wachtkamer had een schuifdeur en vervolgens ging alles verkeerd.

Dit was het plan: de specialisten zouden Davids leven veranderen. Ze zouden gaatjes in zijn verlijmde doofheid boren en de pijn laten afvloeien. Vervolgens zou hij leren praten, stoppen met schreeuwen en kon iedereen weer rustig slapen.

We arriveerden twintig minuten te vroeg. Nicky is meestal stipter dan ik, maar de voorgaande nacht had ik gedroomd dat de afspraak was afgeblazen omdat we dertig seconden te laat waren. De receptioniste in mijn droom was een lompe vrouw die meer weg had van een politiebrigadier achter zijn bureau, en ze merkte met leedvermaak op dat David zijn hele leven doof zou blijven omdat ik niet de moeite had genomen op tijd uit mijn bed te komen.

De echte receptioniste was klein en hartelijk en haar accent was een mengeling van een Jamaicaans en Bristols accent. Ik mocht haar direct omdat ze David eerst begroette in plaats van Nicky en mij: 'Hallo kleine man, hoe is het met jou?'

Ze vroeg onze naam, controleerde de afspraak en zei tegen David: 'Wat heb jij een prachtige krullen.'

'Ze zijn mooier sinds ik de cornflakes eruit heb gewassen,' bekende Nicky.

'Aha. Een slordige eter, hè? Hou je van snoep?' Ze stak haar hand onder de balie en hield hem een zak wijnballen voor. David sloeg er geen acht op.

Ik haalde er een rode uit en duwde die in zijn hand 'Toe maar, lieverd' zei ik. 'Jammie jammie!'

David rook eraan en liet hem vallen.

De receptioniste slaagde erin niet gekwetst te kijken. 'Hou je niet van rode? Neem maar een andere! Nee? Goed, jullie moeten de trap op, de deur aan het eind van de gang door, de gang op over de eerste verdieping, aan het eind de trap op en vervolgens langs de snoezelkamer...'

Natuurlijk verdwaalden we. Terwijl we het labyrint door struikelden, stiet David nu en dan een schreeuw uit, maar niet zo hard dat de muren ervan sidderden. Toen we de wachtkamer eindelijk gevonden hadden, waren we alle drie nerveus.

Op een van de plastic stoelen lag een felgekleurde Fimble-knuffel. Ik ging zitten en aaide ermee over Davids gezicht.

Hij begon akelig te schreeuwen, alsof ik een levende rat in zijn gezicht had geduwd. Alle acht à negen andere kinderen in de wachtkamer barstten in tranen uit, hoewel ze met zijn allen minder geluid produceerden dan David in zijn eentje, die zijn lichaam kromde, zich uit mijn armen losrukte en zich op de vloer wierp. Hij stond op en gooide zich weer neer, stond weer op en stortte zich zijwaarts op de stoelen waardoor hij zijn hoofd verwondde aan de rand van de stoel. Ik probeerde hem vast te houden, maar hij werkte zich los en begaf zich struikelend naar de schuifdeur.

'Ik wou niet...' stiet ik uit tegen Nicky. 'Ik wilde juist...'

David greep de roestvrijstalen deurkrukken in beide vuisten vast en trok de deur blèrend dicht. Daarna ramde hij met zijn hoofd tegen het hout, krijste opnieuw en rukte de deur weer langs zijn glijders open.

Nicky ging op haar hurken zitten om de blauwe plekken onder Davids krullen te inspecteren. Hij trok zijn hoofd weg en de deur viel met een klap en een schreeuw dicht.

Ik probeerde zijn vingers van de kruk te peuteren, maar daardoor schreeuwde hij nog harder. Ik deed een stap naar achteren.

Hij deed de deur met een klap open, ramde hem weer dicht, dreunde hem open en klapte hem weer dicht, en toen de deur weer open vloog, verscheen er een man in een tweed pak die hem openhield. Hij was lang, halverwege de dertig en vanaf zijn kruin liep een schiereiland bruin haar. Hij wees met een dikke vulpen naar David. Die rukte aan de deurknop en wierp zich krijsend aan de voeten van de man.

'Voor wie komt hij?'

Hij vroeg het aan mij, maar Nicky gaf antwoord. Ze besefte dat ik inmiddels mijn eigen naam niet weer wist, laat staan die van de knospecialist. 'Dokter Jackson,' zei ze.

De man trok zijn wenkbrauwen op en zijn voorhoofd plooide zich helemaal tot aan de teruggeweken haargrens. Blijkbaar was David geen typische Jackson-patiënt.

'Misschien komt het door de aanblik van die deur,' zei ik. 'Hij heeft de laatste tijd iets met deuren.'

'Hij heeft íéts,' herhaalde hij. 'Een obsessie, denkt u?'

'Nee! Obsessie? Nee, nee. Hij is een beetje te jong om door iets geobsedeerd te zijn.'

De man in het pak tikte even met zijn pen tegen zijn borst en sloeg David gade die op de grond wild om zich heen maaide en schopte. Met zijn vrije hand hield hij de deur open.

'Hoe heet hij?' vroeg hij opeens als iemand die zichzelf te lang heeft laten afleiden. 'Ik zal dokter Jackson vragen zo snel mogelijk een gaatje voor hem te vinden. Intussen kunt u hem maar beter met de deur laten spelen als hij dat wil.'

David krabbelde overeind en deed nadrukkelijk de deur voor zijn neus dicht.

'Dat was dokter Howe,' vertelde een van de andere moeders op een eerbiedige toon die volgens mij alleen werd gebezigd in Australische soapseries.

David bedaarde toen hij de deur in zijn eigen ritme heen en weer mocht laten glijden. Ik had min of meer gehoopt dat we op voorspraak van dokter Howe voorrang zouden krijgen, maar de namen van andere mensen in de wachtkamer werden afgeroepen en ze passeerden David stuk voor stuk met een beleefd 'Neem me niet kwalijk' en een angstige blik opzij.

Er verstreken tien minuten waarin de schuifdeur met een rommelende klap open en dicht bleef schuiven. Ouders praatten gedempt met elkaar en de andere kinderen speelden met poppen, treintjes en lego die overal verspreid lagen, tot een van de vaders uiteindelijk zijn geduld verloor en mij toeblafte: 'Moet dat nou echt?'

Als David onmaatschappelijk gedrag vertoonde, was ik altijd de eerste om mijn excuses aan te bieden, maar iets in de reactie van de arts maakte dat ik nu mijn antwoord afwoog. 'Vond u het alternatief dan zo leuk?' vroeg ik na enkele ogenblikken.

'Thuis mag hij waarschijnlijk doen wat hij wil,' zei de vrouw naast hem.

Ik wendde me af. Een jongetje van drie liep op hem af om hem te bekijken. Om één oor droeg hij een doorzichtig plastic geval. Ik wist niet precies wat het was, maar voor het eerst had ik zo mijn twijfels over die oorpijn. Wat het ding aan de zijkant van het hoofd van het jongetje ook mocht zijn, het zag er medisch en oncomfortabel uit, en hij schreeuwde niet. Hij was niet geobsedeerd door de deur.

Obsessie... Hoe kon je dat woord voor mijn bloedeigen zoon gebruiken? En waar hadden we hem naartoe gesleept? Had hij niet genoeg problemen, dat we er nog meer voor hem moesten verzinnen?

'Ik ben het zat,' mopperde ik tegen Nicky en ik was al opgestaan, toen David de deur liet openzwaaien en daar opeens de dokter in het tweed pak stond, met een vrouw in een hemelsblauw mantelpakje. Tegen het gebutste emailgroen van de gangmuren vormden ze een modieus stel, als rijke westerlingen op een trektocht door het Oostblok.

'David Stevens?' vroeg de vrouw en ze keek langs de gezichten van de ouders, hoewel het voor de hand lag dat het kind vlak naast haar zat en strijd leverde met de voet van dokter Howe om de deur dicht te krijgen.

Ik stak mijn hand uit.

'Ik ben Andi Jackson,' zei ze. 'Dokter Howe is onze kinderarts. Ik hoor van hem dat David zich een beetje verveelde.'

David liet zich door mij oppakken, maar toen we één stap in de gang zetten, zette hij weer een keel op.

'Nu moeten we de deur met rust laten,' zei dokter Howe met luide stem tegen hem.

'Het is die deur niet,' zei ik toen David zijn geschreeuw even onderbrak om adem te halen. 'Volgens mij... verwachtte hij... dat we... weggingen. Hij wil... de andere kant op!'

Tegen de tijd dat het me lukte die zin in de korte adempauzes van het geblèr te persen, waren we bij de kamer van dokter Jackson en ging dokter Howe zijns weegs. Misschien was hij van plan geweest bij het consult aanwezig te zijn, maar als dat al zo was, dan had hij zich bedacht.

De kamer was een raamloos vertrek dat was afgetimmerd met gespikkelde gipsplaat. De spikkels waren gaatjes en die schenen zelfs Davids schrilste gesnerp te dempen.

'Het heeft geen zin hier te brullen,' zei ik tegen hem. 'De wereld kan je toch niet horen.'

Dokter Jackson keek gekweld. Waarschijnlijk moet een kno-specialist over gevoelige oren beschikken.

'Zo kan ik hem niet onderzoeken. Ze rommelde wat door een speelgoedkist en vond een plastic klok in de vorm van een huis. Het luikje voor het zolderraam kon je wegschuiven, en daarachter zat een groene koekoek. Ze hield het voor Davids gezicht, trok het deurtje met haar vingertop open en klapte het weer dicht.

David fronste. Hij wilde geen aandacht besteden aan de klok, ware het niet dat er een schuifdeurtje in zat. Met een schreeuw maakte hij zich meester van het speelgoed en wrikte aan het plastic luik. Dat was steviger dan het eruitzag: hij kon ermee schuiven, hij kon eraan trekken, maar breken lukte niet. Hij kookte zo van woede dat ik bijna zag hoe de stoom van hem af sloeg, maar hij kalmeerde wel.

'Ik heb het gevoel,' zei dokter Jackson, 'dat ik vlug moet zijn.' Ze pakte een koptelefoon die iets weg had van die van een geluidsinstallatie uit de jaren zeventig. Zodra de zachte oorstukken Davids huid raakten, schudde hij heftig van nee.

'Wacht even,' zei ik, dit vindt hij leuk.' Ik legde mijn handpalmen op zijn oren, trok ze bol en legde ze weer plat. 'Soms kalmeert hij hiervan,' legde ik uit, terwijl ik de oefening herhaalde. 'Oké, probeer nu de koptelefoon maar.'

Hij wilde er niets van weten. Eén ruk van zijn hoofd en de koptelefoon viel op de grond.

Dokter Jackson probeerde één oorstuk tegen de zijkant van Davids hoofd te drukken, maar hij boog zo ver opzij dat hij bijna van zijn stoel tuimelde. 'Is er iets wat u kunt doen,' vroeg dokter Jackson hoopvol, 'om hem te laten inzien dat we dit ding moeten opzetten? Heel even maar? In de koptelefoon hoort hij geluiden op wisselend volume en op verschillende toonhoogte en ik wil dat hij ons vertelt wanneer hij ze kan horen. We kunnen er een spelletje van maken.'

'Dat is waarschijnlijk te veel gevraagd.'

'Communiceert hij niet op dat niveau?' vroeg de arts. 'Hoe dan? Noemt hij de dingen bij hun naam? Wijst hij? Probeert hij u in de gewenste richting te slepen of duwen?'

'O, jazeker,' zei ik, blij om een vraag te horen die ik bevestigend kon beantwoorden. 'Hij kan heel assertief sleuren. Een flinke duw en een schreeuw en we weten heel snel wat hij wil.'

'Maar hij wijst bijvoorbeeld niet?'

'Hij heeft het te druk met schreeuwen,' zei ik. 'Bovendien, als zijn oren dichtzitten en pijn doen, heeft hij moeite met horen, en dan raakt hij gefrustreerd, dus schreeuwt hij, en als hij schreeuwt, kan hij aan niets anders denken.'

Ik weidde nog wat uit in de hoop dat ik dokter Jackson kon laten begrijpen welk vonnis we verwachtten.

'Dus volgens u is het misschien een vicieuze cirkel?' vroeg ze, terwijl ze voorzichtig met een zaklantaarn in Davids oren scheen.

'Hij speelt met die klok,' zei ik. 'Onlangs heb ik in de peuterspeelzaal tien minuten lang geprobeerd hem "klok" te laten zeggen. Daar was een opwindklok die een melodietje voortbracht en daar was hij gek op, dus bleef ik maar "klok, klok, klok" zeggen, telkens weer. Uiteindelijk zei een moeder half voor de grap: "Ja, nu kent hij dat woord wel." Maar dat weet ik zo net nog niet. Volgens mij zitten die arme oren van hem zo verschrikkelijk dicht met slijm dat hij de woorden niet goed genoeg hoort om ze na te zeggen.'

Nicky gaf me een por tegen mijn arm, alsof ze zeggen wilde dat ik op mijn 'uit'-knop moest drukken.

Dokter Jackson legde de zaklantaarn neer. 'Ik zie geen enkele blokkade in de gehoorgang,' zei ze. 'Blijkbaar hoort hij wel geluiden, maar hoe duidelijk kan ik niet zeggen.'

'Voornamelijk muziek,' speelde ik mijn laatste troef uit. 'David reageert wel op muziek, maar ik geloof niet dat hij verbale geluiden onderscheidt: die zijn te vaag. Zou dat niet het probleem zijn?'

Dokter Jackson aarzelde. Ze keek even naar David met een mengeling van bezorgdheid en medelijden. 'Kan,' zei ze uiteindelijk, met zo'n zwakke nadruk dat het vermoeden postvatte dat het amper tot de mogelijkheden behoorde.

# *Drie*

Op de terugweg van de kliniek liepen we twee buren tegen het lijf. Ik herinner me niet waarom we hun vertelden dat David in het ziekenhuis was onderzocht; misschien omdat het slechte nieuws op ons gezicht te lezen stond. De echtgenoot, een man van in de zestig, knikte. 'We hebben altijd al gezegd dat er iets mis is met dat kind,' zei hij.

Als wraakoefening voor al die nachten dat Davids geschreeuw hen uit hun slaap had gehouden, was het een tamelijk wrede opmerking. Andere mensen waren minder bot, maar keken met open mond toe als David in winkels of parken een keel opzette. In peuterklasjes verwijderden ze zich of keken ze boos. De kinderboerderij had een schuur vol balen stro, waar David soms graag speelde. Nadat hij daar op een middag met mij een paar keer had gebruld, werden we de rest van de tijd gevolgd door een zwaargebouwde vrouw die me zwijgend en minachtend in de gaten hield. Ze was er kennelijk van overtuigd dat ik David zou mishandelen zodra ze even niet keek.

Het was ondenkbaar dat zulke mensen gelijk konden hebben. Er kon niets mis zijn met David, noch met ons ouderschap. We staken al onze tijd en energie in onze kinderen. Ik was weggegaan bij de plaatselijke krant om souschef te worden bij *The Observer*: voor die baan moest ik elk weekeinde naar Londen, maar gedurende de week had ik de handen vrij om 's avonds thuis te werken. Overdag hielp ik Nicky met de kinderen. Al zou ik maar in stilte toegeven dat Davids gedrag zorgwekkend was, dan zou dat verraad betekenen van iedereen die ik liefhad.

Ik verstopte me achter mijn optimisme. Het zou wel goed komen met mijn wilde jongen, op zijn eigen tijd.

Nicky was moediger. Toen David na Kerstmis nog steeds niet kon praten, speurde ze in boeken en op websites naar informatie over uitgestelde spreek- en taalvaardigheid. Ze ontdekte dat er talrijke oorzaken konden zijn: de meest zeldzame en verpletterende was autisme. Dus daar begon ze mee.

Eén webpagina vertoonde tekeningen van lucifermannetjes, in houdingen die kenmerkend waren voor autistisch gedrag bij kinderen. Daar stonden al Davids maniertjes die zo lief hadden geleken: een draaiend lucifermannetje, een lucifermannetje die met zijn houten armpjes wapperde als een pinguïn die probeerde te vliegen, een lucifermannetje dat zijn twijgvingers bestudeerde.

Ook een aantal minder innemende gedragskenmerken werden vermeld: de helse driftbuien en zoals hij eindeloos met zijn hoofd tegen de spijlen van zijn ledikantje sloeg.

Nicky liet me de pagina zien en ik was ziedend. Als we een rampzalige diagnose voor ons kind wilden stellen op basis van een paar poppetjes op internet, konden we net zo goed geloof hechten aan ontvoering door buitenaardse wezens en de onzin die er over piramides wordt verkocht.

Nicky richtte zich weer op internet op zoek naar sterker bewijs en vond de *Diagnostic and Statistical Manual of Mental Disorders*, DSM IV. Daarin stonden de officiële criteria voor autisme: David zou van een lijst van twaalf kenmerken er minstens zes moeten vertonen.

We werkten de lijst af en trachtten het medisch jargon in lekentaal om te zetten. Toen we klaar waren hadden we bijna alle punten aangevinkt.

Ik probeerde het van tafel te vegen. 'Dat lijkt wel zo'n vragenlijst in de *Cosmo*. Zet een kruisje bij uw antwoorden, tel uw punten op en ga naar pagina 43 voor onze sensationele persoonlijkheidsbeoordeling. Scoort u zes of meer punten, raadpleeg een specialist. Hebt u een score van 0-3, gefeliciteerd! U bent normaal!'

Maar DSM IV is het officiële handboek voor deskundigen in de geestelijke gezondheidszorg in Amerika. Het beschrijft drie sleutelgebieden van handicaps bij autisme: sociaal gedrag, taal en verbeelding. David vertoonde alle kenmerken, en hoewel we de grootste moeite deden om excuses te verzinnen en David het voordeel van de twijfel te gunnen, leek hij toch een schoolvoorbeeld.

Hij keek ons nooit lang aan en maakte zelden oogcontact, zijn gezicht vertoonde alleen zijn emoties wanneer hij een keel opzette en hij bediende zich niet van eenvoudige gebaren als zwaaien, knikken of wijzen ('eenduidige aantasting van multiple non-verbale gedragskenmerken').

Hij negeerde honden, katten en zijn broertje ('onvermogen relaties aan te gaan met broertjes of zusjes').

Als hij ons al ooit een stuk speelgoed had laten zien, dan konden we het ons niet herinneren ('het ontbreken van de spontane wens om plezier te delen').

Hij sloeg geen acht op onze pogingen spelletjes als kiekeboe of pak-me-dan te spelen; hij verzon geen spelletjes en bootste evenmin andere kinderen na ('gebrek aan sociale wederkerigheid en bij de leeftijd behorend spel').

Hij kon niet praten en gaf geen teken dat hij iets begreep van wat wij zeiden ('het uitblijven van taalontwikkeling').

Hij kon dezelfde video eindeloos opnieuw zien, kon uren heen en weer stappen over een hobbel in het pad en was gefixeerd op het openen en sluiten van deuren ('abnormaal intense en gerichte preoccupatie').

Hij krijste als we bij het naar buiten gaan links in plaats van rechts afsloegen ('onwrikbaar vasthouden aan bepaalde routinehandelingen').

Hij wapperde met zijn handen voor zijn gezicht als hij gespannen was ('herhaalde motoriek').

Hoewel hij zijn speelgoedautootjes nooit liet rijden of verongelukken, kauwde hij er steevast de banden af ('hardnekkige preoccupatie met onderdelen van voorwerpen').

Het zag er niet best uit. David had een hoge score gehaald op de lijst van Diagnostische Criteria voor een Autistische Stoornis. De enige onderdelen waaraan hij niet voldeed waren kwesties waarbij hij niet eens het vermogen had om gehandicapt te zijn ('herhaald of eigenaardig taalgebruik; verminderd vermogen om een gesprek te voeren').

Ik deed een laatste poging om het allemaal weg te lachen, door delen van criteria te onderstrepen die ook op mij van toepassing waren. 'Ik heb ook slechte sociale vaardigheden,' zei ik. 'Ik ben een eenling. Ik heb ontelbare rituelen. Hij is geen autist, hij wordt later gewoon journalist.'

Nicky wees me op de laatste zin van de DSM-samenvatting. Daarin werd gewaarschuwd dat de enige andere gesteldheid die Davids gedrag kon verklaren Desintegratiestoornis van de Kinderleeftijd heette, en geen van tweeën zaten we te springen om te weten wat dat inhield. 'Hou op met grapjes maken,' zei ze. 'We moeten een dokter raadplegen.'

David had een zonnig humeur toen we naar de huisarts gingen. Hij ging op het kleed zitten giechelen en negeerde zowel het speelgoed als de arts.

De huisarts was een ontspannen, joviale man. 'Mij lijkt er niets mis met hem,' zei hij. 'Hij is in elk geval vrij opgewekt. Hij besteedt inderdaad weinig aandacht aan ons, maar waarom zou hij ook? Wij zijn maar saai. Ik ben geen specialist en ik wil jullie doorverwijzen om jullie zorgen te bespreken, maar ik kan zo wel zeggen dat autisme ongelooflijk zeldzaam is. In mijn hele praktijk heb ik niet één autistisch kind. DSM IV is inderdaad het standaardhandboek, maar dat is voor vaklui. Ga maar niet op internet scharrelen op zoek naar symptomen: dat is een speeltuin voor hypochonders.'

Ik mocht die dokter wel. Ik heb nog steeds bewondering voor zijn optimisme. Mijn eigen optimisme grenst meestal aan waandenkbeelden en glasharde ontkenning.

Helaas is Nicky realistischer. De belangrijkste uitkomst van Davids bezoek aan de huisarts was een verwijzing naar een pedriatisch specialist in het kinderziekenhuis. Maar toen we de datum kregen, bleek dat we pas in december terechtkonden, negen maanden later.

Alles wat Nicky had gelezen over autisme benadrukte dat 'vroegtijdig ingrijpen' van cruciaal belang was voor een effectieve aanpak. Hoe eerder we met de behandeling begonnen, des te meer vooruitgang David zou boeken.

En negen maanden was bijna de helft van zijn korte leventje.

Nicky was vastbesloten om wat David mankeerde onder ogen te zien en stond erop dat we een afspraak zouden maken met een particuliere kinderarts. Bij de privékliniek aan de rand van de Bristol Downs konden we een afspraak in april maken, slechts drie weken later.

De enorme omvang van wat er met ons gezin gebeurde wilde maar niet tot me doordringen. Wanneer die zich openbaarde, sloot ik mijn ogen. Als het aan mij lag, zou David pas met Kerstmis naar een specialist gaan, zodat er de rest van het jaar officieel nog 'niets mis met hem' zou zijn.

Hij begreep geen woord van wat we bespraken. Zijn schreeuwaanvallen werden ongelooflijk genoeg steeds erger. We deden ons uiterste best om ze te verduren tot de volgende rustpauze: tijdens de liedjes in *Teletubbies*; wanneer de herkenningsmelodie van *East Enders* weerklonk en wanneer we zijn favoriete cd draaiden. Maar vreemd genoeg was ik elke dag in staat mijn emoties te onderdrukken. Het vooruitzicht dat David de rest van zijn en mijn leven zo kon blijven, was zo veel rampzaliger dan alles wat ik kon begrijpen, dat ik er domweg overheen walste.

Kon het dagelijks bombardement me niet deren, de kleine dingen konden dat wel. Ik was geschokt toen ik een briefje van de bibliotheek kreeg dat ik een boek kon ophalen dat op mijn naam was besteld, een autobiografie van een autistische vrouw. Eerst dacht ik aan een bizarre grap; daarna ontdekte ik dat ik dat boek echt had besteld, zes maanden daarvoor, nog voordat we dachten dat David iets aan zijn oren had. Ik herinnerde me vaag een samenvatting van het boek in de krant te hebben gelezen, maar het idee dat ik in mijn onderbewuste al in september vorig jaar belangstelling voor autisme had gehad, bezorgde me de rillingen.

Ik was ook verontwaardigd door een zesregelig bericht in een boulevardblad over een kind in de Filippijnen dat dacht dat ze een vogel was, nadat haar ouders haar hadden gedwongen bij de kippen in het kippenhok te leven. Het meisje kon niet praten en ze fladderde met haar armen. Ik werd laaiend: ze vertoonde de klassieke symptomen van autisme. Wat voor krant publiceerde voor de grap verhalen over kindermishandeling?

Ik herkende door slechts één alinea autisme aan de andere kant van de wereld. Maar in mijn eigen zoon zag ik het niet.

De afspraak met de particuliere kliniek viel op mijn vierendertigste verjaardag. We beseften dat het niet goed kon gaan: David was rustig toen we naar het ziekenhuis reden, maar de voorgaande tien dagen had hij telkens wanneer we een ander gebouw dan zijn huis in gingen geschreeuwd. We mochten zijn wandelwagentje wel door een straat duwen, maar zodra we een winkel of het huis van vrienden in gingen, ontplofte hij. Het was een angstaanjagend geluid. Niemand maakte er grapjes over, en het was weken geleden dat iemand 'Wat een longen!' of 'Hier is er eentje niet blij!' had gezegd.

Het geschreeuw ging door tot we het gebouw weer uit waren. Ik wist dat David het hele consult zou krijsen. Deze keer zou hij niet vertrekken met het vonnis 'niets mis mee'.

David brulde inderdaad toen we hem de schuifdeuren door droegen. Zijn paniek werd erger toen we door de gangen liepen en bij de kamer van de dokter was de catastrofe compleet. Hij kronkelde over de grond en krijste zo hard dat de kinderarts geen vragen kon stellen. Hij wees gewoon naar zijn aantekeningen en wij knikten of schudden ons hoofd.

David sleepte zichzelf over het vloerkleed, greep de buizen van de radiator alsof hij zichzelf overeind wilde hijsen en ramde vervolgens met zijn hoofd tegen het metaal.

Hij deed het een paar keer voordat ik hem weg kon trekken. De buizen weergalmden alsof er met een hamer op was geslagen.

De dokter gebaarde dat we de kamer uit moesten gaan. Zodra we op de gang waren, kalmeerde David een beetje. Het was alsof elke stap in het gebouw een kwelling voor hem was, alsof er een metalen band om zijn brein werd aangetrokken. En alsof elke stap terug de pijn een beetje verlichtte. Ik wist dat het huilen achter de rug zou zijn zodra we op het parkeerterrein waren.

De dokter bekeek David vol medelijden.

'Ik kan niet zeggen of het autisme is,' vertelde hij. 'Daar is een volledig onderzoek voor nodig. Maar uw zoon heeft wel een ernstige geestelijke stoornis. Het spijt me.'

Ik slikte. Het was alsof we vele weken in een bodemloos ravijn waren gevallen en langzaam in de leegte om onze as hadden gedraaid. En nu waren we op de bodem beland.

De arts ried ons aan zo gauw mogelijk naar onze huisarts terug te gaan. Hij zei dat we geen neurotische ouders waren: David moest dringend behandeld worden.

Ik zei dat ik de receptioniste zou vragen ons de rekening te sturen.

'Dit kost niets,' zei hij. 'Ik zou u niets in rekening kunnen brengen.'

We zullen eeuwig dankbaar blijven voor dat meelevende gebaar. Welsprekender dan woorden betekende het: 'Ga maar weer naar het ziekenfonds. Zorg ervoor dat ze de zaak serieus nemen.'

Als dit hoofdstuk de indruk wekt van een opeenvolging van bezoeken aan de huisarts, specialisten, verpleegkundigen, therapeuten en psychologen: dat hele jaar ervoeren we dat ook zo. Er waren momenten dat we het gevoel hadden dat we onszelf straften omdat we niets beters te doen hadden. Alles wat we over autisme lazen benadrukte dat de medische wetenschap niet kon vertellen wat de oorzaak was en de aandoening evenmin kon laten verdwijnen. We zouden geen antwoorden, noch een kuur vinden, dus waarom kwelden we onszelf dan zo?

Bij elk medisch onderzoek werd gevraagd: 'Is zijn gezondheid in het algemeen goed?' En in feite was hij meer dan gezond, hij was niet alleen robuust, maar had iets van een os; niet zomaar een blakend kind, maar meer een stuiterende bom. Een bord pasta kon hij zo snel wegwerken als zijn handen het eten in zijn mond konden proppen, want met een vork kon hij niets beginnen. En nu zijn meeste tanden waren doorgekomen, leek er een eind te zijn gekomen aan zijn serie oorontstekingen.

Hij zat dikwijls in zichzelf te giechelen en zijn hilariteit was aanstekelijk. Dan zat hij in de gang door een kier in de huiskamerdeur tv te kijken en te grinniken, terwijl wij verbaasd moesten lachen. 'Ongepast gelach' was bekend autistisch gedrag, leerden we van internet, maar een giechelaanval leek ons een onschuldige medische klacht.

Andere ouders klaagden dat hun peuters zo saai waren. Dag in dag uit stelden ze dezelfde vragen, keken ze naar dezelfde video en gingen ze naar dezelfde plekken. Een collega zei: 'In feite zie ik mijn kinderen veel te vaak, en ik kan niet wachten tot ik weer aan het werk kan.'

David was niet saai, nooit. Neem nou die gewoonte om door een kier in de deur naar *Teletubbies* te kijken; waarom vond hij dat zo veel leuker dan er samen met ons op de bank naar te kijken? Het leek wel alsof hij constant perplex was dat het programma gewoon doorging wanneer hij niet in de kamer was, alsof hij via de deur een ander universum had betreden zonder het vorige helemaal te verlaten.

Nicky en ik verbaasden ons daarover en moesten glimlachen om zijn lachbuien. Maar we durfden ons niet om te draaien voor het geval het gevoelige knopje in zijn hoofd van lachen naar schreeuwen zou omschakelen. We moesten dicht bij hem in de buurt blijven, klaar om hem tegen te houden wanneer hij met zijn hoofd op de vloer begon te slaan. Het was niet voldoende om alleen de oren gespitst te houden, omdat zijn woedeaanvallen konden beginnen terwijl hij nog zat te lachen: dan klonk er gegiechel, vervolgens het holle *bonk* dat alleen maar gemaakt kan worden door een kleuterhoofd dat op de houten vloer slaat, daarna nog wat gegiechel en vervolgens was het brullen geblazen.

Een half uur *Watch with Mother* voelde als een complete emotionele training. Het was uitputtend, frustrerend, verbijsterend, angstaanjagend en lonend. Saai was anders.

Omdat David niet kon praten, beschouwden we hem nog steeds als een baby. Hij dronk warme melk uit een zuigfles en buitenshuis liep hij nooit, maar zat hij altijd in het wandelwagentje. Hij was een baby van een meter.

Alleen was hij dat natuurlijk niet. Lichamelijk belette niets hem uit een kopje te drinken of onze hand vast te houden en een wandeling te maken. Hij wilde het alleen niet. Hij kon het wel maar verdomde het.

Nicky en ik waren nooit gewoontedieren geweest, maar David leek dat wel van ons te verwachten. Hij was het gelukkigst wanneer hij iets deed wat hij al eerder had gedaan, en wij deden maar al te graag alles wat het leven makkelijker maakte. Dus vervielen we tot regelmaat. Op maandag liep Nicky bijvoorbeeld naar haar werk, maar op dinsdag brachten we haar met de auto. Te voet was haar kantoor anderhalve kilometer bij ons vandaan; met de auto was het vijf kilometer via een eenrichtingsstelsel en omwegen met opstoppingen om de voetgangersstraten te omzeilen. Het verkeer in Bristol stroomt niet, het druppelt. Wanneer we Nicky hadden afgezet, baanden we ons weer een weg door de stad en holde James zijn kleuterschool in. Andere ouders kwamen en gingen, maar wij konden niet direct weg: David zou het op een brullen zetten als ik probeerde weg te rijden voordat hij naar drie stukken muziek had geluisterd op *Classic FM*. Reclameboodschappen telden niet mee. Verkeersbulletins evenmin. Hij verlangde delen van symfonieën en opera's, en als we er drie hadden gehoord, mochten we gaan. Als hij geobsedeerd was geweest door Radio 3, dat klassieke werken in hun geheel uitzendt, zouden we misschien de hele dag voor de kleuterschool hebben gestaan.

Voor Nicky en mij was dat allemaal giswerk. David kon niet duidelijk maken wat hij wilde, hij kon alleen maar reageren als we het verkeerd hadden geraden. We baanden ons op de tast een weg door een labyrint van gangen met valluiken achter bijna elke deur: het enige wat we konden doen was elke deur op een kier zetten en gauw weer dichtslaan wanneer hij het op een schreeuwen zette.

Thuisgekomen uit de kleuterschool selecteerde David een video, altijd *Postman Pat*, en nam ik een douche. Het was hoog spel om David vijf minuten onbewaakt te laten. Je kunt me gestoord of een gevarenjunk noemen, maar ik douche graag.

En tenslotte kon hij niet naar buiten. Hij was nog maar een baby.

Dus toen ik op een dinsdag onder de douche vandaan kwam, besefte dat ik auto's en mensen buiten op straat hoorde, de trap af keek en de voordeur wijd open zag staan, geloofde ik niet dat David ervandoor kon zijn. Ik dacht dat Nicky was thuisgekomen, dat ikzelf de voordeur open had gelaten of dat er misschien inbrekers waren.

Blootsvoets en druipend liep ik in een aftandse badjas naar beneden en riep: 'Nicky? Ben jij weer terug?' Ze gaf geen antwoord. Maar ik hoorde *Postman Pat*; als er inbrekers waren, hadden ze de tv nog niet te pakken. Ik stak mijn hoofd in de huiskamer. David was er niet.

Roepen was zinloos, maar ik deed het toch toen ik de stoep op liep en van de ene voet op de andere hinkte door de steentjes onder mijn tenen. Ik trok mijn badjas om me heen. Die had geen ceintuur en ik was me er vaag van bewust dat ik er niets onder droeg. Ik had ook het gevoel dat ik schoenen moest aantrekken en in de keuken en de tuin moest kijken voordat ik het huis uit stoof, en dat ik op z'n minst mijn sleutels moest pakken en de voordeur moest sluiten.

Maar geen van die gedachten maakte veel indruk. Mijn brein had het te druk met de verwerking van het idee dat David op vrije voeten was. Lopend. Onbegeleid. Het was moeilijk voor te stellen hoe dat eruitzag, laat staan waarom hij ervandoor was. Dit hoorde niet bij de dinsdagroutine.

Onhandig liep ik tussen de geparkeerde auto's door en speurde de straat af. Op de hoek van de volgende straat stonden een paar mensen. Ik kende hen niet, maar ze stonden tenminste niet te roepen of stokstijf te staren, zoals je zou doen als er een kind is overreden.

Met de armen gekruist voor mijn borst en dat hoge loopje dat alleen volwassenen klaarspelen als ze blootsvoets over het asfalt lopen, probeerde ik te raden welke kant David op gegaan kon zijn. Het park en de winkel op de hoek, die lagen dezelfde kant op. Toen ik de hoek omging, kreeg ik David in het oog: hij liep doelbewust naar de kruidenier.

Ik grijnsde. Het was een opluchting om te weten dat hij in veiligheid was en ik had bewondering voor zijn lef. In de jaren die volgden zouden er nog meer ontsnappingen volgen, waarvan er een paar ons zo de stuipen op het lijf joegen dat ik er nog altijd van droom en ziek van angst wakker word. Maar dat eerste uitstapje was niet echt een ontsnapping; het was meer een escapade.

Toen ik de winkel bereikte, hoorde ik Vince, de kruidenier, een preek tegen David afsteken. Vince en zijn gezin maakten deel uit van de Siciliaanse gemeenschap in Bristol en hij had zijn zaak met slingers versierd omdat de wereldkampioenschappen voetbal van 1998 voor de deur stonden. Vinces accent was net zo Italiaans als zijn vlaggen.

'Hallo! Neem me niet kwalijk, kleine man! Wil je snoepjes? Dan moet je mij geld geven, ja? Geen geld, geen snoep. Jij geeft aan mij.'

En toen klonk er zo'n bloedstollende gil dat Vince gedacht moest hebben dat hij het winkeldiefje per ongeluk pijn had gedaan... verminkt zelfs, want een gewone verwonding kon zo'n geluid niet hebben veroorzaakt.

'Hij hoort bij mij!' riep ik en ik probeerde mijn duim op te steken naar Vince, toen ik David van de grond tilde en tegelijkertijd mijn badjas dichthield.

Vince drukte de snoepjes in Davids hand, gratis. Het gillen hield niet op, ondanks het feit dat David meteen een paar snoepjes in zijn mond propte.

Het waren Rolo's. David had gedaan wat hij altijd deed: een pakje grijpen, openscheuren en eten. Hij had geen idee dat ze niet van hem waren, of dat wat dan ook van iemand anders kon zijn dan van hem. Hij had geen idee dat zijn vader doorgaans, wanneer hij Rolo's snaaide, de betaling met de winkelier regelde. Hij had geen idee dat zijn uitstapje zo pijnlijk was misgegaan omdat hij op eigen houtje was vertrokken.

Hij wist alleen maar dat ze hem zijn Rolo's hadden willen afpakken. Dat zat hem niet lekker. Hij brulde de hele weg naar huis en de vrouwen op de hoek keken me fronsend na. Waarschijnlijk dachten ze dat ik mijn kind een klap had gegeven omdat hij stout was geweest. Of misschien dachten ze wel dat ik hem niet hard genoeg had geslagen.

We sloegen onze kinderen nooit. We sloegen elkaar niet, en een kind slaan leek ons nog veel erger. Voor David zou slaan trouwens geen betekenis hebben. Hij had geen idee dat hij iets had misdaan, hij had gewoon gedaan wat hij wilde. Hoe kon ik hem nu straffen als ik niet kon uitleggen waarom, en hoe kon ik dat doen als hij geen woord begreep van wat mensen zeiden?

Ik zette David met zijn laatste Rolo's voor de tv en verstopte me in de keuken. En ja hoor, binnen enkele ogenblikken stond hij weer op zijn tenen bij de voordeur om de grendel open te schuiven en de ketting los te maken. Dat had hij in zijn eentje geleerd, want niemand had het hem voorgedaan. Bovendien had hij het zonder vocabulaire voor elkaar gekregen. David had geen woorden voor 'slot' of 'omdraaien' of 'huis'. Hij kon mij niet vertellen dat hij naar buiten wilde of het begrijpen als ik zei dat hij dat beter niet kon doen. Maar hij kon wel observeren, interpreteren en onthouden.

Dom was anders.

We deden veel moeite om dat uit te leggen aan de kinderarts van het ziekenfonds toen hij ons vlak voor Davids tweede verjaardag een bezoek bracht. David was niet gek. Hij was intelligent. Toegegeven, hij leerde een beetje langzaam praten, af en toe werkte hij niet mee en was luidruchtiger dan de gemiddelde kleuter, maar hij was een slim ventje.

De specialist – we zullen hem dokter Smith noemen – was een vriendelijke knaap. Hij zag een heel ander kind dan het joch dat een paar weken daarvoor met zijn hoofd tegen de radiator in de privékliniek had geslagen. David was rustig en afstandelijk. Nicky en ik waren spraakzaam en nadrukkelijk; we aanvaardden dat onze zoon leermoeilijkheden had, maar weigerden al zijn andere vermogens over het hoofd te zien. Dokter Smith stelde voorzichtig de diagnose van een communicatiestoornis en beloofde dat David zo gauw mogelijk een volledig onderzoek zou krijgen.

In september van dat jaar ging James naar de basisschool. Zes dagen later begon Davids onderzoek in de Tyndall's Park Children's Clinic. De universiteit van Bristol en de gebouwen van de BBC waren vlak om de hoek. Davids onderzoek vond plaats in een uitgelezen deel van de stad.

We parkeerden onder een kastanje. Houtduiven koerden ons toe vanaf de dikke takken en op de muur zat een eekhoorn ons in de gaten te houden. Terwijl we daar zaten en ons schrap zetten om naar de kliniek te gaan, liet David ons zijn nieuwste trucje zien. Hij kon de veiligheidsriem van zijn autozitje losmaken.

'Mij kostte het een week om daarachter te komen,' zei ik, 'met het instructieboekje in de hand.'

Toen we met David de kliniek betraden, voelden we ons oplichters. Hij lachte en stuiterde. In de wachtkamer zaten nog twee kinderen die allebei in een rolstoel zaten. Het ene meisje was kaal en had donkere kringen om haar ogen. Ze zag er uitgeput uit. Het andere kon een jongen of een meisje zijn: dikke krullen, rond gezicht en een doorzichtige plastic zak aan een standaard met een buisje dat vocht naar een plek onder zijn trui voerde.

Ik glimlachte naar de moeder. 'Wie hebben we hier?' vroeg ik.

Ze keek me alleen maar aan. 'Kayley,' zei ze uiteindelijk.

'Hallo Kayley. Je hebt prachtig haar.'

Het hoofd van het meisje rolde van de ene kant naar de andere. Haar moeder veegde haar mond af.

'Dit is David,' zei ik. 'Hij is twee. Hoe oud ben jij?'

Kayleys ogen draaiden weg. 'Ze is doof en blind,' zei de moeder. 'Ze kan zich niet zelfstandig bewegen. Ze moet via een buisje naar haar maag worden gevoed.'

Ze sprak al die feiten uit als een beschuldiging. Wat er met ons kind aan de hand kon zijn, verbleekte bij alles wat haar dochter te verduren had.

Ik wilde zeggen dat ik er niets aan kon doen. Ik wilde alle teddyberen in de wachtkamer verzamelen en in Kayleys armen drukken. Ik wilde haar mee naar huis nemen en net zo lang voor haar zorgen tot er een wonder gebeurde en zij weer kon zien.

En zij was het kind van een vreemde. Ik kon me er geen enkele voorstelling van maken hoe ik me zou voelen als ze mijn dochtertje was geweest.

Maar het liefst wilde ik mijn kind daar weghalen. Hij hoorde hier niet. Hij was gezond en intelligent en ik sleepte hem naar een plek waar hij het etiket ziek opgedrukt zou krijgen. Eén blik op Kayley en je besefte dat dit de laatste plek was waar een ouder zijn kind mee naartoe wilde nemen, maar we hadden juist zo ons best gedaan om hem hier te krijgen. We hadden een onderzoek geëist.

Kayleys moeder zat naar me te kijken. Ik wendde mijn hoofd af en probeerde de blik van het kale meisje te vangen. Ze zag eruit alsof ze chemotherapie kreeg tegen kanker. Ik kon niets voor haar of Kayley doen. Zelfs de teddyberen waren een teken van onmacht, met de beste bedoelingen gedoneerd door firma's die het leven voor dit soort kinderen beter wilden maken, maar geen idee hadden hoe. Hier was een meisje dat te zwak was om een teddybeer vast te houden, en nog een kind dat haar armen niet kon bewegen om er een te knuffelen. Plus mijn eigen zoon, die geen idee had waar teddyberen toe dienden en het ook niets kon schelen. Maar de kamer stond vol met zachte knuffels, als een karikatuur.

Niets verplichtte ons daar te blijven. Er was geen wet die voorschreef dat David onderzocht moest worden. We waren naar de rand van een zwart gat in de grond gelopen, maar we konden nog terug.

'Zullen we naar huis gaan?' fluisterde ik tegen Nicky. 'Dit hoeven we hem toch niet aan te doen?'

'Je maakt het er niet makkelijker op,' siste ze terug.

Ik schaamde me. Ik kon niets nuttigs doen in die wachtkamer, alleen het voor mijn vrouw iets draaglijker maken. Maar in plaats daarvan zwolg ik in zelfmedelijden.

David begon te mekkeren. Daarna jammerde hij. Vervolgens schreeuwde hij. En tot slot trok hij alle registers open. Ik keek naar Nicky en zag dat ze mijn opluchting deelde: David toonde onze geloofsbrieven. We hadden het recht in de kliniek te zijn.

Een zuster bracht ons naar een zaal met een eettafel op kinderhoogte en zitzakken en plastic kratten vol speelgoed. 'Goed stel longen,' zei ze.

'Dit is nog maar de warming-up,' zeiden we.

Er kwamen andere ouders bij. Alle kinderen in Davids groep waren daar om in de navolgende zes weken op vermoedelijk autisme te worden onderzocht. Davids geblèr werkte aanstekelijk op de rest van de kinderen. Hij was de jongste en in elk geval de luidruchtigste, maar een paar concurrenten hadden technieken ontwikkeld die het volume op zich ontstegen. Het enige meisje in de ruimte haalde een hoge noot en kon die minutenlang ononderbroken aanhouden. Het was alsof er iemand in je oor met een vinger over de rand van een glas draaide.

Er waren drie jongens die allemaal ouder waren dan onze zoon en even robuust. Er was ook een tweeling van drie, plus het meisje dat een jaar of vijf was. Zij kon praten, maar vertoonde, zoals een van de therapeuten opmerkte wat 'eigenaardig gedrag'. Ze droeg haar kleren bijvoorbeeld graag achterstevoren. Daar zag ik geen kwaad in, maar het meisje had een oudere autistische broer en de huisarts maakte zich zorgen over een genetisch component.

De tweeling had ook een autistische broer en een zus met een slopende ziekte. De broer woonde in een speciale kostschool in de Midlands. Nicky, die met haar leeswerk dapperder was dan ik, wist al dat autisme soms zo ernstig kon zijn dat een kind niet meer thuis kon wonen.

Daar had ik nog nooit bij stilgestaan.

In de navolgende weken werd David onderzocht door een opeenvolging van medische figuren. Ik raakte de tel kwijt, maar weet nog dat er op een dag een man met grijs haar de volle kamer betrad waar de ouders elke ochtend doorbrachten. Hij observeerde de kinderen via een doorkijkspiegel en ik vroeg of hij altijd al autismespecialist was geweest.

'Niet echt,' zei hij. 'Vroeger kwam het amper voor. En als je het eens tegenkwam, verdween een kind op zijn vijfde in een inrichting en deed de natuur zijn werk. Ik denk nog wel eens dat het de beste oplossing is, zowel voor de familie als het kind.'

'Als u zegt dat de natuur zijn werk doet...'

'Nou, in die tijd was er veel meer tbc,' zei hij.

Die zes weken waren zwaar. De andere ouders waren emotioneel, en niets vertelt je duidelijker dat je op een beroerde plek bent dan andermans tranen. Maar de houding van de therapeuten en verpleegkundigen was nog moeilijker te verteren. Ze hadden alles al eens meegemaakt; ze kenden het verhaal; ze wisten de afloop. Wij niet; dit was voor het eerst dat een van onze kinderen een handicap bleek te hebben en we weigerden ons daar voetstoots bij neer te leggen.

Terugkijkend is het duidelijk dat het verplegend personeel de juiste houding had. Bijna alle andere ouders hadden, net als wij, zichzelf wijsgemaakt dat hun kind niet autistisch kon zijn. Er was een vader bij die een gesprek al afbrak als dat woord alleen maar viel. Anderen hadden evenals wij de feiten zo gerangschikt dat ze vanuit een bepaald perspectief voor tweeërlei uitleg vatbaar leken. Wij bleven benadrukken dat David niet kon praten. Hij was intelligent, hij was slim, hij wist raad met gespen en sloten en apparaatjes, dus had hij geen 'leerstoornis'. Hij kon alleen niet praten. Dat zou voor iedereen een hinderpaal zijn. Als dat eenmaal was verholpen, zou hij zich als een speer ontwikkelen.

Niemand heeft ooit met zoveel woorden gezegd: 'Zie het onder ogen. Wees realistisch. Jullie houden alleen maar jezelf voor de gek.'

Dat was ook niet nodig. De blikken en gebaren, de zuchten en het klakken van de tong spraken boekdelen. En als we ooit een sprankje kritiek op Davids gedrag erkenden, barstte men los. Op de ergste momenten hadden we het gevoel alsof we ons eigen kind verklikten. We zaten eens tegenover een ambtenaar om alle vragen door te nemen van een drieënveertig bladzijden tellend aanvraagformulier, verdeeld in drie hoofdstukken, voor zijn Disability Living Allowance (DLA), een invaliditeitstoelage. We moesten beschrijven: *dingen die het kind doet vanwege zijn geestelijke stoornis* en *waarom moet er iemand de hele nacht bij hem waken* en *bij benadering hoeveel keer per dag heeft het kind hulp nodig.*

Twee keer hebben we het bijltje erbij neergegooid bij die aanvraag. We hoefden het geld niet en we wilden niet dat maatschappelijk werkers en ambtenaren onze privézaken wisten. Bijvoorbeeld hoe vaak we er 's nachts uit moesten.

Maar zonder DLA zou het lastiger zijn om een verklaring van de gemeente te krijgen voor Davids speciale scholing, en zonder die verklaring zou hij op school geen extra aandacht krijgen. En het lag voor de hand dat David niet op de eerste de beste basisschool zou passen. Dus beantwoordden we de vragen toch maar.

Hoeveel keer per dag heeft het kind bij benadering hulp nodig? 'Constant.'

Ongeveer hoe lang per keer? 'Constant.'

Was er vertraging opgetreden in de ontwikkeling van zijn leervaardigheid? *Begrijpt hij wat er tegen hem wordt gezegd of reageert hij daarop; hij kan geen instructies begrijpen of iets vragen; hij kan geen samenhangende gebaren maken; hij kan mensen niet van elkaar onderscheiden (ziet bijv. andere mensen voor zijn ouders aan); geeft via zijn gezichtsuitdrukking geen blijk van wat er in hem omgaat; gilt, schreeuwt, bijt zichzelf, slaat met zijn hoofd tegen de muur, enz. (i.e. langdurig) als hij zichzelf niet kan uitdrukken.*

We kregen het gevoel alsof we onze handtekening zetten onder een document om hem in een inrichting op te bergen.

David zelf vond het onderzoek net zo rampzalig. Hij had een hekel aan het lawaai van de andere kinderen en het gedoe van het personeel.

Mijn zelfbeheersing begaf het bijna toen ik zag hoe een zuster herhaaldelijk probeerde hem een strohoed op te zetten onder het zingen van 'The Sun Has Got His Hat On'. David was des duivels en ik begreep maar niet waarom ze niet zag hoe boos ze hem maakte. Nu besef ik dat dit juist de bedoeling was: een jongetje van tweeënhalf hoort te genieten van een zangspelletje met een vrolijke dame. Hij kon niet praten en instructies begreep hij niet, dus het personeel voerde zijn onderzoek uit op de enige manier die overbleef.

Op een ochtend kwam er een vrouw met droevige ogen binnen en staarde naar de ouders. Ze sloeg me gedempt zuchtend gade terwijl ik het tweekopsketeltje van de kliniek telkens weer voor de zeven volwassenen aan de kook bracht, en telkens wanneer ik haar aankeek, wierp ze me een radeloos glimlachje toe. Andere mensen leken haar te kennen, dus nam ik aan dat ze familie van een van de personeelsleden was.

'Ik ben Mary,' zei ze, terwijl ze me een hand gaf. 'Van de Sociale Dienst.'

Ik keek haar met open mond aan. 'We hebben niet om een maatschappelijk werkster gevraagd.'

'Maar als u dat wel doet,' zei ze met weer zo'n hopeloos glimlachje, 'ben ik dat.'

'Waarom? David wordt goed verzorgd. De dokters hebben toch niets anders gezegd?'

'Standaardprocedure,' zei Mary. 'David heeft bijzondere behoeften, dus moet er natuurlijk een maatschappelijk werker beschikbaar zijn.'

'Dat willen we niet!'

De maatschappelijk werkster haalde haar schouders op en herhaalde met een onnozele glimlach: 'Het is standaardprocedure.'

'Worden alle gehandicapte kinderen in Bristol behandeld als gevallen voor het maatschappelijk werk?'

'Als de ernst van het geval het voorschrijft.'

'Maar dat is een belediging! En geldverspilling. We weten niet eens wat hem mankeert.'

'Het moet wel ernstig zijn,' zei Mary, 'anders was hij niet hier. En wij geloven in vroegtijdige behandeling. Voor het kind is dat het beste.'

Nicky had een onderhoud met de logopediste. Ik had haar dringend nodig. Door haar werk als loopbaanadviseur had ze beroepshalve ervaring met maatschappelijk werkers. Ik kende die alleen uit krantenverhalen, als bureaucratische sadisten die gewone ouders van satanisme beschuldigden en rokers verboden een kind te adopteren. Nu, na tien jaar persoonlijke ervaringen met maatschappelijk werkers weet ik natuurlijk dat ze nog veel erger zijn.

'Wat voor behandeling?' vroeg ik Mary.

'Misschien wilt u wel een logeerhuis voor David, of hem voor korte perioden in een pleeggezin onderbrengen.'

'David woont thuis,' zei ik met een stem die beefde van woede. 'En we redden ons best.'

'Dat kan veranderen.'

Het was alsof ik per ongeluk in een Oost-Europese soapserie was beland. 'Met Eén Voet in de Kafka', of 'Bent U Nou Helemaal?' Haar gepraat over logeerhuizen en pleeggezinnen klonk als een dreigement, maar de wijze waarop ze mijn verontwaardiging afdeed was nog angstaanjagender. Het was duidelijk dat ze er niet aan twijfelde dat Nicky en ik als ouders gefaald hadden. Dat sprak voor zich: ons kind had tenslotte een handicap.

Het was zo sinister dat wat volgde iets weg heeft van een slechte grap uit de Kafka-soap. Mary zag ik niet meer, want een paar weken later kreeg ze ander werk, maar vervolgens zag Nicky haar op een kerstfeest in Tyndall's Park. De magere klinisch psycholoog deed een baard van watten voor om voor Kerstman te spelen en gaf de kinderen flesjes zeepsop. David had er geen belangstelling voor. Nicky blies een stroom bellen en hij zette een keel op toen die zijn huid raakten, dus hield ze ermee op. Ze zette het flesje op een tafel.

Vlak voor het eind van het feestje zag ze hoe Mary Davids flesje zeepsop in haar tas stak terwijl haar gezicht een andere kant op keek.

Nicky kon geen tekst en uitleg vragen. 'Dat hele feest was al zo'n aanslag, en door dat gebaar werd gewoon ons hele jaar samengevat,' zei ze naderhand. 'De maatschappelijk werkster pikte Davids kerstcadeautje.'

Gedurende het onderzoek van zes weken deed zich één hoogtepunt voor dat de hele ervaring voor David de moeite waard maakte. Een andere jongen sloeg een glas met penselen van de verftafel en het viel aan stukken. David was verbijsterd. Hij had geen idee dat dingen kapot konden vallen.

Hij greep een pop en smeet die op de grond, maar die stuiterde.

Hij wierp een speelgoedautootje op de grond, maar het rolde een hoek in.

Hij tilde een stoel op en kreeg ervan langs, wat hem niets zei.

Hij maaide een koffiebeker op de grond en die explodeerde.

Vreugde.

Die avond smeet hij Nicky's glas met sinaasappelsap tegen de muur. Daarna kieperde hij haar bord met eten op de grond. Toen we hadden afgeruimd, greep hij een bord uit de vaatwasser en zeilde het als een frisbee door de keuken.

David had de zin van het leven ontdekt.

De volgende morgen vergaten we dat min of meer aan het personeel van Tyndall's te melden. Tijdens de rest van het onderzoek moesten ze thee uit kartonnen bekertjes drinken.

In die zes weken hadden we verwacht dokter Smith te zien, de specialist die David thuis had bezocht, maar hij had een sabbatical. Hij was op tijd terug om de eerste bevindingen van zijn team met ons te bespreken. Op de laatste dag werden de ouders een voor een naar zijn kantoor ontboden.

Daar zouden we de waarheid over de handicap van onze zoon te horen krijgen: of hij ooit zou trouwen, een baan krijgen, onafhankelijk kon leven... al die hoop hing af van de bevindingen van de dokter. Maar eerst praatten we als echte Britten wat over koetjes en kalfjes: 'Lekker bruin bent u, op een zonnige plek geweest, zeker? Warmer dan Bristol, dat is duidelijk!'

Dokter Smith legde uit dat hij zijn vakantie in Centraal-Afrika had doorgebracht, waar hij voor vluchtelingen had gewerkt. Hij was timide, ernstig, en je kon onmogelijk een hekel aan hem krijgen. En hij wilde Davids problemen graag in de juiste context plaatsen.

'Autisme is niet iets eenduidigs,' zei hij. 'We noemen het een spectrumstoornis, want het omvat een breed spectrum van behoeften en gedragskenmerken, waarvan sommige licht en andere ernstig. Het lichtspectrum varieert van de lichtste kleuren tot donkerblauw dat zo intens is dat het oog het amper kan onderscheiden. Zo is het ook met autisme. Het ene kind kan in de geelgroene sfeer zitten en dat noemen we "zeer functioneel." In het andere uiterste zit ernstig autisme en daar is functioneren praktisch uitgesloten.'

Nicky en ik bogen ons naar voren en zaten letterlijk op het puntje van onze stoel.

'En waar zit David in dat spectrum?' vroeg Nicky. 'Is hij meer... functioneel?'

De dokter zuchtte. En daarna glimlachte hij.

'Ja. Zeer functioneel. Als David zich al in het spectrum bevindt, is hij zeker niet meer dan licht autistisch.'

# *Vier*

We lieten de dokter dat herhalen. We konden het amper geloven, ook al was het precies wat we dolgraag wilden horen. 'Uw zoon is waarschijnlijk niet eens autistisch, of slechts in lichte mate. Hij heeft een communicatiestoornis en die moet behandeld worden. Maar naar mijn mening bevindt hij zich buiten het autistisch spectrum.'

Wat mij betreft was dat zonder meer groot nieuws. *NACHTMERRIE VOORBIJ... SCHREEUWEND JONGETJE IN BRISTOL IS NIET GEK, ALDUS SPECIALIST.*

Nicky had er minder vertrouwen in. Ze wilde een verslag zwart op wit. Dat werd twee weken later bezorgd: het beschreef Davids 'aanzienlijke moeilijkheden' met communicatie, zijn 'ongewone gedragspatronen' en de manier waarop hij anderen 'eerder als objecten dan als mensen' behandelde.

'Al die elementen plaatsen David duidelijk in het autistisch problemenspectrum,' was de slotsom.

We herlazen het rapport keer op keer. De meest verpletterende bevindingen werden in één alinea opgesomd, en ik vond het onmogelijk om meer dan een paar woorden te lezen voordat mijn hersenkanalen volliepen. Ik moest de betekenis van die woorden stukje bij beetje uitbenen.

Dokter Smith was zo vriendelijk ons een bezoek te brengen om zijn excuses te maken. Hij gaf toe dat hij zijn conclusie had gebaseerd op zijn korte inspectie van David zes maanden daarvoor in onze keuken. Hij had, pas terug van zijn reis naar Afrika, voor zijn gesprek met ons nog geen blik op de stapel onderzoeksrapporten geworpen. Nu moest hij zijn diagnose herzien: David was van licht tot ernstig autistisch.

Licht tot ernstig; specifieker wilde hij niet zijn.

Tegen de tijd dat de specialisten van Tyndall's Park ons bij zich riepen, was Davids diagnose in het laatste stadium van het rapport opnieuw bijgesteld. Hij was nu 'ernstig autistisch'. Erger kon het niet in de Autistic Spectre Disorder (ASD). Davids autisme was van de schaal in de onzichtbare kleuren geschoten, in het ultraviolet.

'En hoe zit het met de andere leerproblemen?' vroeg Nicky. 'We hebben gelezen dat ongeveer tachtig procent van de ernstig autistische kinderen naast de specifieke ASD-moeilijkheden ook met algemene leerproblemen kampt.'

De klinisch psycholoog wuifde met zijn hand. 'Daar zou ik me maar niet al te veel zorgen over maken,' zei hij. Er lag iets ongeduldigs in zijn stem, zoals een wetenschapper bezorgdheid over een verbod op tuinsproeiers van tafel veegt na de aankondiging dat de aarde op het punt stond op de zon te storten.

David was officieel 'gehandicapt'. Voor het eerst beseften we hoe breed dat begrip was. Het oversteeg alle andere kenmerken. De meeste éénwoordstyperingen van mensen zijn op zijn best nietszeggend, en meestal beledigend, racistisch, seksistisch en minachtend. Maar in de medische opvatting had het er veel van weg dat een woord nu goed genoeg was voor David: hij was gehandicapt. En Nicky en ik hadden geen 'jonge kinderen' meer, nu waren we ouders van een gehandicapt kind.

De zusters bleven erop aandringen dat we David naar het speelklasje voor gehandicapte peuters zouden brengen. Daar zouden we 'andere ouders zoals wij' leren kennen en David zou zich meer ontspannen voelen onder andere 'gehandicapte kinderen'.

We verzetten ons daartegen. Het voelde alsof er weer een deur dichtging. Natuurlijk verwachtten de zusters dat we ons zouden verzetten: 'ouders als wij' maakten altijd een 'ontkenningsfase' door. We probeerden de argumenten om te keren: David was 'gehandicapt' omdat hij 'ernstig autistisch' was, wat inhield dat hij andere kinderen als 'objecten' beschouwde. Het zou hem niet uitmaken of hij zich in een groep gehandicapte peuters bevond of bij een eskader atleten die voor de Olympische Spelen oefenden. Hij zou ze hoe dan ook negeren.

De zusters knikten meelevend. Het was goed wanneer 'ouders als wij' van 'ontkenning naar woede' gingen. Dat hoorde bij het aanvaardingsproces.

Uiteindelijk was doen wat ze van ons verlangden het eenvoudigst. We brachten David naar de peuterspeelzaal.

Daar hadden de vijf andere kinderen allemaal het downsyndroom. Over mongooltjes wist ik evenveel als twaalf maanden daarvoor over autisme, dus zo goed als niets. Ik wist niet eens de voor de hand liggende feiten: dat mongooltjes dikwijls klein en broos voor hun leeftijd waren, noch dat de afwijking, evenals autisme, varieerde van licht tot ernstig.

En niemand had er iets over gezegd. De zusters hadden er weken op aangedrongen dat we naar deze speelgroep zouden gaan, maar geen van hen had gezegd: 'Uitkijken met mongooltjes. Ze zijn breekbaar.'

David arriveerde in het klasje als Godzilla die als ongenode gast op een teddyberenpicknick verscheen. Eerst krijste hij tien minuten, en daarna vond hij een deur die hij eindeloos kon dichtslaan. De andere ouders keken vol afgrijzen toe. Ze wisten waarschijnlijk niets van autisme, en misschien hadden ze allemaal andere kinderen die gezonde peuters waren geweest: David moest op hen overkomen als de slechtst opgevoede peuter ter wereld. De andere kinderen begroeven hun gezicht in hun moeder.

We waren eraan gewend om ouders te ontmoeten die van David schrokken. Maar ik had nog nooit kinderen ontmoet die zo bang voor hem waren. Een van hen was een meisje zo groot als een pop, in een rood jurkje en strikken in haar haar. Ze zag er even snoezig uit als angstig. 'Wat een schatje,' zei ik tegen de moeder. 'Hoe oud is ze, één?'

De vrouw keek me even aan en barstte in tranen uit. Ik hoorde dat haar dochter vier was.

De kinderjuf die de leiding had zette bekers sinaasappelsap met een koekje voor de kinderen op tafel. Ze geloofde me niet toen ik zei dat David er geen belangstelling voor zou hebben. Hij zag eruit als een kind wiens hele dieet uit zoete lekkernijen bestond. Maar hij negeerde de koekjes, kieperde zijn sap op de grond en rukte twee andere kinderen een zuigfles melk uit de mond. Daarna smeet hij de flesjes weg, want hij wil zijn melk gloeiend heet. Daarna ging hij weer door met het dichtslaan van de kastdeur. Als hij dat hard genoeg deed, vloog de andere deur open, zodat hij die ook kon dichtslaan.

Hij had net een lekker ritme bereikt toen de juf vroeg of we wilden vertrekken. 'Ik had al hoofdpijn,' zei ze, 'en hij maakt het nog erger.'

'Ja, we kunnen maar beter gaan voordat hij lawaaiig wordt,' zei ik.

Niet welkom te zijn op een plek waar ik überhaupt niet naartoe wilde gaan, maakt me bozer dan door vrienden te worden afgewezen. Ik voelde me net een vierjarige en het kostte al mijn zelfbeheersing om niet stampvoetend in de deuropening te blijven staan en te schreeuwen: 'Best! Ik wilde toch al niet naar jullie kloteklasje komen!' Maar David vond het niet leuk om te vertrekken. Hij gilde de hele terugweg naar huis. Ik had hem weer terug moeten brengen, naast de juf met de hoofdpijn moeten zetten en zeggen: 'Nu heb je hem gekwetst.'

Dat was de enige keer dat we het bewuste speelklasje bezochten, maar we gingen elke dinsdag om twee uur terug naar de kliniek in Tyndall's Park, alsof we met proefverlof waren. Wanneer we de bewuste kamer betraden, riep iemand: 'Daar hebben we David!' zoals de kapitein van een Duitse duikboot vroeger riep: 'Duiken! Duiken! *Schnell, schnell*!' Iedereen greep zijn koffiebeker en meestal was iemand niet snel genoeg.

Het was verbijsterend dat David zo duidelijk de kunst van het stukgooien van porselein begreep, maar niet leek in te zien dat het slaan met zijn hoofd tegen de grond dom was. Telkens wanneer hij dat deed, deed het zeer, en telkens leek hij ervan overtuigd dat dit de enige manier was om de wereld te verbeteren. Ervaring had hem geleerd hoe hij bekers moest breken, dus ervaring zou hem geleerd moeten hebben dat met zijn hoofd slaan pijn zou doen, maar er was iets wat sterker was dan ervaring. Het was dwangmatig. Hij moest aan die aandrang gehoorzamen. Als we hem vasthielden om te voorkomen dat hij zichzelf iets zou aandoen, bleef hij worstelen en vechten, en dat werd hij nooit moe. Het verlangen om met zijn hoofd tegen iets hards te slaan nam niet af en werd niet lichter, al hielden we hem urenlang vast. Wij werden altijd het eerst moe. Hij trok een hand los en stompte zichzelf tegen zijn ogen of neus, of hij vond een bot in ons been of gezicht waartegen hij zijn hoofd kon slaan.

We probeerden hem te begrijpen. Misschien voelde hij zich gedurende een fractie van een pijnseconde wel verlost van de panische verwarring. Hij werd omringd door veel grotere wezens van wie hij taal noch beweegredenen begreep; hij kon hen niet eens uit elkaar houden. Geen enkele sciencefictionnachtmerrie kon verschrikkelijker zijn. Misschien dat de pijn zijn verschrikking op afstand hield en hunkerde hij naar die momenten van vergetelheid, zoals een crackverslaafde alles overheeft voor een kick die al bijna voorbij is voor hij begonnen is.

Misschien begreep hij niet dat zijn eigen handelingen hem pijn deden. Iedereen geeft het noodlot en de wereld in het algemeen de schuld van problemen die we over onszelf hebben uitgeroepen. Stel dat David dat in extreme mate had? Misschien viel hij de pijn wel aan met een stomp in zijn eigen gezicht, alsof die pijn iets was wat losstond van hem, iets was wat de wereld hem aandeed.

Of misschien kon hij oorzaak en gevolg niet met elkaar verbinden. Zag hij een vlam – bijvoorbeeld van een kaarsje op een verjaardagstaart – dan reikte hij ernaar uit om hem vast te pakken. Dan brandde hij zich... en vervolgens probeerde hij het opnieuw.

Langzaam maar zeker beseften we dat dit was wat psychologen bedoelden wanneer ze stelden dat autisme een aantasting van de verbeelding was. Dat was niet alleen het onvermogen om spelletjes of verhaaltjes te verzinnen. David kon zich niet voorstellen op welke manier een willekeurige reeks gebeurtenissen zich zou ontvouwen, al had hij die al honderden keren meegemaakt. Hij overzag de gevolgen niet.

Als we bijvoorbeeld zijn luier verschoonden, verzette hij zich. We lieten hem het pak Pampers en de natte doekjes zien, legden het matje klaar en vouwden een schone luier open. We zeiden: 'Kijk, een schone luier. Nu gaan we je verschonen,' op de sussende toon waarmee je een poes uit een boom lokt. David begreep nooit wat er ging gebeuren.

Wanneer we hem op het matje tilden, zette hij een keel op. Hij sloeg en trapte wild om zich heen. Hij begreep maar niet wat er gebeurde en was doodsbenauwd. Toen hij twee was, moesten we zijn schouders vasthouden en hem met één hand verschonen. Op een leeftijd dat de meeste kleuters al zindelijk waren, kon David zich niet voorstellen wat er ging gebeuren wanneer de luiers tevoorschijn werden gehaald.

David zou nooit leren denken als wij, dus moesten we proberen te begrijpen wat er in hem omging. Het idee van de verstoorde verbeelding hielp, maar de metafoor die voor mij het beste werkte hoorden we toevallig in een discussie op de radio. Het programma van Radio 4 heette *Start the Week*, dat op maandagochtend werd uitgezonden wanneer David het meestal te druk had met eten om te schreeuwen. Op een ochtend zette ik het programma aan en hoorde een natuurkundige zijn theorie toelichten dat continuïteit een illusie was. Hij zei dat het universum zich niet seconde na seconde hoefde te ontvouwen, ons brein interpreteerde het gewoon zo. Wis- en natuurkunde werkten evengoed, ook al speelden alle gebeurtenissen in de tien miljardjarige geschiedenis van de kosmos zich in feite gelijktijdig af... of als de tien seconden knock-out van een bokser werden gescheiden door duizenden millennia. Niets gebeurde echt in sequentie: het was een truc van het bewustzijn om gebeurtenissen aaneen te rijgen als de madeliefjes in een bloemenketting.

Ik besefte dat Davids brein dat trucje misschien niet beheerste. Of de natuurkundige nu kletskoek verkocht of niet was irrelevant. Waar het om ging was: kon onze zoon opeenvolgende gebeurtenissen zien? Of namen zijn zintuigen alles waar als een chaotische hutspot?

Het was een bizar idee. Ik beproefde het bij een paar kennissen en die keken me bevreemd aan. Maar Nicky begreep wel waarom we bizarre ideeën moesten onderzoeken, want Davids brein werkte heel anders dan dat van ons of van ieder ander normaal kind. Zijn perspectieven zouden ons laten duizelen. Misschien vond hij het daarom wel zo leuk om net zo lang rond te tollen tot hij tegen het meubilair stortte. Duizeligheid is alleen maar logisch als de rest van de wereld om je heen tolt.

David hield van ronde voorwerpen, vooral van munten en de wieltjes aan zijn speelgoed. Hij streek erlangs met zijn vingers en genoot van de manier waarop er nooit een eind aan kwam of verandering in optrad. Vlak voor zijn derde jaar nam hij de gewoonte aan zijn hand in onze zak te steken om muntjes op te diepen. Hij sorteerde ze op waarde en omklemde ze in zijn vuist. Als we zijn vingers open peuterden, zette hij een keel op.

We staken een stokje voor het zakkenrollen van vreemden, maar als hij door mijn jasje of Nicky's tas wilde snuffelen op zoek naar geld, leek dat geen kwaad te kunnen.

We bleven dinsdags om twee uur de kliniek in Tyndall's park bezoeken. Ik moest een kop sterke koffie drinken om mezelf op te peppen om erheen te kunnen. Omdat David ons koffieapparaat had verwoest, maakte ik een keer een omweg via een broodjeszaak om een grote kop Americano te drinken. Die koffie redde Davids leven.

Ik had hem twintig minuten daarvoor voor de rit door Bristol in zijn zitje gegespt en terwijl ik dat deed, zag ik dat er een munt in zijn hand geklemd zat. Die wilde hij niet prijsgeven.

Tijdens de rit door de stad was David stil. Ik moest een paar keer over mijn schouder kijken om mezelf ervan te overtuigen dat ik hem had meegenomen. Als hij niet blèrde of schopte, zat hij zo stil in de auto dat je jezelf makkelijk kon wijsmaken dat zijn zitje leeg was. Hij maakte zijn aanwezigheid niet kenbaar zoals andere kinderen. Hij hield al zijn gedachten en rusteloosheid binnen.

'We hebben geen haast,' zei ik toen ik door de achterafstraatjes van Clifton reed op zoek naar een parkeerplaats in de buurt van de Full Stop Sandwich Shop. Het maakte mij niet uit dat hij niets begreep van wat ik zei, en zelfs geen ontspannen toon van een boze schreeuw kon onderscheiden; ik wilde hem gewoon vertellen wat we deden. 'Daar gaan we even iets halen. Koffie voor papa en een koekje voor David.'

Ik trok de handrem aan en draaide me om. 'Goed?'

Maar David was niet goed.

Zijn gezicht was donkerrood. Zijn ogen puilden uit. Zijn handen lagen roerloos op schoot en hij zat stokstijf in zijn zitje. Nog terwijl ik met afgrijzen naar hem keek, verspreidde zich een blauwe tint om zijn lippen.

Mijn zoon ademde niet.

Ik werd overvallen door een bedaarde rust, het tegenovergestelde van paniek. Ik wrong me tussen de stoelen door en duwde zijn kin omlaag om zijn mond open te krijgen. Even keek hij me aan, toen draaiden zijn ogen weg.

Ik zag dat hij niet zijn tong had ingeslikt. Als dit een soort aanval was, was het een heel ander soort attaque dan ik wel eens bij andere mensen had gezien. En toen zag ik achter in zijn keel iets donkers glinsteren. Ik stak mijn wijsvinger in zijn keel. Mijn nagel raakte het metaal. De munt zat in zijn luchtpijp.

Ik probeerde hem los te peuteren, maar zoals ik in deze hoek vanuit de bestuurdersstoel naar achteren gebogen zat, kon ik amper zien wat ik deed. Ik maakte mijn gordel los, zwaaide mijn benen naar buiten en trok Davids portier open. Dat kostte allemaal cruciale seconden. Inmiddels probeerde een groeiende paniek zich in mijn borstkas omhoog te werken, de angst dat ik kostbare tijd verdeed terwijl mijn kind zat te stikken, maar een robuuste, zware kalmte hield de paniek eronder. Ik wist dat ik dit in één keer goed moest doen.

Ik probeerde mijn vinger onder de rand van de munt te krijgen met mijn rechteroog zo dicht mogelijk bij zijn mond zonder in mijn eigen licht te zitten. Om de hele munt voelde ik een ring van gezwollen weefsel. Er was geen enkele ruimte, zelfs niet voor een nagel, en door dat gepruts duwde ik de munt nog dieper in zijn keel.

Snel maakte ik de gesp los en tilde David uit zijn zitje. In plaats van te kronkelen en te trappen zoals hij gewend was, hing hij als een slappe pop in mijn handen.

Ik trok hem tegen mijn knie en sloeg een keer of vier op zijn rug. Ik stak weer mijn vinger in zijn keel, maar de munt was niet van zijn plaats gekomen. Ik trok hem met zijn rug tegen me aan, zette mijn rechtervuist onder zijn ribben en sloeg mijn linker eromheen. Een eerstehulpdeskundige had me verteld dat dit een probate manier was om de luchtpijp vrij te krijgen, maar ook gewaarschuwd om dat niet bij kleine kinderen te doen. 'Je kunt zo zijn ribben breken,' had hij gezegd.

Bang om mijn zoon pijn te doen, maar nog banger om hem te laten stikken, drukte ik mijn handen in zijn maag. Vergeefs.

Ik deed het nog een keer en nu harder. Er gebeurde niets.

David sloeg voorover. Zijn hele gezicht was blauw en hij leek buiten kennis te raken.

Ik stompte een derde keer onder zijn ribben, zo hard als ik maar durfde te knijpen. Ondanks het besef dat mijn kind binnen enkele seconden kon stikken, durfde ik niet zo hard te stompen dat ik hem zou bezeren. Mijn arm wilde domweg niet gehoorzamen.

Ik keerde hem ondersteboven en sloeg als een gek op zijn rug. De zure bel paniek was bijna door mijn kalmte gebrand. Ik zette hem weer overeind en ramde met de muis van mijn hand tussen zijn schouderbladen. Niemand had me die manoeuvre geleerd. Ik probeerde gewoon alles. Ik kon niet meer rationeel denken. Mijn linkerarm zat om zijn maag en met mijn rechter sloeg ik instinctief op zijn rug.

Een straaltje braaksel ontsnapte aan Davids lippen en toen klonk er een korte zucht. Het muntje viel rinkelend op de stoep.

Hij hees zich overeind en haalde heel diep adem. Toen ik op de flagstones hurkte om hem dicht tegen me aan te drukken, dook hij omlaag om het muntje weer in zijn knuistje te klemmen.

'Ik dacht dat ik je kwijt was,' zei ik. Maar hij begreep niet wat ik zei en had geen flauw idee dat hij er bijna geweest was. Het enige waarvan hij zich bewust was geweest, was een beetje lichamelijk ongemak, maar dat was nu voorbij. Hij had geen idee dat ik sidderde van shock. Maar hij besefte wel dat hij de munt had laten vallen, en die wilde hij daar niet laten liggen.

Ieder kind kan in een muntje stikken. Wat er zo anders was aan David, was de totale afwezigheid van angst. Hij kon niet bang zijn, omdat hij niet wist dat hij op een haar na dood was geweest. Nu, acht jaar later, is er nog niets veranderd. Hij kan zich niet voorstellen wat dood betekent. Hij weet ook niet wat opgroeien is. Hij is David, het enige jongetje ter wereld, en dat zal hij altijd blijven. Hij woont bij zijn papa en mama, zijn broer en zijn hond en zijn poes, en gelooft met het volste vertrouwen dat het altijd zo zal blijven.

Daarentegen kon ik me heel makkelijk voorstellen dat David aan zijn eind gekomen zou zijn. Ik dacht aan de ambulance aan de kant van de straat, het telefoontje naar Nicky die op haar werk was, wat we tegen James zouden zeggen, en aan de suikerzoete leugens die we moesten ophangen wanneer hij zou vragen of David in de hemel nog steeds autistisch was.

Ik bedacht dat mensen ons zouden proberen te troosten dat Davids dood in bepaalde opzichten 'het beste' was. Hoe vaak zou ik dat kunnen verdragen voordat ik tegen iemand ging gillen, of erop zou slaan? Ik wilde niet weten hoeveel mensen heimelijk dachten dat doodgaan het vriendelijkste was wat mijn jongetje kon overkomen. Er waren er die zijn handicap als slechts een half leven beschouwden. Ik werd bestormd door al die akelig tactloze dingen die ze bij de begrafenis tegen ons konden zeggen, en de vreselijke antwoorden die we zouden geven.

Het incident met het muntje was de culminatie van alle spanning die zich sinds het begin van Davids onderzoek had opgehoopt. Toen we de kliniek in Tyndall's Park binnenliepen, had ik het gevoel dat we een tweetal geestverschijningen waren. Als ik naar David keek, kon ik nauwelijks geloven dat hij nog leefde. Als ik naar mezelf keek en hoorde hoe ik mensen begroette en met hen keuvelde, kon ik amper geloven dat de nachtmerrie net aan ons voorbij was gegaan. Ik hoefde niet met ambulancebroeders of politie te praten, noch mijn vrouw het ergste te berichten wat je maar kunt bedenken. Ik kon de mensen die dachten dat David dood beter af zou zijn blijven negeren, want hij was niet dood.

Toen ik was bijgekomen van de shock, putte ik troost uit de kracht van mijn reactie. Ik had David die middag zo op het nippertje behouden, dat het urenlang voelde alsof hij wel dood was. En de shock van het verdriet ben ik nooit vergeten. Ik begon de ervaring als een groot goed te zien: ze hielp me het idee van me af te zetten dat onze zoon minder was dan andere kinderen. Zelfs toen Davids driftbuien hun ergste en meest hartverscheurende hoogtepunt bereikten, was er geen enkele twijfel dat we zo veel van hem hielden als je maar van een kind kunt houden. De hoofdschuddende brigade van treurige zuchten mocht David met een meelijdende glimlach blijven bekijken. Als zij soms dachten dat hij minder waard was dan andere kleuters, hadden ze het mis.

Wat David zelf aanging, was hij volstrekt normaal. De rest van de wereld was gek, maar dat was zijn probleem niet. We gingen hem als een gewoon kind behandelen. Als iemand daarvan opkeek, best.

Een paar dagen later werd onze nieuwe aanpak bevestigd door een ontmoeting in de speeltuin. Het was een zonnige schooldag, dus in de zandbak wemelde het van de kleuters, en op de muur eromheen zaten ouders toegeeflijk toe te kijken. Ik was niet de enige vader: een man in een Harley Davidson T-shirt met een designerjasje over zijn schouder, zat te kijken naar een wild joch dat met veel geweld zijn autoriteit over alle andere kinderen probeerde te vestigen. Hij gooide met plastic emmertjes, ploegde door zandkastelen, beklom glijbanen en ronkte als een motorfiets. Dat was het jongetje natuurlijk. Zijn vader zag eruit alsof hij wel mee wilde doen als hij niet bang was dat er zand in zijn mobiele telefoon zou komen.

David zat op een houten olifant op een veer. Hij had tien minuten grinnikend zitten wippen, toen het motorjoch de olifant bij zijn oren pakte, aan boord sprong en David eraf duwde. Een paar moeders klakten met hun tong.

De Harley-man grijnsde me van opzij toe. 'De overleving van de sterkste,' zei hij.

David liep naar de slurf van de olifant. Hij boog zich naar het gezicht van het jongetje. Dat negeerde hem. David snerpte.

Het was het geluid van een zwerfkat die de volle laag van een gloeiende stoomfluit heeft gekregen. David trok alle registers open, net zo lang tot de grotere jongen achterwaarts van de olifant schoof en naar zijn papa holde. Daarna hield David zijn mond, klom weer op de olifant en hervatte zijn grinnikende gewip.

Ik knipoogde naar de Harley-papa. 'David is hoogbegaafd,' zei ik.

Ik kreeg ook een dosis van het gekrijs van de verbrande kat toen we weggingen. Ik mocht David naar de ingang van de speeltuin loodsen, maar zodra we een stap buiten het hek zetten, wierp hij zich terug op het voetpad en viel hij met zijn hoofd het plaveisel aan. Ik gooide hem over mijn schouder en droeg hem gillend en wel naar de auto.

Zodra David zijn kinderzitje zag, kalmeerde hij. We waren via dezelfde route die we altijd namen naar het park gereden; we hadden de auto geparkeerd op de plek die we altijd namen, maar de aanblik van de groene Volvo leek een verlossende verrassing voor David. De overgang van de speeltuin naar de auto was onbeschrijflijk vreemd en angstaanjagend voor hem, als een kolonist op Mars die een stuk woestijn moet oversteken om bij zijn ruimteschip te komen. De onbekende verschrikkingen van die woestijn waren legio; tussen de zandbak en de Volvo was David een eenzaam stipje in een uitgestrekte, boosaardige melkweg.

De hele weg naar huis bleef het rustig, op enkele ogenblikken na toen ik een paar meter achteruit moest rijden om een vuilniswagen te laten passeren. David kon de achteruitversnelling niet verwerken. Auto's hoorden vooruit te gaan, daar waren ze voor. Achteruitrijden was tegennatuurlijk, alsof je achteruitholde. Hij schreeuwde en bleef schreeuwen tot ik de natuurlijke orde van zijn universum herstelde en weer vooruitreed.

Davids melodramatische houding tegenover verandering maakte huizenjacht lastig. We hadden besloten te verhuizen; de prijzen van huizen begonnen weer te stijgen en we wilden graag een huis met een tuin zolang we ons dat nog konden veroorloven. We speurden de makelaarsetalages aan de andere kant van de stad af, voorbij de glooiende heuvels aan weerskanten van het stroomgebied van de Avon. De lucht in die heuvels was schoon, terwijl ons rijtjeshuis onder in een kom lag die elke zomer volliep met uitlaatgassen. Als we op een zonnige dag midden op de hangbrug van Brunel stonden, konden we het dak van ons huis te midden van de bakstenen rijtjes onder een bijtende deken van uitlaatgas zien liggen. Een kwart van de kinderen die in het centrum van Bristol woonden liep rond met een astma-inhaler. We hadden weinig zin David te leren er een te gebruiken, want hij kon nog niet eens uit een theekop drinken. We konden beter verhuizen zolang hij nog over zijn dikwijls bewonderde 'goede longen' beschikte.

Maar toen we hem het eerste huis van onze lijst binnendroegen, ontplofte hij. De makelaar probeerde haar verkooppraatje knarsetandend optimistisch te houden, maar ze moest hebben beseft dat eerste indrukken cruciaal zijn en de meeste aspirant-kopers een aanval van hysterie van een kind geen goed voorteken vinden. Ze kon zich waarschijnlijk niet goed voorstellen dat wij ons met een kop koffie over de gedrukte bijzonderheden zouden buigen en tegen elkaar zouden zeggen: 'Ik vond dat eerste huis wel leuk; je weet wel, waar David probeerde het terras met zijn tanden op te breken.'

We ontwikkelden een wisselsysteem: wanneer James naar school was, nam ik een kijkje in een huis, terwijl Nicky met David in de auto naar cassettebandjes met kinderliedjes bleef luisteren. Als een huis er veelbelovend uitzag, wisselden we van rol. David liet weten dat hij zich verveelde door zijn gesp los te maken, over de handrem te klauteren, de cassette uit het dashboard te verwijderen en met één vingerbeweging tweehonderd meter band af te spoelen. Dat speelde hij in een oogwenk klaar, in minder tijd dan het kostte om 'Niet doen, David' te zeggen. Zijn talent voor verwoesting was adembenemend. Toen we ter voorbereiding van de verhuizing dozen van zolder sleepten, vond David een grote verzameling cassettes, die ik in mijn tienerjaren met veel moeite had gekopieerd van elpees van mijn vrienden en uit de bibliotheek. In drie minuten, de tijd die het kostte om een ketel water aan de kook te brengen, had hij de vloer van onze slaapkamer bekleed met bruine, magnetische band.

De spanning van de huizenjacht hielp ons geen acht te slaan op de consequenties van Davids diagnose. We konden pas over de rest van ons leven nadenken als we een ander huis hadden gevonden. De problemen die we moesten negeren waren kolossaal: zou David ooit leren communiceren, waar zou hij wonen wanneer hij groot was, wie zou er voor hem zorgen als wij er niet meer waren? De meeste vrienden werkten mee door het over de meest onbeduidende koetjes en kalfjes te hebben: hoe harder David schreeuwde, des te meer belangstelling ze hadden voor de tekeningen van James op de koelkast. Een paar gooiden het over een andere boeg en stelden bijzonder rechtstreekse vragen: 'Wat gaat er met hem gebeuren wanneer hij volwassen is?' wilde een vriend weten, op een toon die liet doorschemeren dat ik nog niet fatsoenlijk over die hele autismekwestie had nagedacht.

Om ervoor te zorgen dat we daar niet over hoefden te piekeren, bekeken we ongeveer veertig huizen, brachten we op zeven een bod uit, werden we vier keer door een hoger bod verslagen, dienden we drie keer een hypotheekaanvraag in, waarvan er twee werden geweigerd op basis van een taxatierapport, en een keer ging de aanvraag niet door omdat de prijs van het bewuste huis onverwacht omhoogging, en verloren we twee gegadigden voor ons eigen huis. Over de huizen die binnen ons budget lagen werd gekibbeld door zowel investeerders die een huis zochten voor de verhuur, als stellen met kinderen, en de gemiddelde prijs steeg met een paar duizend pond per week. Als we niet gauw geluk hadden, zouden we met een wurghypotheek eindigen. Dus vroegen we ons af: 'En als we met zo'n wurghypotheek beginnen? Wat voor huis vinden we dan?'

Het antwoord en de prijs waren bloedstollend. We keken rond in een twee-onder-een-kapwoning in een lommerrijke straat in de buurt van Redland Green, met uitzicht over de stad tot de heuvels rond Bath, met een voor- en achtertuin, fruitbomen en lichte, luchtige kamers. De verkopers waren met pensioen, gingen in het buitenland wonen, en waren al twintigduizend pond gezakt om er vlug vanaf te zijn. Kopers werden afgeschrikt door de inrichting. 'Het is een beetje grimmig,' waarschuwde ik Nicky toen zij naar binnen ging en ik me over David en de cassettebandjes met kinderliedjes ontfermde. 'Grimmig' betekende dat alle houten oppervlakken zo grijs als een oorlogsschip waren geverfd, de sleetse tapijten wijnrood waren, de ingebouwde kasten van kromgetrokken triplex waren en de keuken bekleed was met een laag vet. Toen ik aan een eindje touw boven de ontbijttafel trok om een met vliegen aangekoekte tl-buis aan te doen, bleef er een stroperige streep in mijn hand achter.

'Er moet wat werk worden verzet,' gaf de makelaar toe. 'Je moet het soort mensen zijn dat het verborgen potentieel ziet.'

Zo iemand was Nicky. Zij zag kale vloerdelen, een verbouwde keuken en badkamer, een boomhut en voor James de beste slaapkamer die een jongen zich maar kan dromen. We deden een laag bod dat zonder handjeklap werd aanvaard, kregen een hypotheek die de zwaartekracht tartte en verhuisden in het begin van de lente van 1999. Het voelde als een kosmische vergoeding van het warenhuis van de goden: 'Geachte meneer en mevrouw Stevens, onze excuses voor de duurzame problemen met uw nageslacht, dat blijkbaar niet geheel aan uw specificaties beantwoordt. Ter compensatie sluiten wij hierbij een onwaarschijnlijk royale cadeaubon in.'

Mijn ouders kwamen over om te helpen met de verhuizing. Zij waren natuurlijk ernstig van hun stuk geweest over Davids diagnose. 'Ooit zullen wij een fatsoenlijk gesprek voeren, jongen,' zei mijn vader met overtuiging tegen zijn kleinzoon. 'Een echt gesprek, jij en ik.'

Mijn moeder had waarschijnlijk verwacht dat ze de hele dag kopjes zoete thee voor de verhuizers zou zetten, maar David had iets beters voor haar te doen. Drie uur lang stond ze op straat om het portier aan de passagierskant open te maken zodat David het weer kon dichtslaan. Volvodeuren zijn zwaar, en als ze met voldoende kracht worden dichtgeslagen, brengen ze het geluid van een gedempt geweerschot voort. Doe je dat een paar honderd keer, dan heb je hoofdpijn, maar daar zul je nauwelijks erg in hebben, want de moeite die het kost om het portier zo vaak open te trekken, trekt je arm uit de kom en geeft je brandende polsen. Terwijl mijn vader en ik op en neer liepen tussen het busje en het huis, riepen we mijn moeder bemoedigende woorden toe: 'Je doet het geweldig' en 'Daar geniet hij van' en 'Maak je geen zorgen, de mannen zetten zelf wel thee.'

Onze grootste angst was dat David bang voor ons nieuwe huis zou zijn. Hij zou zijn vroegere huis missen en we konden hem niet laten begrijpen dat we daar nooit meer naar terug zouden gaan. Daar was niets aan te doen, maar we dachten constant aan manieren om hem aan het nieuwe huis te laten wennen. Als hij weigerde naar binnen te gaan, bestond de kans dat we in de auto op de oprijlaan moesten wonen.

We kochten een strandbal, een plastic brandweerauto, een driewieler en een vierdubbel pak Rolo's. Ik reed met David via een omweg door Bristol om Nicky de kans te geven de ketel en de zuigflessen uit te pakken. Toen David bij zijn nieuwe huis arriveerde, stond zijn moeder hem in de deuropening op te wachten met een rol Rolo's en een flesje warme melk. David herkende iets lekkers in een oogopslag, dus hij kuierde naar binnen als een schatrijke toerist die naar zijn favoriete hotel terugkeert. Voordat zijn bagage arriveerde, vertrokken hij en ik voor een bezoek aan de dierentuin. Het geschreeuw en het heen en weer geloop van de verhuizers zou hem de stuipen op het lijf jagen en dat konden we die eerste middag niet gebruiken, dus bracht ik twee uur met David door in de vestibule van het insectenhuis om naar de spiegelbal te kijken. Dat toonde aan hoe moeilijk het voor Nicky en mij was geworden iets samen te doen, zelfs zoiets wezenlijk belangrijks als een verhuizing. Een van ons moest altijd voor David zorgen.

Op de belangrijkste dozen na werd alles in de garage opgeslagen. We besloten ze daar te laten tot we wat energie overhadden, en het zou vijf jaar duren voordat we alles hadden uitgepakt.

# *Vijf*

Als ik één anekdote moest vertellen waarin het hele verschijnsel autisme vervat ligt, één verhaal dat duidelijk zou maken hoe Davids geest werkte en verklaarde waarom we er bijna in bleven van angst terwijl we tegelijkertijd kromlagen van de lach, dan is deze het wel.

We gingen naar de kust. Het strand van Aberdovey, hartje Wales, was waarschijnlijk het fraaiste stuk zand van Engeland tot de gemeente er een paar jaar geleden een parkeerplaats op aanlegde. Het liep af naar een binnenzee waar tientallen zeilboten afgemeerd lagen en kinderen van de steiger op krabben visten. In de luwte van de rotsen stond een guirlande van victoriaanse huizen, elk in zijn eigen kleur. Bij laagtij kwamen er hectaren superzacht zand bloot te liggen. Zelfs op winderige dagen waren de golven maar rimpels en het ondiepe water was warmer dan de zee: ideaal voor peuters om in te pootjebaden.

Het was een paar weken na Davids derde verjaardag en hij was een potige jongen. Elke amateur-astroloog die onze jongens in hun zwembroek zou zien, zou moeiteloos vaststellen welke de Taurus was, de Stier. Voor een kind dat de voorgaande herfst warm eten had afgezworen en al weigerde groenten en fruit te eten sinds hij de kinderstoel was ontgroeid, was David een beer van een jongen.

Een astroloog die een beetje oplette, zou in James een Pisces herkennen, een Vis: hij stak meteen het strand over en ging het water in. David deed geen poging hem achterna te gaan. Het idee om zijn broer na te doen kwam nooit bij hem op. Stel je een gezin voor dat zijn poes meenam naar het strand, en wanneer de kinderen met hun vlieger speelden, wilde de poes het touw vasthouden, en wanneer ze zandkastelen bouwden, hielp de poes mee om de emmertjes met zand te vullen. Het is een bespottelijk idee: zelfs een poes die zou denken dat hij een mens was, zou nog niet aan alle mensenspelletjes willen meedoen. David had niet eens het vermoeden dat hij een mens was, en hij wilde zeker James niet nadoen.

Maar wij wilden niets liever. Zelfs als we Davids tenen in het water zouden krijgen, zouden we als gezin iets normaals hebben gepresteerd, dan zouden we samen pootjebaden in zee.

David optillen was uitdaging nummer één. Hij wilde in kringetjes rondhollen, opgewonden kreten slakend alsof hij op een kwal had getrapt. Daarna gooide hij zand in zijn eigen gezicht. Daarna wilde hij dat zijn ogen stopten met zeer doen. Daarna wilde hij weer zand in zijn gezicht gooien. Toen het plezier om zichzelf te verblinden afnam, liet hij zich door Nicky op haar heup dragen, terwijl zij met James aan de rand van de zee met het water spetterde.

Geconfronteerd met een slappeling van een broertje dat in zee zijn moeder niet wil loslaten, kan een gezonde vijfjarige zich niet eeuwig inhouden. Het lukte James anderhalve minuut en als hij die fundamentele neiging nog langer had onderdrukt, zou dat hem misschien psychisch getraumatiseerd hebben. Met twee handen wierp hij een halve liter zeewater recht in Davids gezicht.

Vlak voordat David zijn ergste keel opzet, is er heel even een moment van spanning, dat voelt alsof met een ruk een kabel tussen mijn schedelbasis en onderrug wordt strakgetrokken. Die kabel loopt langs de binnenkant van mijn ruggengraat en als hij wordt aangetrokken, slaan hoofdpijn en misselijkheid gelijktijdig toe. Ik zag Nicky's gezicht ook op die manier vertrekken en we zetten ons schrap voor het gekrijs waarvan het hele strand zou verstijven als een panoramische foto.

Maar David gilde niet. Hij knipperde met zijn ogen en ontdekte dat zijn ogen niet meer vol zand zaten. Daarna grinnikte hij.

Nicky zag haar kans schoon en doopte Davids benen in het water. Hij grinnikte weer. James en ik gingen stroomopwaarts een watergevecht houden, terwijl David, hangend om zijn moeders nek met zijn voeten in het water trappelde. Uiteindelijk zette ze hem neer en hield ze zijn hand vast terwijl hij tot zijn middel in het water stond.

We juichten toen Nicky zijn hand losliet.

David ging zitten.

Hij verdween onder water.

Zelfs toen zijn gezicht onder water verdween, zag hij er nog sereen uit. Tot hij volledig onder water was, moet hij ervan overtuigd zijn geweest dat het niveau van het water zou zakken toen hij ging zitten. En de volle waarheid drong pas een paar seconden later tot hem door. Nicky probeerde zijn arm te grijpen terwijl zijn blonde haar als zeewier bleef drijven. Daarna kwam hij met een ruk overeind en stevende met een air van een verontwaardigde man op middelbare leeftijd naar het droge. De rest van de middag weigerde hij in de buurt van het water te komen. Hij was niet bang voor de zee, hij vond gewoon dat die zich vreselijk gedroeg. Als het water niet slim genoeg was om tot zijn middel te blijven reiken, moest David er niets van hebben.

Jaren later sloeg ik James gade bij het spelen van een videospelletje. Ik besefte dat de stripheld weliswaar leek te springen en duiken en rennen, maar in werkelijkheid precies in het midden van het scherm bleef. Het landschap sprong en stroomde om hem heen. Zijn beweging was een illusie: wij verwachtten het mannetje te zien bewegen en niet de wereld, want zo zit het leven nu eenmaal in elkaar.

Maar niet dat van David. Hij is altijd precies in het midden van het scherm. De wereld stroomt om hem heen. Hij blijft stationair en alles is relatief aan zijn positie. Wanneer de natuurkunde faalt en hij zinkt terwijl het niveau van het water gelijk blijft, is hij geschokt.

Die middag moesten Nicky en ik zo hard lachen dat we er buikpijn van kregen, maar David zag er de grap niet van in. In het vervolg weigerde hij steevast zich naar het strand van Aberdovey te laten dragen. Acht jaar later komt hij op die plek niet eens de auto uit.

Die vakantie moesten we elke dag een uur bellen met de gemeente Bristol. Aan zee was het bereik van mobiele telefoons niet best en in de heuvels helemaal afwezig. Het was geen doen om de telefooncel in het vakantiepark te gebruiken omdat David zich weliswaar met mij samen in de cel wilde persen, maar zich algauw verveelde. En ik wilde niet samen met hem in een geluiddichte cel zitten wanneer hij zich niet tof voelde. Dus belden we vanuit de speeltuin bij het strand, waar David graag zijn benen in een babyschommel wrong. Ik duwde hem heen en weer en toetste met één hand het nummer op mijn mobiel in.

Alle peuters slaken verrukte kreten in de speeltuin; David maakte het kabaal van een kalf op de slachtbank. Als hij zulke blije kreten slaakte, praatte ik gewoon wat harder in mijn mobiel. De ambtenaar aan de andere kant van de lijn sloeg een paar keer geen acht op het gebrul, maar uiteindelijk kon hij het niet nalaten om te vragen: 'Is alles wel in orde, daar?'

'Dat is een blij geluid,' zei ik.

'Zeker weten?'

'Als het niet zo was, zou u dat merken. Dan zou u de telefoon niet nodig hebben om het te horen, maar alleen het raam hoeven openzetten.'

David stiet weer een horrorfilmkreet uit.

In een gemeentekantoor op tweehonderdveertig kilometer afstand kreunde de ambtenaar hardop: 'Ooo. Dat leidt af. Kan iemand anders op hem letten terwijl wij praten?'

'Ja, wat dacht u van een kleuterschool?'

'Kunt u hem daar nu heen brengen?'

'Nee, daarom bel ik nou juist.'

We hadden in oktober bij de gemeente Bristol een aanvraag ingediend voor een verklaring van Davids schoolbehoeften. Ze waren wettelijk verplicht om het papierwerk binnen zes maanden te voltooien, maar het was inmiddels augustus en we waren nog nergens. Toevallig was de gemeente volgens de wet ook verplicht te zorgen voor een plaats op een school voor een kind met zo'n verklaring, maar niet voor een kind van drie zonder dat document.

Een maand lang had ik elke dag gebeld. Het personeel van de Local Education Authority (LEA), de dienst onderwijszaken, zag er geen been in om een uur van zijn tijd te verspillen door steeds maar weer dezelfde vragen over Davids handicap te stellen, maar bleek niet bereid de formulieren in te vullen.

Om de zoveel tijd, wanneer ik de indruk kreeg dat zich weer een schreeuw opbouwde als de stoom in een hogedrukpan, hield ik mijn mobiel voor Davids mond. Daarna maakte ik mijn excuses. 'Sorry, maar David had de telefoon gegrepen.'

'Kan uw vrouw misschien een poosje op hem letten terwijl wij praten, meneer Stevens?'

Dus legde ik dat weer uit.

David had nieuwe vakantieregels bedacht: overdag alleen dames (behalve David zelf) in het vakantiehuisje. Ik mocht er niet in en Nicky mocht er niet uit. David begon elke ochtend met mij krachtig naar buiten te werken. En James werd ook verbannen.

Als mijn ouders langskwamen, was oma welkom, maar opa niet. Op een middag kwamen mijn grootouders – beiden in de tachtig – langs. Zij woonden maar een paar kilometer verderop, maar de heuvel van het parkeerterrein naar het huisje was een steile klim. Ik heb altijd een nauwe band met mijn grootouders van moeders kant gehad en het was een ontroerend gezicht om hen te zien zwaaien wanneer ze langzaam de trap opkwamen.

David stond argwanend op de drempel te kijken toen zijn overgrootmoeder een klopje op zijn hoofd gaf. Daarna sloeg hij de deur voor de neus van zijn overgrootvader dicht.

Toen we probeerden de deur open te maken, zette David zijn schouder ertegen en begon hij te schreeuwen. Mijn grootvader had een droog gevoel voor humor. 'Ik krijg de indruk dat ik niet welkom ben,' glimlachte hij.

Boos op David worden was zinloos. Hij herkende andermans emoties niet. Een uitbrander zei hem niets. En hij zou ook niets leren als we hem dwongen het vakantiehuisje met zijn familie te delen. Ik had hem wel krijsend en trappend op schoot kunnen houden, maar dat had mijn grootouders nog veel meer van hun stuk gebracht en David had makkelijk kunnen weigeren ooit nog een voet in het huisje te zetten.

Je moest hem zijn zin geven. Voor David was het alternatief veel te angstaanjagend om te verduren. Dit was niet zomaar een kwestie van leven en dood, omdat hij niet wist wat dood was. Hij wist alleen dat hij ons zijn regels moest opleggen.

Met de LEA hanteerde ik dezelfde tactiek. Ik wist dat we het zouden winnen, omdat er veel van winnen afhing, veel meer voor ons dan voor hen. Dit was hun werk; het was ons leven. En ik belde ze elke dag, net zo lang tot ze daarachter waren.

Maar ik ging er niet de vakantie van James voor bederven. Zien hoe zijn kleine broertje beslag op zijn moeder legde was toch al niet makkelijk voor hem. James en ik gingen op onderzoek uit, aten patat uit kartonnen puntbekers en gingen zeesterren verzamelen. Mijn telefoon bleef uit, omdat ik geen zin had om James te verwaarlozen terwijl ik voor de tiende keer de hele vraag-en-antwoordlitanie met de ambtenaren van Onderwijszaken herhaalde.

Dus om Nicky de kans te geven het vakantiehuisje te verlaten, nam ik David mee naar de speeltuin om mijn dagelijkse telefoontje te plegen. Hij blij, want hij kon zich niet voorstellen dat zijn moeder naar buiten zou sluipen wanneer hij even niet keek. Het maakte David ook niet uit dat ik in zijn bijzijn een telefoongesprek over zijn handicap voerde terwijl ik zijn schommel duwde, want hij ging er toch van uit dat de hele wereld om hem draaide.

Bij ieder stadium van het verklaringsproces waren willekeurige deadlines voor de rapporten van de kinderarts, het team van de kliniek, de psycholoog, de huisarts, de wijkzuster en de coördinator bijzondere behoeften. Een reeks hoepels strekte zich tot in de verte uit: we moesten door alle hoepels springen. Misten we er een, of namen we ze in de verkeerde volgorde, dan moesten we weer van voor af aan beginnen. Werden we ooit driftig, of schreeuwden of vloekten we tegen een gemeentebeambte, dan kwam de procedure tot stilstand en werden de hoepels voor onbepaalde tijd verwijderd. Ik riskeerde al heel wat door David tijdens die telefoongesprekken in de hoorn te laten schreeuwen, maar uiteindelijk deed het er niet toe. We hadden alle hoepels gehad en de LEA schortte de procedure toch op.

Een van de ambtenaren ging met ziekteverlof: zij had een teen geamputeerd toen ze op blote voeten het gras maaide. Ik keek ervan op dat ze niet ook haar neus had afgehakt toen ze haar teen zocht. Zolang deze dame thuis was, bleef Davids zaak in de wachtstand. We hadden hem door de diagnose gesleept omdat de artsen het erover eens waren dat in 'vroegtijdig ingrijpen' de beste hoop voor zijn toekomst school. Nu ontweek de gemeente haar verantwoordelijkheid om hem te helpen.

We konden David niet op een gewone kleuterschool plaatsen, al wisten we dat er een paar eersteklas instellingen in Bristol waren. De Montessorischool waar James was begonnen te leren lezen en rekenen, bood aan om David aan te nemen, als we een voltijdsassistent wilden betalen om hem te begeleiden. Dat konden we niet, tenzij we besloten de aflossing van het huis te staken.

Vervolgens was er een kleuterklas vlak naast de basisschool van James, gedreven door een nuchtere vrouw die David had gezien toen we een keer bij het hek op zijn broer stonden te wachten. 'Stuur hem maar naar ons,' ried ze me aan. Ik legde uit dat David niet kon praten noch het toilet gebruiken, en haar luchtige toon werd nadrukkelijker, hij kreeg het timbre waarmee je een kleuter waarschuwt niet zo moeilijk te doen en op te letten. 'Stuur hem maar,' zei ze. Dus duwde ik Davids wandelwagentje hotsend de trap op en hij keek argwanend om zich heen in het verlaten klaslokaal. Vervolgens kreeg hij een trapauto in het oog. Er zat een dak op en hij had een portier dat David kon opendoen en dichtslaan, en achter het stuur was net voldoende ruimte om zichzelf in te persen.

'Ziet u wel, hij voelt zich meteen thuis,' verklaarde de juf.

Ik zei niets. Ik wist wat er ging gebeuren.

James kwam uit school en in de kleuterschool liet hij me het schilderij zien dat hij 's middags had gemaakt. David zat roerloos in de trapauto. Hij speelde niet en maakte geen geluid. De juf schoof met stoelen en deed het licht uit. 'Zien we jullie morgenochtend weer?' vroeg ze.

Hangt ervan af of we David mee kunnen krijgen, dacht ik.

Uiteindelijk kostte het ons beiden tien minuten om hem uit de auto te wurmen. De juf hield de as vast, en ik David onder zijn armen en allebei trokken we, maar hij kronkelde en vocht, hield zich vast aan het stuur, zette zich schrap tegen het dak, haakte zijn benen achter het portier en ik begon te denken dat we de auto met een snijbrander zouden moeten openen voordat hij er uiteindelijk uit zou zijn.

En daarna gilde hij. Woede, paniek en frustratie stapelden zich op in een standaard kleuterdriftaanval. De deur van het lokaal vloog open en het schoolhoofd stormde naar binnen om te zien wat voor vreselijke verwonding een kind op haar territoir had opgelopen. Het volume nam toe. Een paar weken daarvoor was ons verzocht de kliniek in Tyndall's Park te verlaten, op het hoogtepunt van een krijsfestijn dat iedereen door merg en been ging, maar dat was nog niets vergeleken bij dit. Het was het soort gegil waardoor Mötorhead zijn gitaren zou neerleggen en zou verzoeken om 'dat kl...kind weg te halen, want het beschadigt onze trommelvliezen.'

'Zal ik hem morgen weer brengen?' riep ik toen David de auto losliet en met zijn hoofd tegen mijn schouder ramde. De juf schudde alleen maar haar hoofd.

Ik had het niet eerlijk gespeeld. De vrouw had bij het zien van David niet kunnen raden dat hij zich zo zou gedragen. Hij zag eruit als een heel lief jongetje. Maar de wijze waarop ze mijn waarschuwing in de wind had geslagen, alsof iedereen kon zien dat inschikkelijke ouders Davids enige probleem waren, had me kwaad gemaakt.

David behandelde het incident als een onafgemaakte zaak. Telkens wanneer we langs de kleuterschool kwamen, wilde hij met alle geweld naar binnen om weer in die auto te zitten.

Het was duidelijk wat voor kleuterscholen ongeschikt voor hem waren, maar daar schoten we weinig mee op. Waar zou hij wel passen? Woorden, gebaren en consequenties begreep hij niet. Wat voor onderwijzer kon daar in hemelsnaam iets mee?

Een liefdadige instelling genaamd MusicSpace in het wijkcentrum vlak om de hoek bij ons vroegere huis, bood ons een seizoen lang wekelijkse sessies van een half uur aan. Muziektherapie kostte vijftien of twintig pond per les, maar dit werd vergoed uit het budget van Tyndall's Park. Na de ramp met Davids diagnose was dat een attent gebaar; wij waren dus niet de enigen die ons suf piekerden over manieren om te communiceren.

De sessies vielen op dinsdagochtend, wanneer Nicky naar haar werk was. Ik koesterde geen hoge verwachtingen toen ik hem er de eerste keer heen bracht. Ik verwachtte zelfs niet de volgende dertig minuten te halen.

David mopperde toen we voor de deur stonden. In de vestibule piepte hij als de sonar van een onderzeeër. En in de vensterloze muziekzaal flipte hij alle kanten op. De docente was een bedaarde, gereserveerde vrouw die Jane heette. Geduldig liet ze hem de piano, de xylofoon, de drums en de fluiten zien: hij overstemde alle instrumenten. Na een kwartier nam Jane ons weer mee naar de vestibule en David kalmeerde een beetje.

'In elk geval bedankt voor de poging,' zei ik.

'Dat was een goed begin,' antwoordde Jane. 'Tot volgende week.'

Serieus? Was dat goed? Wat gold er dan als slecht?

'Ik heb het veel erger gezien. Instrumenten die alle kanten op vlogen... Zo is David helemaal niet. Er zit geen agressie in hem, hij probeerde me niet te intimideren. Wat belangrijker is: ik zie wel dat hij van muziek houdt. Samen gaan we veel vooruitgang boeken.'

En Jane had gelijk. Binnen vier sessies zat David op de pianokruk te kijken hoe ze de noten selecteerde. Halverwege het seizoen raakte hij de gitaarsnaren aan terwijl zij speelde, en probeerde hij op mijn schoot mee te zingen terwijl Jane zong: *'Row, row, row your boat,'* en toen ze even voor de derde regel pauzeerde, zong hij argwanend: *'Mèr, mèr.'*

*'Merrily, merrily!'* zong Jane en we juichten lachend. De week daarop was hij ons voor. Toen het tijd werd om 'Row Your Boat' te zingen, zong hij voor Jane begon: *'Mèr, Mèr!'*

Aan het eind van het eerste seizoen reed ik met David van MusicSpace naar huis, toen het bandje met kinderliedjes afliep. Voordat ik het kon omdraaien, zong een heldere, hoge stem: '*In the bad, bad lands of Australia!*'

Ik reed bijna de rivier in.

Mijn eerste gedachte was dat er een ander kind was ingestapt. Ik keek David met open mond aan in het spiegeltje. Hij zat glimlachend naar buiten te kijken, en er zat geen ander kind naast. Daarna dacht ik dat we door een toverstraal waren gereden, dat David was genezen en dat hij nu met me kon praten. 'Zong jij dat?' vroeg ik. Maar David bleef me glimlachend negeren.

Ik draaide het bandje om. Het eerste nummer was een mal liedje dat 'My Boomerang Won't Come Back' heette.' De eerste regel was: *In the bad, bad lands of Australia!*

David was het voor geweest, net als bij 'Row Your Boat'. Maar hij had het met perfect gevormde woorden gedaan. Hij wist niet wat ze betekenden. Niemand weet trouwens waar 'My Boomerang Won't Come Back' over gaat, trouwens ook 'Tie Me Kangaroo Down, Sport' niet. Het zijn onzinliedjes, maar dat weerhoudt mensen er niet van ze te zingen. David evenmin.

Wippend van opwinding belde ik Nicky op kantoor. Ik had net de eerste woorden van onze zoon gehoord. Sommige jongetjes zeggen 'Papa'... David was begonnen met een variéténummer over een foute boemerang.

De muziekdocente keek er niet van op. Ze legde uit dat we verschillende delen van onze hersenen gebruiken voor muziek en communicatie. Door Davids ernstige vorm van autisme was een aantal van zijn denkprocessen verlamd, maar vele andere waren ongemoeid gebleven, net zoals een ernstige beroerte één kant van het lichaam onaangetast kan laten. Hij beschikte over een perfecte coördinatie en kon goed kijken... Waarom zou hij geen muzikale intelligentie hebben?

Ik moest denken aan een schoolvriend, Richard, de knapste jongen van de klas. Hij schreef met een feilloos geheugen vloeiende opstellen en Oxford was een makkie, hij hoefde maar te gaan zitten voor een tentamen en haalde de hoogste cijfers. Jarenlang liepen we samen naar school, en op dinsdag en donderdag sjouwde Richard een cello mee. Hij studeerde vlijtig. Maar hij had geen muzikaal gehoor en kon met de eerste acht akkoorden van een cellosuite van Bach het publiek de aula uit jagen.

Ik moest ook denken aan de vader van mijn vader, die was overleden toen ik klein was. Hij was beroepshoboïst en zo getalenteerd dat hij in het begin van de jaren dertig een post bij het Berliner Philharmoniker aangeboden kreeg. Net als tegenwoordig was dat toen een van de meest gerenommeerde orkesten ter wereld. Hij en mijn oma hadden al een paar kinderen, en misschien wilden ze geen kinderen laten opgroeien in een land dat economisch was ingestort, waar een extremistische politieke beweging in opkomst was, want ze lieten de kans aan zich voorbijgaan. Daar ben ik blij om, want anders zou mijn vader als Duitser en ik helemaal niet zijn geboren.

Misschien had David een deel van mijn grootvaders muzikale talent geërfd. En misschien was het muzikale deel van zijn brein niet verbonden met zijn tekstverwerker, zoals bij Richard. Als dat zo was, hoorde David waarschijnlijk de tekst als onderdeel van de melodie. Muzikaal gesproken zou een regel als 'In the bad, bad lands of Australia' anders zijn dan 'Do you know the way to San José' al zouden de woorden op dezelfde melodie worden gezongen. De meeste mensen zouden de verschillende betekenis wel horen; David hoorde een subtiel veranderde melodie. Dat was de enige manier waarop ik kon verklaren hoe hij in staat was de klanken van de woorden na te bootsen, zonder te weten wat ze betekenden... zelfs zonder te weten dat het 'woorden' waren.

Dat gaf ons de eerste wezenlijke hoop dat we met David zouden leren communiceren.

'Zing maar liedjes voor hem,' stelde Jane voor. 'Wat je ook doet, je koppelt er een herkenningsliedje aan. Bij het aankleden, en wanneer jullie naar MusicSpace gaan, bij van alles en nog wat: een eenvoudig liedje met woorden die verklaren wat er gebeurt.' Ze begon te zingen op de melodie van 'Londen's Burning': *David's clothes on, David's clothes on / Put your clothes on, put your clothes on / Clothes on! Clothes on!*

Verder kwam ze niet, omdat ik zo hard moest lachen. Maar ik lachte niet om het idee; ik vond het briljant, praktisch en onweerstaanbaar.

'Wees consequent,' zei Jane. 'Zing altijd hetzelfde liedje. Dan zal het niet lang duren voordat David weet wat er gaat gebeuren zodra je dat liedje zingt. Hij is een intelligent jongetje. Voor communicatie hoeft hij alleen maar een werkend deel van zijn hersenen te gebruiken.'

'Misschien leert hij wel om dingen te vragen,' zei ik. Het duizelde me. 'Als er een liedje is dat *flesje warme melk* betekent, kan hij dat zingen wanneer hij dorst heeft. 'Dat is heel wat beter dan ons naar de keuken slepen om met zijn hoofd tegen de koelkast te slaan.'

'Dat zou David zelf ook kunnen vinden,' beaamde Jane.

Een grauw en een rauwe kreet legden ons het zwijgen op. Ik herkende er iets dreigends in. Niet dat David ons waarschuwde om op te houden met praten, want hij had geen idee dat hij ons signalen kon geven; het was gewoon een geluid alsof hij zijn keel schraapte, een soort vocale oefening om het strottenhoofd voor te bereiden op de ventilatie van de longen. Kwebbelende volwassenen leken David meer dan vroeger dwars te zitten. Hopelijk betekende dit dat hij begon te vermoeden dat ons gepraat op iets duidde. Misschien dat hij het niet kon doorgronden, maar misschien hield het hem wel bezig.

Of misschien waren onze stemmen gewoon irritant, zoals het geratel van een drilboor verderop in de straat.

Hoe dan ook, ik was blij dat ik een waarschuwing kon onderkennen. Ik leerde te denken als een vulkanoloog in plaats van een vader: de signalen die aan een vulkanische uitbarsting voorafgaan, zijn niet bedoeld als boodschap voor ons arme nietige mensen, op het punt om verzwolgen te worden door rivieren van gesmolten gesteente, maar het was handig als we de voortekenen konden lezen.

En vervolgens kon David geen duidelijker teken geven dat hij een punt achter de sessie wilde zetten: hij pakte Janes gitaar en duwde die in haar handen.

De gitaar werd maar voor één enkel liedje gebruikt: 'Goodbye, David, goodbye.' Het was duidelijk dat hij wilde opstappen, maar dat kon niet gebeuren voor het juiste liedje was gezongen.

Communicatie kon je zijn gebaar niet noemen: het was meer een hoopvolle poging om een apparaat aan de praat te krijgen, zoals Homer Simpson die op een tv-toestel slaat en 'Stomme tv!' roept.

Maar twee dingen waren binnen een minuut duidelijk geworden: David begon zijn bedoelingen kenbaar te maken en het gebeurde allemaal in de context van zijn muziekonderricht.

Ik wilde direct een hele bibliotheek van actieliedjes aanleggen. Er moesten liedjes voor elk aspect van Davids leven komen: hij zou niet eens meer met zijn ogen kunnen knipperen zonder muzikale begeleiding (op de melodie van het Halleluja-refrein: *Day-vid's blinking!*

*Day-vid's blinking! David's blinking! David's blinking! Day-ay-ay-vid's blinking!*)

Nicky, die waarschijnlijk vreesde dat ik van het ontbijt tot bedtijd zou galmen, had een beter idee. We zouden liedjes toekennen aan vier essentiële activiteiten: luier verschonen, in de auto stappen, in bad gaan en naar bed gaan. Wanneer David aangaf dat hij begreep dat de liedjes betekenis hadden, konden we uitbreiden.

Ik was een beetje teleurgesteld. Even was mijn visioen herrezen van een gezinsleven als een musical, met kinderen wier schoenen en gezichten waren opgewreven tot een warme gloed. Ik wilde elke dag nieuwe liedjes aan incidenten koppelen: 'You Can't Always Get What You Want' als David Rolo's verlangde... 'You Win Again' als hij ze toch kreeg... 'Take That Look Off Your Face' wanneer ik de chocola van zijn kin veegde.

Voor uitstapjes kozen we een nummer van Woodie Guthrie, 'Riding In My Car' en de navolgende dagen zong ik het vier keer toen we David in zijn zitje gespten. De vijfde keer waren we in de speeltuin en wilde David niet vertrekken. Ik bleef zijn arm pakken en hij bleef als een defecte marionet op de grond vallen. Ik hurkte naast hem en kweelde het autoliedje: *'David's riding in the green car, David's riding in...'*

Hij sprong op en holde naar de uitgang. Ik moest mijn best doen om hem in te halen. Toen we bij de auto waren, keek hij op en stiet een panische kreet uit. Opeens wist hij niet wat hem bezield had. Waarom was hij naar de auto gehold? Wat nu? Ik zong het liedje weer en hij viel bijna om van opluchting. Ik ook. Het was voor het eerst van zijn leven dat hij begreep dat iemand hem iets had verteld. Als het voor mij al een doorbraak betekende, is het moeilijk voor te stellen hoe belangrijk het voor David moest zijn. Na een leven in een chaotisch labyrint had hij een richtingaanwijzer gevonden.

Ik wilde hem toezingen dat hij een slimme jongen was, dat we van hem hielden en dat we trots op hem waren. Maar in de maanden die volgden waren dat soort zaken moeilijker over te brengen. Het maakte niet uit dat bijna elk populair liedje dat we kenden over liefde of verlangen ging, maar voor David betekende het minder dan niets als we 'I Love You Me Love' voor hem zongen.

David was bijna vier, oud genoeg voor de kleuterschool, en als we hem als voltijdleerling in MusicSpace hadden kunnen inschrijven, hadden we dat grif gedaan. In plaats daarvan lieten we hem een kijkje nemen in twee scholen in Bristol die een speciaal klasje voor autistische kinderen hadden. David had nog altijd geen verklaring van de LEA, en zonder dat document kon hij naar geen enkele school, maar we moesten ontdekken welke voorzieningen er waren. Van de eerste school schrokken we zo, dat we serieus overwogen David helemaal aan het openbare onderwijs te onttrekken en hem privéonderwijs te geven, al zou dat betekenen dat een van ons zijn werk eraan moest geven en dat we ons huis zouden kwijtraken. Niets kon ons ertoe brengen ons kind naar die school te brengen.

Ik zal geen namen noemen omdat er de afgelopen acht jaar veel veranderingen zijn aangebracht en we weten dat andere ouders van autistische kinderen er tevreden over zijn. Maar ik zal ook niet verbloemen wat we zagen. Het klasje maakte deel uit van een gewone lagere school. Om te verhinderen dat autistische kinderen ontsnapten naar het andere deel van het terrein, was hun stuk van de speelplaats afgescheiden.

Tweeënhalve meter hoge tralies verdeelden de speelplaats in tweeën, als de omheining van een wreed soort dierentuin. De andere kinderen konden de autisten door de tralies begluren. Omdat ze evenzeer van elkaar verschilden als mensen van buitenaardse wezens, werden ze gescheiden gehouden.

Toen Nicky dat zag, kon ze geen woord uitbrengen. Ze had de hand voor haar mond geslagen en haar ogen stonden vol tranen. Ik vertrouwde mezelf evenmin om iets te zeggen. Ik was razend. De juf die ons rondleidde zette haar stekels op bij het zien van onze gezichtsuitdrukking.

'Die tralies,' zei ze, 'zijn bedoeld om de autistische kinderen op een veilige plek te houden. Anders zouden ze zo de straat op kunnen. En ze moeten wel zo hoog zijn, want die kinderen kunnen klimmen.'

Nicky haalde heel diep adem. 'Maar wat moeten de andere kinderen wel denken,' vroeg ze, 'wanneer ze kinderen uit het bijzonder onderwijs achter tralies zien?'

'Zo ligt het niet,' zei de onderwijzeres ijzig. Ze bracht ons naar een vertrekje zonder meubilair. Er lagen alleen kussens en een dik tapijt op de grond. 'Hier brengen we ze heen wanneer de driftbuien uit de hand lopen.'

Het was een beklede cel. Alleen waren de wanden niet bekleed, misschien omdat er geen geld voor was. Alleen kussens.

We reden naar huis en David begon te gillen. Hij had fasen wanneer hij flipte als we links afsloegen. Dan organiseerden we onze uitstapje in een spiraal, zodat we waar mogelijk drie keer rechtsaf konden slaan in plaats van één keer linksaf. Maar wanneer we via een onbekende route door Bristol reden, was links afslaan onvermijdelijk en zijn gegil dus ook.

Het kabaal deed de spanning geen goed. De frustratie maakte een en ander nog erger. We konden onszelf niet verstaanbaar maken, hoewel we dolgraag wilden praten over wat we op de school hadden gezien. Toen Nicky duidelijk maakte dat ik een splitsing had gemist, verloor ik mijn zelfbeheersing en begon ik ook te schreeuwen. Ik was niet gewoon snauwerig of sarcastisch. Ik brulde en brulde en sloeg op het stuur tot Nicky terugschreeuwde. Ik heb geen idee wat we allemaal riepen; waarschijnlijk 'Kan ik er iets aan doen? / O, dus nu is het mijn fout zeker?'

Ik weet nog wel dat er een eind aan kwam toen Nicky riep: 'Hou je kop! Je maakt David bang!'

Ik keek in het spiegeltje en zag dat David verbaasd zat te zwijgen. Zijn mond hing open en er kwam geen geluid uit. Hij had geen idee dat zijn ouders zo'n stennis konden maken. We schreeuwden nooit tegen hem, en evenmin tegen elkaar waar hij bij was.

We waren te moe om te lachen. We reden gewoon naar huis, dankbaar voor de stilte. 'Nu weten we tenminste hoe we hem stil kunnen krijgen,' zei ik later. 'Gewoon harder schreeuwen. Dat zal ik de volgende keer proberen wanneer hij een driftbui bij Tesco krijgt.'

Twee dagen later bezochten we nog een autismeklasje in de Briarwood-school voor bijzonder onderwijs. Het schoolhoofd, juffrouw Reynolds, zou aan het eind van het schooljaar opstappen, maar ze stelde zich voor in de vestibule en verontschuldigde zich voor de beveiligingsmaatregelen. 'Alle deuren en ramen zitten op slot en bezoekers moeten door de secretaresse worden binnengelaten. We durven geen ontsnapping te riskeren. Al onze kinderen hebben ernstige leerproblemen en veel hebben ook nog een lichamelijke handicap. Maar onze autistische kinderen zijn behoorlijk rap ter been. Er zijn erbij die als een olympische sprinter die deur uit zouden rennen. We moeten ze wel in veiligheid houden.'

'Maar niet achter tralies,' zei ik.

Het schoolhoofd keek me met afgrijzen aan. 'Tralies? Als een gevangenis? Dat zou vreselijk zijn. Dit zijn onze kinderen, de school is hun tweede thuis.' Ze liet ons het speelterrein zien, een groot gazon met klimrekken met een zachte ondergrond van houtsnippers. Rondom liep een houten omheining afgezet met struiken.

'Kom, dan stel ik u voor aan Claire,' zei het hoofd. 'Zij geeft les aan onze jongste autisten. Vroeger gaven we gemengd onderwijs, maar de autistische kinderen hadden de neiging tot domineren. Wanneer je vier kleine mensjes hebt die stilletjes in een rolstoel zitten en de rest hangt aan de lampen, kunt u wel raden wie de meeste aandacht krijgt.'

'Hoeveel leerlingen per onderwijzer?' vroegen we.

'In het klasje van Claire is het twee op één. Zes kinderen, een onderwijzer, twee assistenten. Wij gaan ervan uit dat je niet meer autistische leerlingen aankunt dan je handen hebt.'

'Wij hebben één autistisch kind en vier handen,' zei ik, 'en nog blijft het een hele worsteling.'

Juffrouw Reynolds knikte ernstig. 'Voor ik u in de klas van Claire toelaat, moet ik even gaan kijken of we niet storen. Soms raken autistische kinderen van hun stuk als er vreemden binnenkomen.'

En dat gaf de doorslag. We wilden David naar een school sturen waar ze respect voor hem hadden. Briarwood was veelbelovend.

Toen we het klasje betraden, maakte een jongetje zich los van zijn tafeltje en besprong me stralend. Hij sloeg zijn armen om mijn nek en zijn benen om mijn middel. Hij moest als een banaan van me af gepeld worden. 'Eric mag u in elk geval wel,' zei Claire.

Het hoofd vertrok en wij mochten de les volgen. Ik praatte met Andy, een van de assistenten. 'David vindt kietelen heerlijk,' zei ik. 'Dat leidt hem soms af voordat een driftaanval een terminaal volume bereikt. Hij houdt ook van stoppelbaarden.'

'Mooi excuus om me niet te hoeven scheren,' zei Andy.

'En dan hebben we nog het bijtspelletje. Je houdt zijn hand vast en kauwt op zijn arm. Met geluidseffecten.'

'Fantastisch! Een kind dat ik mag bijten in plaats van andersom!'

Het schoolhoofd nam ons vervolgens mee naar haar kantoor met het excuus om een rapport van de schoolinspectie te halen. Maar volgens mij wilde ze ons eigenlijk voorstellen aan een meisje dat Sharia heette en op haar zij in een rolstoel opgekruld lag. Haar benen waren niet dikker dan twee van mijn vingers en haar hoofd zat in een steun om te voorkomen dat het weg zou glijden. Haar vingers zaten naar haar armen gekruld, maar geholpen door een leerkracht was ze erin geslaagd een penseel vast te houden om een boot te schilderen.

'Goed gedaan, Sharia,' zei het hoofd. Je moeder zal trots op je zijn!'

Het meisje kon geen antwoord geven. Ze kon niet eens knikken. Maar zonder een spier te bewegen, straalde ze iets door en door ondeugends uit.

Ik boog me naar voren om haar aan te kijken. 'Sharia, ben jij thuis soms een heel stout meisje?'

Haar bruine ogen sprankelden van pure vreugde.

'Plaag jij je moeder?'

Ik zag Sharia slechts die ene keer en ze kon geen woord spreken. Maar de blik op haar gezicht sprak boekdelen. Haar ogen zeiden: 'Je zou me geen standje geven! Je zou lachen! Ik vind het heerlijk om stout te zijn, dat is leuk!'

Juffrouw Reynolds lachte. 'Zie je nou wel, Sharia. We kijken recht door je heen.'

Ik ben ervan overtuigd dat het schoolhoofd ons dat nietige meisje, dat met haar acht jaar half zo groot was als David, wilde laten zien om ons er vriendelijk aan te herinneren hoeveel er was om dankbaar voor te zijn. Het werkte, ik was dankbaar en ben het nog. Maar ik besefte nog iets: Davids gebrek aan woorden was een symptoom en geen oorzaak van zijn onvermogen om te praten. Sharia kon niet praten omdat ze lichamelijk niet in staat was haar longen, keel en tong te gebruiken. Haar ogen spraken hun eigen taal.

Maar David kon niet praten omdat nergens taal wás. Zijn ogen waren even stil als zijn mond.

'Dat personeel is te gek,' zei Nicky toen we naar huis reden. 'Als ik onderwijzeres was, zou ik met zulke mensen willen samenwerken. Die kunnen echt iets voor David betekenen.'

'Goddank hebben we een plek voor hem gevonden,' zei ik. 'Weer een hindernis genomen.'

Maar de hindernis die ervoor in de plaats kwam was verbijsterend.

# *Zes*

We werden het zat om de ambtenaar te bellen die zich met onze zaak bezighield, en haar teamleider, en diens chef, en zíjn sectorhoofd. We waren het beu om e-mails te sturen die niet werden beantwoord en boodschappen achter te laten waarop we niets hoorden. We ergerden ons aan de voorgedrukte dank-je-wel-en-donder-opbrieven van onze vertegenwoordiger in het parlement, de minister van invalidenzaken en zijn collega van onderwijs. Gefrustreerd en boos besloot ik de directeur van de LEA te bellen.

Die zou natuurlijk geen telefoontje aannemen van een boze ouder. Maar er was wel een manier om hem met mij te laten praten. Daarvoor moest ik een truc uithalen waarvan de meeste journalisten naar hun hoofd zouden grijpen, maar eerlijk gezegd kon dat me niets meer schelen.

Ik liet een boodschap achter bij de secretaresse van de directeur, met mijn telefoonnummer en de naam van mijn krant. Ik had uitgelegd dat ik met onze correspondent onderwijszaken de kwestie had besproken van een jongetje in Bristol, dat geen plek op een school kon krijgen omdat hij gehandicapt was. Ik zei er niet bij dat het jongetje mijn zoon was.

De directeur belde me binnen tien minuten terug. Hij had wel geraden over welk jongetje het ging. De wanden van de LEA-burelen waren waarschijnlijk behangen met de geeltjes van al onze telefoontjes. Hij had de aantekeningen voor zijn neus, maar het was hem nog niet opgevallen dat David en ik dezelfde achternaam droegen.

'Gaat *The Observer* dit verhaal publiceren?' wilde de directeur weten. 'Want ik denk niet dat u over alle feiten beschikt.'

'Wat heb ik gemist?'

'De LEA erkent dat dit kind bijzondere behoeften heeft. Zijn ouders willen hem op een bijzondere school hebben, maar daar is geen plaats. Wij zijn bereid om een een-op-eenverzorger voor David op een gewone kleuterschool te financieren.'

Hij had gelijk. Dat was zeker nieuws. 'Waarom geen een-op-een-verzorger op een bijzondere school?'

'We sluizen geen extra geld naar bijzondere scholen. Dat is beleid en dat zal niet veranderen, ongeacht hoeveel heisa meneer Stevens wil ma...'

Er klonk een hoorbare tik toen het muntje viel.

'Bent u soms de vader van David Stevens?'

'Dat ben ik zeker, en het doet me deugd te horen dat er geld beschikbaar is om een verzorger voor hem te betalen. Maar waarom zou u hem naar een school sturen waar hij niets begrijpt, waar hij de lessen zal verstoren met onbeheerste driftbuien, en waar zijn krijsaanvallen de andere kinderen de stuipen op het lijf zullen jagen? Wat heeft dat voor zin?'

'U,' repliceerde de directeur, 'moet eens goed bedenken waarom u zo gehecht bent aan het concept speciaal onderwijs.'

*The Observer* kon dat verhaal over David niet publiceren. Kranten zijn er niet om voor hun personeel de kastanjes uit het vuur te halen. Maar nu we de LEA uit zijn tent hadden gelokt, hadden we wel degelijk een nieuwsverhaal over onze zoon: de controversiële belofte om een voltijdassistent te betalen voor een gehandicapt kind, maar alleen als hij naar een gewone openbare school ging, was gefundenes Fressen voor een plaatselijke krant.

Ik belde de redacteur onderwijszaken van de *Bristol Evening Post*, Kate Hindler. In één telefoongesprek begreep ze de situatie. Na maanden van telefoongesprekken met de gemeente was ik vergeten hoe eenvoudig het kon zijn om mensen Davids probleem te laten begrijpen als ze dat wilden.

*De kleine David Stevens*, schreef ze, *kampt met acute gedragsproblemen, mist het gevoel voor gevaar en moet constant in het oog worden gehouden om te voorkomen dat hij zich bezeert...* [zijn] *ouders zeggen dat hem scholing wordt ontzegd vanwege de ernst van zijn problemen... Het beleid van de gemeente is erop gericht om te zorgen dat er voor driejarigen minstens gedeeltelijk kwaliteitsonderricht beschikbaar is. De gemeente bevestigt dat er geld beschikbaar is voor een klassenassistent op een gewone openbare school, maar niet op een school voor bijzonder onderwijs, omdat het aantal kinderen dat voor een plek in het bijzonder onderwijs in aanmerking komt groter is dan geraamd.*

Dat vatte het hele verhaal in iets meer dan honderd woorden samen. De *Evening Post* stuurde een fotograaf en ik kietelde David genadeloos tot een giechelaanval: toen het verhaal verscheen, nam zijn foto een halve pagina in beslag. De verslaggeefster had er nog een commentaar van mij aan toegevoegd. Na het interview had ik haar teruggebeld omdat ik bang was dat ik een te negatief en deprimerend beeld van Davids gedrag had geschilderd. 'Wie David niet kent,' zei ik, 'denkt misschien dat hij een kind uit de hel is. Dat is hij niet, hij is een heerlijk jongetje dat alle hulp verdient die hij kan krijgen.'

Het artikel werd op woensdag 20 oktober 1999 gepubliceerd onder de kop *GEEF DAVID ALSJEBLIEFT EEN KANS*.

Op donderdag 21 oktober belde het sectorhoofd van de LEA. Er was een plek op een kleuterschool voor David gevonden. Hij kon er elke dag heen voor maximaal drie uur en er zou een voltijdassistent beschikbaar zijn om voor hem te zorgen; hij kon er blijven tot er een plaats beschikbaar kwam in het autismeklasje van de Briarwoodschool.

Het sectorhoofd, doorgaans een nuchtere man, praatte alsof zijn kaken met ijzerdraad aan elkaar waren gehecht. 'Als u maar niet denkt dat dit gebeurt omdat u uw gezicht in de krant heeft gekregen,' zei hij.

'Het zou niet in me opkomen,' zei ik.

Het beviel David in de Red House-kleuterschool. Toen de kinderziektes verholpen waren – de onaantastbaarheid van ritsen en de onwenselijkheid om zijn haar met waterverf te wassen – kreeg David het erg naar zijn zin. Rosemary, Davids nieuwe verzorgster, wilde graag alles over autisme weten: hij gaf haar een stoomcursus. Na een paar lessen was het duidelijk dat David geen lokaal met andere kinderen kon delen. Hij was geen gevaar voor hen. David zou er niet over piekeren iemand pijn te doen, niet in de laatste plaats omdat hij geen idee had dat zijn medemens pijn kon voelen. Maar hij reageerde slecht op hun lawaaiige bedrijvigheid. Er was maar één kreet van een weerbarstige tweejarige voor nodig om David aan het brullen te krijgen. En als hij eenmaal aan de gang ging, huilde de hele klas. Hij kon het voorleesuurtje in een inferno van verdriet veranderen.

Hij koesterde ook een grote voorliefde voor verwoesting. David kon in een oogopslag alle zwakke punten van een klaslokaal lokaliseren – de losjes opgestapelde boeken, de vrijstaande klok, het serviesgoed en andere potentiële projectielen – en vervolgens weken wachten tot hij zijn kans schoon zag. Het was nutteloos hem te waarschuwen: 'Daar moet je niet aanzitten.' Het was zinloos om te roepen: 'Nee, niet doen!' Hij kon het toch niet verstaan en als hij dat wel had gekund, zou het hem niets kunnen schelen.

Je kon hem alleen tegenhouden als je alles wat breekbaar was opborg, of als je nooit verder dan vijftien centimeter bij hem vandaan ging. In Red House werkte geen van die tactieken. De kleuterschool moest overkomen als een gastvrij onderkomen en niet als een oorlogsgebied, dus de ornamenten en het porselein moesten buiten zijn bereik worden gehouden... minstens tot ze met een stoffer en blik werden opgeveegd. En hoewel Rosemary zich een waakzame en vindingrijke verzorgster betoonde, kon ze David in een drukke speelruimte niet altijd voor zijn. Wanneer hij zich op een onschuldig theekopje stortte, zag hij er niet tegenop andere peuters van de sokken te lopen. Dat kon Rosemary zich niet veroorloven, dus was het altijd een ongelijke strijd.

Een kamer boven werd het David-lokaal. Daar stonden een piano, een bandrecorder en een doos met tractors en auto's. Rosemary bedacht elke dag nieuwe spelletjes die ze met David kon spelen en waakte over hem op de speelplaats wanneer de andere kinderen binnen waren. Zijn favoriete spel was met een oude autoband rollen. Binnen enkele weken was hij dol op zijn kleuterschool, en op elke doordeweekse dag holde hij na de lunch naar de voordeur met het Red House-liedje op zijn lippen. Maar voor de andere kinderen daar was hij een geestverschijning: het jongetje dat ze door het raam zagen en door de muren hoorden.

Een klein jongetje kwam ons een keer inspecteren toen we David afhaalden. 'Ik wil dat David mijn vriendje wordt,' zei hij.

'Dat zouden wij ook leuk vinden,' zei Nicky. Ik stond met mijn mond vol tanden. Hoe moesten we het aan een driejarige duidelijk maken?

Wat konden we bovendien tegen een zesjarige zeggen die net begon te begrijpen dat niemand anders een broertje als David had? James had onze vage geruststellingen altijd voor zoete koek geslikt. We konden hem weliswaar geen leugens verkopen, maar het laatste wat we wilden was hem belasten met onze zorgen, dus meestal leidden we hem af. 'Ja, David is vandaag een echte lawaaipapegaai, hè? Hé, ik kan op één been staan, net als een flamingo, kun jij dat ook?' Drong hij aan, dan vertelden we dat David moeilijk leerde praten, dus gebruikte hij Schreeuwtaal, en dat een stukje van zijn hersenen niet zo goed werkte en hij daarom zo vaak naar de dokter moest.

James was altijd bereid met zijn broertje te spelen. Schopte hij tegen een bal, dan rolde die langs Davids benen. Liep hij wapperend rond in een Batmanpak, dan keek David dwars door hem heen. Als James zich ooit op het traject van een Davidspel bevond, bleef hij graag staan doen alsof hij er deel van uitmaakte.

'Wat doet hij?' vroeg James een keer toen David schreeuwend om hem heen rende op het gras.

'Hij is een roodhuid en jij bent de totempaal,' zeiden we. James draaide zijn ogen weg en stak zijn tong uit om er totemachtig uit te zien, en David slaakte jubelkreten en produceerde indianengehuil. In werkelijkheid had David geen notie van indiaantje spelen of krijgsdansen, hij rende gewoon schreeuwend rond als een manier om de tijd te doden. Dat zou James niet kunnen, net zomin als de meeste jongens. Spelletjes moesten iets betekenen. Hij had verbeelding.

Dus maakte James geen deel uit van het spel toen David op een avond zijn speelgoedkist in het bad begon te legen. Zijn grote broer lag er toevallig ook in, meer niet. En die bescheurde zich om de idiotie.

'Nee, David!' riep hij. 'Treintjes kunnen niet zwemmen! Je teddybeer ook niet! Help, boeken mogen niet nat worden, sufferd!' Tegen de tijd dat de hele kist was geleegd, moest James zo hard lachen dat de bellen uit zijn neus spoten en Nicky en ik lagen krom omdat we zagen dat onze jongens samen de tijd van hun leven hadden.

Alle drie riepen we in koor: 'Nee, David, niet de poes!' En geen van ons kon het voorkomen. Zelfs de poes kon niet geloven wat haar overkwam.

Het was een lief dier. Ze krabde nooit, ging er nooit vandoor en ving ook nooit een muis. Maar toen ze midden in de lucht de keus had om in een schuimbad te landen of droog te blijven, sloeg ze haar klauwen in James' blote schouder. Eén ogenblik zat ze daar met de haren overeind te sidderen als de papegaai van een piraat, en daarna vloog ze het douchegordijn in.

James keek alsof zijn schouder als dartbord was gebruikt. David stuiterde weg om nog iets leukers te zoeken dan de kat om in het water te gooien. Hij is een eerzuchtig jongetje, en hoewel hij dubbelsloeg van de lach, was hij in tien seconden terug met de stofzuiger. Toen ik die van hem afpakte, schreeuwde hij zich blauw.

'Waarom gooide hij de poes naar mij?' snikte James. Een wredere afstraffing kon hij niet bedenken en hij vond het even erg voor Peggy de poes als voor zichzelf.

'Hij begrijpt het niet,' zeiden we. 'Hij wist niet dat ze je pijn zou doen. Hij dacht dat jij het net zo leuk zou vinden als hij. Als hij blij is, moet jij ook blij zijn, want zo denkt hij nu eenmaal. David weet niet dat jij andere gevoelens hebt.'

We waren trots op James omdat hij nooit wraakzuchtig was. Hij aanvaardde dat David hem noch Peggy pijn wilde doen. Maar na dat incident wilde hij heel lang niet aan de spelletjes van zijn broertje meedoen. En hij ging pas in bad als David niet in huis was.

David hield van poezen. Honden waren net kinderen: die zeiden hem niets. Maar poezen waren zacht en stil, en als ze naar hem toe kwamen, deden ze dat altijd op een slentergangetje, nooit hollend. Peggy was drie dagen na Copper gekomen, een pup die zo klein was dat James hem in zijn handen kon houden. Copper was eenzaam zonder de rest van zijn nest en we konden het niet verdragen hem te horen janken, dus kochten we een poesje voor hem. James, die op paardrijles zat, vernoemde hem naar zijn lievelingspaard, en zo kwam Peggy erbij als zacht speeltje voor de pup.

Zij was veel slimmer dan Copper, een dwergpincher die nooit fatsoenlijk leerde reageren op het 'zit'-bevel. Peggy had ook meer vertrouwen dan goed voor haar was. Als iemand haar optilde, accepteerde ze dat als straf voor haar aanbiddelijkheid. Toen David haar bij de keel optilde en aldus door het huis paradeerde, verdroeg ze het gelaten met het puntje van haar roze tong tussen haar tanden. Ik had nog nooit iemand een kat bij haar strottenhoofd zien rondsjouwen, maar Peggy leek er geen last van te hebben, ze snorde als een achtcilinder.

Maar we verloren David nooit uit het oog. Het gevaar bestond altijd dat hij zijn nieuwe lievelingsspeeltje ergens veilig zou opbergen. De droger en het putje in de tuin waren notoire bergplaatsen.

Red House bezorgde David een nieuwe obsessie. Hij wilde alle fietsen en driewielers ter wereld berijden. De verzameling driewielers in de schuur van de kleuterschool had zijn innerlijke Jeremy Clarkson wakker gemaakt. Zijn lievelingsspeeltje was een loopstoel, een slakvormig voertuig dat we voor James hadden gekocht toen hij een baby was. Het was laag bij de grond en ideaal voor de wankele beentjes van een baby. Maar het was ook zo robuust als een Land Rover. De plastic carrosserie was ruim een centimeter dik. De wielen waren als tractorbanden en de stalen assen konden als koevoet dienstdoen. Het stuur was kapot, David had het toestel eens te vaak van de trap gesmeten. Maar hij vond het heerlijk om ermee door het huis en de tuin te jakkeren, in de hoeken te glijden en tegen de muren te caramboleren. Hij was er zo dol op dat hij bereid was het ultieme risico te nemen en ermee door de verkeersaders van de stad te rijden.

David ging nooit ergens te voet heen. Hij moest van de voordeur naar de auto worden gedragen. Als we hem neerzetten, liet hij zich slap vallen, een instinctieve autistische reactie waarbij zijn lichaam geen botten meer leek te hebben en het ter aarde stortte. Het is moeilijk te begrijpen waarom zo veel autistische kinderen die lappenpopstrategie vertonen. Misschien is het een aanwijzing voor een gemeenschappelijke genetische achtergrond. Misschien is het gewoon een effectieve reactie, een techniek die veel autisten ontdekken omdat hij zo goed werkt. Hoe dan ook, als je tweeëntwintig kilo kleuter in je armen hebt, die op slag in een dood gewicht verandert, loop je kans je schouder te ontwrichten.

Omdat hij weigerde te lopen, gebruikten we nog altijd zijn wandelwagentje. Als we bijvoorbeeld een eindje verderop melk of postzegels moesten kopen, was het onpraktisch om de auto te nemen, want dan zouden we verder van de winkel op de hoek moeten parkeren dan we moesten lopen. Maar David was te groot voor een wandelwagentje. Zijn voeten kwamen onder de wielen terecht en hoe vaak we ook bleven staan om zijn benen te ontwarren, hij bleef het doen. Toen we de auto wegbrachten voor de verplichte keuring, versleet hij op de terugweg naar huis, een wandeling van anderhalve kilometer, de neus van een paar gloednieuwe schoenen. Toen we weer naar de garage liepen, sleepte hij met zijn voeten tot ze bloedden.

Op een zondag bond ik bij wijze van experiment een eind waslijn aan zijn loopstoel en trok hem de keuken op en neer. Daarna trok ik hem door het hekje van de achtertuin de steeg naast het huis in. David bleef rollen. Nadat we een paar keer in draf waren gegaan, besefte hij dat hij zichzelf niet hoefde voort te stuwen: het papading deed al het werk. Hij trok zijn knieën op en liet me mijn gang gaan.

Roekeloos draafde ik met David langs de tuin van de buren. Daarna togen we nog verder, naar de buren van twee huizen verder. En we bleven rijden... helemaal naar de straatlantaarn. Daar werd de spanning me te groot en maakten we rechtsomkeert, maar David glimlachte dromerig. Ik verwachtte steeds dat hij zich achterwaarts op het asfalt zou werpen, maar dat gebeurde niet. Aan boord van zijn geliefde loopstoel leek hij zich minder kwetsbaar en verloren te voelen dan wanneer we zouden moeten lopen. Misschien voelde het in de loopstoel of in het wandelwagentje alsof de wereld om hem heen stroomde terwijl hij op één plek bleef, of misschien voelde hij zich wel veiliger als hij een deel van zijn wereld meenam. De reden was minder belangrijk dan het resultaat; de loopstoel gaf ons vrijheid.

We gingen naar het park. Het was een tochtje van zo'n halve kilometer klimmen en dalen en David liet zich maar al te graag de hele weg trekken. De waslijn sneed in mijn hand en mijn vingers werden wit, dus bond ik hem aan mijn riem. Bij elk afvoerroostertje in de goot moesten we stoppen; die fascineerden David, hoewel putdeksels hem nog meer boeiden. Soms, wanneer ik hem in de auto probeerde te laden en ik even niet keek, kronkelde hij zich los en wierp hij zich voorover op een ronde metalen putdeksel midden op de weg. In de Groene-Kruisinstructies is niets te vinden om zulk gedrag het hoofd te bieden.

Bij één afvoerrooster boog David zich zo ver uit het zadel dat zijn neus het metaal raakte. Ik probeerde hem rechtop te laten zitten, maar hij klampte zich met beide vuisten aan het rooster vast. Een passerende vrouw keek uit de hoogte naar ons. Als ze haar afkeuring niet onder stoelen of banken kon steken, vond ik dat ik haar wat munitie moest verschaffen, dus berispte ik David luidkeels: 'Niet aan dat putje likken. Getver! Dat is onhygiënisch!'

Ik hoorde *Jèach!*, dat spontane geluid, voortgebracht door een vrouw die spijt heeft van de gebakken eieren met spek voor het ontbijt. Ik bedacht me dat maar weinig kinderen hun ouders zo veel onschuldig plezier kunnen bezorgen. Ik woelde door Davids haar en liet hem zo lang als hij wilde in de afvoerput kijken. Daarna gingen we naar het park.

Het was een zonnige zondag vlak na Kerstmis, en waar je ook keek zag je wieltjes. Geen kind onder de zeven was te voet gekomen. Er waren Action Man-fietsen, Pokemon-driewielers, Star Wars-skateboards, Spice Girls-steppen, roze fietsjes met Assepoester-steunwielen en grote rode mountainbikes met Ferrari-stickers. En David wilde overal op.

Maar dit was Red House niet. Al deze fietsen waren van andere mensen. De meeste exemplaren waren opgewreven symbolen van kinderprestige, en als de kinderen zich daar zelf niet van bewust waren, waren de ouders dat wel. Mijn zoon reed op zijn gehavende blauwe stormram, die eruitzag als een wrak van een autorace, deze chique kindershowroom binnen.

David stond op met de loopstoel tussen zijn knieën. Hij waggelde de kant van een skateboard op, ging weer zitten en fronste. Zo ging het niet. Hij wilde zich niet losmaken van zijn speeltje, dat zou zijn alsof je uit de jeep stapt tijdens een leeuwensafari. Maar nu was hij niet echt in de buitenwereld, hij was veilig in de speeltuin. Hij liet de loopstoel los. De wereld bleek niet te vergaan. Hij sprong op een driewieler.

Ik keek schuldig om me heen om te zien wiens voertuig we hadden gekaapt, toen ik een vrouw hoorde roepen: 'Pardon! Wil je het wel eerst vragen voordat je iets leent?'

'Sorry,' zei ik met een valse glimlach. 'David kan niet praten. Mag hij er heel even op?'

Het boze kind van de vrouw greep het stuur. 'Dit is mijn fiets,' zei hij.

'Vind je het erg als David er even op rijdt?'

'Ik wil erop.'

Ik pakte David om zijn middel. Ik was van plan hem 'per ongeluk' vlak bij de oren van de vrouw te zwaaien voor het geval hij zijn keel zou opentrekken. Maar hij liet zomaar los; er waren nog veel meer fietsen die hij in beslag kon nemen.

Maar daar waren niet veel geschikte bij. Sommige waren te groot. Op tweewielers kon David zijn evenwicht niet bewaren. Een paar waren te klein: die gingen hem niet hard genoeg. En de meeste werden te goed bewaakt: van sommige eigenaren mocht hij een proefritje maken en andere legden waarschuwend een hand op het stuur en keken hem nijdig aan. Binnen enkele minuten was Davids gezicht vertrokken van frustratie. Hij wilde met dat speelgoed spelen en de wereld leek dat maar niet te willen begrijpen.

Met knipperende ogen liep hij naar een roze driewieler met kwastjes aan het stuur. Hij wierp er één been overheen en zijn tenen raakten de grond maar net. Het was het ideale formaat. Maar hij verwachtte blijkbaar er direct weer te worden afgesleurd, want hij had zijn schouders opgetrokken en zijn gezicht stond grimmig. Ik keek smekend om me heen.

'Hij mag er wel even op rijden, hoor,' klonk een kinderstem. Een roodharig meisje dat ongeveer een jaar ouder was dan David duwde een vriendinnetje op de schommel. 'Hij mag er zo lang mee spelen als hij wil. Ik kan hier nog een heleboel andere dingen doen.'

Ze moest hebben gezien dat David anders was dan andere kinderen. Hoe het komt dat een meisje van vijf dat ziet terwijl de meeste volwassenen er blind voor zijn is me een raadsel. Ik zei tegen haar dat ze een heel lief meisje was, en ik meende het.

David maakte een proefritje. Hij straalde. Hij leek op Goudhaartje; hij had allerlei ritjes gemaakt die te langzaam, te slap, of te moeilijk waren en nu was het Precies Goed. Hij scheurde met zijn hoofd omlaag, met wijd opengesperde ogen en een grijns van oor tot oor tussen groepjes kinderen door. Hij had net zo goed een T-shirt met de tekst ZO GEK ALS EEN DEUR MAAR DOLGELUKKIG kunnen dragen.

'Dat vindt hij echt leuk,' zei het roodharige meisje. 'Daar ben ik blij om.'

Sommige mensen worden gewoon lief geboren. Zo eenvoudig is dat.

Het meisje en haar gezin wonen bij ons in de buurt en telkens wanneer ik ze zie, moet ik aan die middag denken. Zij zal het feit dat ze David haar fietsje heeft geleend in een oogwenk vergeten zijn, maar ik zal het nooit vergeten. Voor haar was het tenslotte maar een middag in het park. Voor mij was het een dag van intense en strijdige gevoelens, gêne incluis, waarschijnlijk de meest gedenkwaardige emotie van allemaal.

Woede gaat voorbij, verdriet verschiet en schrik verbleekt. Maar gêne behoudt altijd zijn macht om ons onze tenen te laten krommen. Telkens wanneer ik bijvoorbeeld langs College Green voor de kathedraal van Bristol loop, vertrekt mijn mond bij de gedachte aan een zonnige lentedag toen David bijna vier was; hij gooide zijn flesje melk in een fontein. Terwijl ik het opviste, maakte hij de gespen los van zijn wandelwagentje, dat we nog vaak gebruikten. Het moest voorbedachten rade zijn geweest; dat flesje was gewoon een afleidingsmanoeuvre om mij even bezig te houden.

Op het gras zat een man met een stel vrienden. Het waren vrij jonge mensen, kantoorpersoneel misschien, en de man die David in het vizier had was zo kaal als een biljartbal. Een paar van de vrouwen glimlachten toen ze dat kind met de gouden krullen en het vrolijke gezicht op hen af zagen hollen. Maar de kale man zag hem niet, want hij zat met zijn rug naar hem toe.

David gaf hem een klap op zijn kale kruin. Hij hield zijn pas niet eens in, hij gaf hem gewoon met zijn vlakke hand een klinkende lel. Daarna rende hij weer naar mij terug.

Geen excuus volstaat in zulke omstandigheden, dus probeerde ik het ook maar niet. Ik zei 'Sorry,' alsof het niet noemenswaard was en haastte me weg met David. De kale man zat stokstijf. Hij behield zijn waardigheid. Hij had een rode handafdruk op zijn hoofd.

Wat David had bezield, durven we niet eens te raden. Hij wordt nooit geslagen; hij ziet nooit iemand anders een klap krijgen. Op geen van zijn video's staat een klap op het hoofd van een kale kerel. Misschien hebben we allemaal de oerdrift om iemand zonder haar een klinkende lel te verkopen en mist David gewoon de remmen.

Het slaan van een kale man levert instantbevrediging op. Zo heeft David zijn pleziertjes ook graag. Uitgestelde bevrediging zei hem niets: hij wilde onmiddellijke bevrediging en anders niets. Dat was de aantrekkingskracht van het kapotgooien van serviesgoed, onmiddellijk effect. En het moet een deel van de aantrekkingskracht zijn geweest van het automatisch wiebelende speeltuig. Hij stopte een muntje van vijftig penny's in de gleuf, drukte op START en bleef op het deinende speeltje zitten terwijl zijn lievelingsnummer van de tv werd gedraaid, en daarna ging hij ergens anders iets nieuws zoeken.

David wist ze in het hele stadscentrum te vinden. Als we zijn wandelwagentje over het Broadmead-plein duwden, kon David ons sturen door zijn voeten tussen de wielen van zijn wagentje te steken. Hij wees niet en riep ook niets, zijn voeten zeiden genoeg.

Hij stuurde gewoon en dan belandden we uiteindelijk in Debenhams of de Galleries, en deden we muntjes in Noddy's Taxi en Budgie, de Kleine Helikopter.

Toen er een enorm winkelcentrum als een paddenstoel bij de M5 uit de grond schoot, verkende Nicky het op dat soort speeltuig. Ze vond er twee in de receptie van Asda, en een bij Mothercare in het hartje van het winkelcentrum, wat voor David een dagje uit betekende. Misschien zou hij wel zo van zijn excursie genieten dat hij stil bleef zitten en wij een kop koffie konden drinken. Het was niet waarschijnlijk, maar wel de moeite van een poging waard.

Toen we David het parkeerterrein over droegen, gaf ik hem een munt van een pond en zong ik het deuntje van Thomas de Trein. David begreep het direct. Hij klauterde uit mijn armen en holde de draaideuren door. We hoefden hem niet de weg te wijzen: David ging op zijn instinct op het wiebelspeeltuig af. Misschien hoorde hij wel hun motor of flarden van melodietjes boven het geroezemoes van de klanten uit.

Maar hij kwam helemaal niet bij Thomas de Trein. Hij werd afgeleid. Het pronkstuk van het winkelcentrum was een grote vijver met een heleboel fonteintjes en een strook muntjes op de bodem. Winkelend publiek werd uitgenodigd er een muntje in te gooien voor de liefdadigheid en om een wens te doen.

Toen David erop af snelde, dacht ik dat hij zijn pond erin wilde gooien, maar die hield hij stevig in zijn knuist. Die munt zou hij ook niet loslaten toen hij over de muur van de vijver klom, naar de overkant waadde en met zijn hoofd onder water verdween.

Ik keek ervan op hoe weinig klanten het in de gaten hadden. Bij een aanval van koopziekte heb je waarschijnlijk weinig oog voor iets anders. We visten David op aan de bretels van zijn tuinbroek, trokken zijn schoenen uit om die te legen en tilden hem schreeuwend terug naar de draaideur. We konden hem niet door Mothercare laten soppen, noch hem drijfnat op zijn wiebeltuig laten plaatsnemen. Hij kon wel geëlektrocuteerd worden. Dus gingen we weer terug naar huis. Zijn driftbui duurde de hele nacht.

Maar natuurlijk was hij de volgende dag weer terug, met mijn hand om de kraag van zijn trui toen we ons snelwandelend door het winkelcentrum spoedden. Hij wierp een smachtende blik op de fontein, maar de locomotief lokte hem verder. Als David zijn ritje eenmaal achter de rug had, ontspande hij. Hij was net een alcoholist die een stevige dubbele whisky achterover moet slaan om erin te komen. Hij was kriegel, onvoorspelbaar en zelfs gevaarlijk tot hij kreeg wat hij nodig had. Naderhand was hij een schatje.

In die stemming stond hij het toe om samen met ons het winkelcentrum te verkennen. Hij nam met mij de roltrap en stak zijn neus in de boekwinkel. In een speelgoedwinkel vond hij een houten treinsetje en probeerde een chocoladekoekje. Toen we kinderen hoorden lachen, volgden we het geluid naar een crèche. David staarde gefascineerd maar argwanend naar de klimrekken met hun felgekleurde glijbanen en ballenbak.

'Wil hij meedoen?' vroeg de dame achter de kassa.

'Moeilijk te zeggen,' zei ik.

Veel ouders lijken bang voor autisme. Ze willen er niet van horen, of misschien zijn ze stiekem bang dat hun eigen kroost besmet raakt. Maar goede leerkrachten, van de juffrouw van de peuterspeelzaal tot schoolhoofden, willen meer weten. Het hielp wel dat we Davids problemen in concrete taal konden vatten. We hoefden niet te zeggen: 'Hij is een beetje zus' of 'Het heeft meer weg van zo.' David liet niemand iets te raden over. We waren ertegen geweest om hem in een hokje te stoppen, maar een vastomlijnde diagnose is nuttiger dan een vormeloze stapel symptomen.

Crècheleidster Marion en haar assistente Jacqui lieten er geen misverstand over bestaan dat ze meer bevrediging putten uit het helpen van een jongen als David dan uit het bewaken van een zaaltje vol grut waarvan de moeders een beetje aan het winkelen waren. Bij zijn eerste bezoek aan Time Zone bleef David de volle vijf minuten op het kleedje zitten, het was alsof hij dacht te zullen wegzweven als hij zich niet aan de grond vastklampte. Bij zijn tweede bezoek bleef hij tien minuten zitten en keek hij tv met het toestel tussen zijn benen en ondersteboven. Daarna gingen we er drie keer in de week langs, met voor en na elke sessie een ritje op Thomas de Trein. Binnen een maand hield David het een uur vol en bleef Marion of Jacqui de hele tijd bij hem zitten. Ik wachtte uit het zicht in de receptie met een boek, voor het geval David met spoed verwijderd moest worden. Kreeg hij een onbegeleide driftbui, dan zou hij zich die bij zijn volgende bezoek herinneren en het opnieuw op een schreeuwen zetten.

Hij speelde niet echt met de andere kinderen. Hij deed ze niet na en nam geen deel aan hun spelletjes, en zolang David er was kon geen enkel ander kind een video uitzoeken. Maar hij speelde ook niet ergens anders dan zij.

Ik moest de theekopjes van Time Zone af en toe vervangen. Waar ze het aardewerk ook verstopten, David wist het altijd te vinden. Omdat er zo veel kinderen stoeiden, kon hij het misschien in de kast horen rammelen.

Die bezoekjes aan het winkelcentrum werden een belangrijk onderdeel van onze dagelijkse routine, uitstapjes en rituelen die ons allemaal in staat stelden geestelijk in het zadel te blijven. Terwijl David in de crèche was, kon ik een paar dingen bij Marks & Spencer gaan halen of een cadeautje in een speelgoedwinkel kopen dat James naar een verjaarspartijtje kon meenemen. Nicky gaf me altijd een lijstje mee, omdat ze van David niet mee mocht naar de crèche: hij wilde haar wel thuis laten, maar ergens buitenshuis afscheid van haar nemen kon hij niet aan. We hadden allebei het vermoeden dat hij een geboren seksist was: het enige recht van de vrouw was het aanrecht, flaneren door winkelcentra was uit den boze.

Toen het iets warmer werd, zetten we de auto aan de achterkant van het centrum, want daar was een speeltuintje. David kende geen angst op de klimrekken, maar dat zat wel goed: ik was bang genoeg voor twee. Toen James nog een peuter was, ging ik onder de ladders en glijbanen staan, klaar om hem op te vangen als hij uitgleed. Nu was David vier jaar en ik stond er nog steeds, voor het geval er een peuter van iemand anders overboord gegooid zou worden. David aanvaardde andere kinderen op de rekken; hij leek ze zelfs als onderdeel van het rek te beschouwen. Maar als ze hem in de weg zaten, verwijderde hij ze zoals je een hekje opendoet. Een hummel boven op de glijbaan, die moed verzamelde voor zijn eerste afdaling terwijl papa en mama met uitgestrekte armen op de begane grond stonden, liep het risico een voorwaartse aanmoediging te krijgen, doorgaans met de neus van een schoen, zodat David zijn plaats kon innemen.

Nicky en ik bespraken de beste manier om Davids gedrag aan verontwaardigde ouders uit te leggen, en ik had een verzameling standaard excuses: het achteloze 'Sorry, hij is autistisch,' het cryptische 'Sorry, hij begrijpt het niet,' het hartverscheurende 'Sorry, hij wil wel spelen maar weet niet hoe,' het rechtstreekse: 'Sorry, maar hij kan niet praten' en het luchtige: 'Sorry, in de rij staan, daar heeft hij niks mee.'

Nicky stemde voor de tekst op het kaartje van de National Autistic Society: DIT KIND IS AUTISTISCH – DANK U WEL VOOR UW TOLERANTIE. (Dat kon niet verkeerd gaan: iedereen die stennis maakt is per definitie intolerant.) Maar ik wilde David een T-shirt geven waarop stond GEWONE REGELS EN VOORWAARDEN ZIJN NIET VAN TOEPASSING, of KRANKZINNIG, BOOSAARDIG – NIET MEE SOLLEN.

Om van de speeltuin buiten bij Thomas de Trein te komen, moesten we door Boots, doorgaans op een drafje. Ik hield David graag in beweging. Hij bleef een keer staan bij een make-upvitrine om naar een plastic piramide te kijken, een soort etalageornament. Hij was bezet met ronde, glazige edelstenen, en toen hij de piramide met zijn vingertop aanraakte, draaide hij rond.

Hij deed het zachtjes. Hij draaide. Hij tikte er nog eens zachtjes tegenaan. Ik voorzag al dat we daar een half uur zouden staan om Draai de Piramide te spelen.

David pakte een hoek vast en gaf er een zwiep aan. De piramide tolde en alle plastic juwelen vlogen eraf. Ze stuiterden weg over de stenen vloer, sprongen kapot en barstten open. Ik kreeg een korte scheut hoofdpijn alsof ik mijn hersens had gestoten. De piramide was geen siervoorwerp en de juwelen waren geen opsmuk. Het bleken poederhouders. Dat was een vitrine met voor vierhonderd pond aan Franse make-up dat nu in poedervorm op de vloer van Boots lag.

David smeerde hem. Ik volgde zijn voorbeeld. Hier voldeed geen van mijn standaardexcuses.

Afgezien van het consumentenvandalisme was het voornaamste risico van een tochtje naar het winkelcentrum dat er al een ander kind in Thomas de Trein zou zitten wanneer we daar aankwamen. David kon wel een klimrek delen, maar niet wachten tot een ander kind uitgereden was. Dan holde hij de winkel in en barstte hij in geschreeuw uit. Sommige ouders negeerden hem, anderen boden aan hem mee te laten rijden, en delen was niet wat David wilde, dus dan zei ik maar: 'Nee, dank u. Hij moet het maar leren.'

Eén moeder griste haar kind uit het treintje en snauwde: 'Bedánkt.' David hield natuurlijk prompt op met huilen en sprong aan boord. De vrouw bleef even met open mond staan kijken, alsof ze niet kon besluiten wie van ons ze het hardst wilde slaan. Ik peuterde de pondmunt uit Davids hand en gaf die aan haar, waarop ze wegliep. Toen Davids beurt even later was afgelopen, besefte ik dat ze vijftig penny's winst had gemaakt. Natuurlijk had ze het gevoel dat ze aan het langste eind had getrokken.

Op een middag, toen ik Davids geschreeuw tegen mijn borst probeerde te smoren, werd ik benaderd door een vrouw in een schitterend West-Afrikaans gewaad. 'Wat scheelt eraan?' Ik legde uit dat David niet zo goed op zijn beurt kon wachten. 'Maar is er iets mis met hem?' hield ze aan.

'Hij is autistisch,' zei ik.

'O!' Het was een geluid dat diep bij haar vanbinnen kwam, een kreet van angst en afschuw.

Ik keek haar aan. Haar ogen liepen vol tranen.

'Mijn kleinzoon,' zei ze, 'is net zo.'

Ik keek naar haar toen David in Thomas reed. Ze stond in de rij voor de kassa met een trui en een broek voor een jongen van twee en de tranen biggelden over haar wangen.

# *Zeven*

Het stel in een twee-onder-een-kapwoning tegenover ons had twee jongens. De jongste, Elliott, was van James' leeftijd. Hij en Elliott werden dikke vrienden, maar diens oudere broer zagen we minder: hij was autistisch.

Jordan huisde in een ander deel van het autistisch spectrum dan David. Hij kon praten en ging naar de basisschool in de buurt. Ik zou graag melden dat hij en David ook dikke vrienden werden, maar ze zijn natuurlijk volstrekt onwetend van elkaars bestaan. Twee jongens die allebei dol zijn op dezelfde video's en tv-programma's, obsessieve verzamelaars van cassettebandjes en cd's en die niets gemeen hebben. Terwijl de broers op en neer jakkerden naar elkaars tuin en op hun fiets door de poorten reden, was er helemaal niets tussen David en Jordan; die leefden een parallel bestaan. Ze hadden evengoed elk aan een ander uiteinde van de stad kunnen wonen in plaats van in huizen tegenover elkaar in een buitenwijk.

Nicky en Vanda, Jordans moeder, werden goede vriendinnen. Nicky was blij iemand te kennen die aan een half woord genoeg had en met dezelfde problemen kampte als zij, en die nooit vertelde dat ze net iets in het journaal of in een tv-stuk over autisme had gehoord wat genezing beloofde, en of we dat gingen proberen. Andere vrienden en familieleden stuurden ons knipsels en websites over dieet en medicijnen en therapieën die altijd een dramatisch resultaat hadden geboekt bij de een of andere familie met een autistisch kind, en waar elke 'genezing' dan op neerkwam, was dat het kind onverwacht 'Ik hou van je' tegen zijn verbijsterde ouders had gezegd. Die verhalen klonken me in de oren als vijftien verschillende excuses van een leugenaar: op zich klonken ze allemaal aannemelijk, maar ze spraken elkaar ook allemaal tegen.

In de speeltuin raakte ik aan de praat met een vader wiens zoon een jaar jonger was dan David. John kon nog niet praten en als hij alle lichten in huis niet mocht aandoen, barstte hij uit in vulkanische driftbuien. De diagnose was autisme. John woonde aan de overkant van de straat achter ons; jaren later ontdekten zijn ouders dat zijn zusje ook in het autistisch spectrum zat.

Het jongetje van vier deuren verder was te vroeg geboren. Hij was meervoudig gehandicapt; zijn ouders dachten dat autisme er een paar van kon verklaren. Zes deuren de andere kant op was de jongeman die nog bij zijn ouders woonde ook autistisch. Sue, de dame in het huis achter ons waarvan de tuin aan de onze grenst, werkt op een naburige Steiner Kostschool, waar de meeste inwonende tienerleerlingen autistisch zijn. We waren als bij afspraak in *Autism Central* beland.

Het kon natuurlijk een statistische cluster zijn: onwaarschijnlijke toevalligheden waren een onvermijdelijk kenmerk van de kansberekening. Het kon ook de hand van het lot zijn, waardoor de autistische gemeenschap van Bristol via de mysterieuze wetten van de synchroniciteit naar elkaar toe getrokken was. Of misschien is het nog wel eenvoudiger en komt autisme veel meer voor dan de boeken zeggen. Misschien hebben meer dan een op de duizend kinderen – zoals we in het begin hoorden – ermee te maken... Misschien zijn de cijfers van het Nationaal Bureau voor de Statistiek in Engeland en de Gezondheidsraden in Amerika nauwkeuriger.

Die zeggen dat in delen van Engeland en Amerika een op de honderd kinderen autistisch is. Omdat het verschijnsel veel meer voorkomt bij jongens dan bij meisjes, is de kans op een pasgeboren autistische jongen ongeveer één op de vijfenzestig.

Een op de tienduizend of een op de honderd. Vanuit Davids perspectief maakt het geen enkel verschil. Hij is honderd procent autistisch. Hij is het, hij is de een op maakt-niet-uit-hoeveel. Als het leven eerlijk was, zou een handicap eerlijk uitgesmeerd moeten worden en zouden alle jongens in Engeland voor een vijfenzestigste deel autistisch moeten zijn. Dan zouden we het allemaal hebben, als een belastingvoordeeltje.

Vanuit een ander perspectief zijn de statistieken buitengewoon belangrijk. David blijkt het slachtoffer van een trans-Atlantische trend die het aantal autisten binnen één generatie met honderd heeft vermenigvuldigd. De oorzaak moet gevonden worden, want ook al kunnen jongens als David niet genezen, er moet toch een soort beveiliging komen om ervoor te zorgen dat de volgende generatie niet net zo wordt geteisterd.

En vanuit een minder verheven, ietwat kriegelig perspectief: je hebt het wel over mijn kind, hoor. Autisme geeft zijn persoonlijkheid vorm, maar daaraan liggen ook een heleboel andere factoren ten grondslag. Daarom vind je geen tweede zoals hij. Hij is een jongen die even echt en uniek is als al die andere. Mijn nekharen gaan overeind als psychiaters hem definiëren aan de hand van zijn aandoening, alsof hij in een punt van een grafische taart woont, alsof hij Een-Op-Vijfenzestig heet als een kloon in *Star Trek*.

Als ik uitleg dat mijn zoon autistisch is, zien sommige mensen me als een statistische uitdaging. Ze willen graag iets tegenspreken. Daar zijn verschillende tactieken voor. Het schrijnende: 'Ik hoop niet dat je de verplichte kindervaccinaties de schuld geeft.' (Voorkeursopmerking van academici.) Of door te proberen welingelicht te klinken: 'Maar ik dacht dat was aangetoond dat het niets met de MRSA-prik te maken had?' (Die mensen werken bij de televisie.) Of de meer tactische: 'Hoeveel van de toename is aan betere diagnostiek toe te schrijven?'

David was ingeënt tegen mazelen, bof en rodehond. Hij genoot er niet van, maar die kunnen hem niet autistisch hebben gemaakt, want dat was hij al. Hij heeft ook talloze antibioticakuren ondergaan voor zijn oorinfecties, wat in een patroon past dat algemeen door ouders van autistische kinderen wordt gemeld. Er is een school die beweert dat die medicijnen een hoog kwikgehalte in de bloedstroom teweeg kunnen brengen en dat sommige kinderen niet in staat zijn het zware metaal uit te scheiden, als bijvoorbeeld hun haar groeit. Volgens een artikel in het *International Journal of Toxicology* van 2003 was er een veel hoger kwikgehalte aangetroffen in het haar van baby's die later de diagnose autistisch kregen dan bij gewone baby's. De implicatie was dat het kwik in het organisme van autistische kinderen bleef waardoor ze vergiftigd raakten.

Het klinkt aannemelijk... Maar aan de andere kant weet ik niets van de toxiciteit van kwik, niets over het kwikgehalte van medicijnen, niets over het meten van gifstoffen in babyhaar en niets over de wijze waarop het menselijk organisme giftige metalen afscheidt. Er bestaat een ontgiftingsbehandeling, chelatietherapie genaamd. Het is een van de autismebehandelingen die in de aanbieding zijn.

'David is een geboren autist,' zeggen we tegen mensen die willen weten of we vaccinaties of andere externe factoren de schuld geven. 'Betere diagnose kan misschien bepaalde gevallen van autisme verklaren, maar je hoeft geen Sigmund Freud te heten om te zien dat er bij deze jongen een paar steekjes loszitten.'

De meeste mensen zijn tevreden met de beknopte antwoorden. Ze willen niet urenlang worden platgewalst met een onsamenhangende, theoretische tirade. Soms krijgen ze die natuurlijk toch wel, moeten ze het maar niet vragen. Als je van mij iets over autisme wilt weten, is dat zoiets als aan een stokoude zeeman vragen: 'Je zult wel het een en ander meegemaakt hebben, hè?'

De korte antwoorden zijn woordspelletjes, verbale dekzeilen om feiten en angsten te verdoezelen. David was vanaf zijn geboorte autistisch, maar daarmee is zijn aandoening nog niet verklaard, of die nou geheel een erfelijke kwestie is, of het gevolg van externe factoren zoals gifstoffen of een virus, en evenmin of er sinds zijn geboorte dingen zijn gebeurd die zijn autisme hebben verergerd. Freud zou bij David niet de diagnose autistisch hebben gesteld. Die was al dood toen de eerste gevallen werden vastgesteld.

Ik denk nog wel eens met een huivering terug aan wat die oudere arts in Tyndall's Park had gezegd: 'Jaren geleden... zou het kind op zijn vijfde in een inrichting verdwijnen, en daar zou de natuur verder zijn werk doen.'

De term 'autisme van de vroege kinderjaren' is ingevoerd door dokter Leo Kanner, een arts/psychiater die in 1924 uit Oostenrijk naar

Amerika emigreerde en de eerste kinderpsychiater van het land werd. Hij schreef het eerste studieboek in het Engels over psychiatrische problemen bij kinderen, en in 1943 publiceerde hij een artikel genaamd 'Autistic Disturbances of Affective Contact'.

*Sinds 1938,* begint het artikel, *is ons een aantal kinderen onder ogen gekomen wier toestand zo opmerkelijk veel verschilt van alles wat er tot dusverre is gerapporteerd, dat elk geval ... een grondige studie van al zijn eigenaardigheden rechtvaardigt.*

Kanner beschrijft elf kinderen van onder de tien en tekent aan dat hij tijdens het schrijven van het artikel van nog twee gevallen hoorde. Drie konden niet praten of alleen woordjes nazeggen. Allemaal hadden ze moeite met communiceren. Kanner beschrijft hoe de zevenjarige Elaine uit Boston in een inrichting was geplaatst om drie weken te worden geobserveerd: *haar gezicht stond neutraal maar niet dom, en er waren geen communicatieve gebaren,* schreef hij. Ze gaf antwoord op vragen door ze te herhalen en barstte uit in repeterende zinnetjes: 'Dinosaurussen huilen niet... Zeehonden en salamanders... Speldenkop...'

Kanner merkte op dat Elaine gedurende haar verblijf intens angstig werd; dan vluchtte ze van de speeltuin naar haar kamer en durfde ze niet op de wc te blijven zitten. Maar hij vraagt zich niet af hoe drie weken van vragen in een vreemd ziekenhuis voor een meisje van zeven dat niet kon praten geweest moeten zijn.

Elaines verhaal liep goed af: haar ouders brachten haar naar een particuliere school waar ze binnen vier jaar leerde praten, een gesprek voeren en een brede algemene ontwikkeling kreeg dankzij *een bijna feilloos geheugen. Ze is een groot, fors meisje met heldere ogen dat allang elk spoortje van dierlijke verwildering kwijt is,* schreef haar vader aan Kanner en hij voegde eraan toe: *Het is duidelijk dat Elaine "niet normaal" is.*

Kanners artikel was geschreven in een heldere, elegante stijl. Net als de klassieke casusbeschrijvingen van Jung en Freud is het alleen al uit literair oogpunt de moeite waard: hij beschrijft en analyseert de persoonlijkheden van de kinderen met een schrijversoog voor karaktertrekjes. In alle gevallen, zegt hij, *is er een extreme autistische alleenheid die, wanneer het maar kan, alles wat van buiten op het kind afkomt, negeert en buitensluit. Rechtstreeks lichamelijk contact of bewegingen en geluiden die deze alleenheid bedreigen, worden behandeld alsof ze niet bestaan, of er wordt, als dat niet voldoende is, ernstig tegen gefulmineerd...*

'*Ernstig tegen gefulmineerd*' is een gevleugeld woord zoals de lievelingswoorden van Nicky: 'extreem uit zijn hum'. Vraag me of David boos was toen zijn Thomas de Trein uit het winkelcentrum verwijderd bleek, en ik kan je vertelen dat hij er *ernstig tegen gefulmineerd* heeft.

Kanners artikel eindigt rampzalig: zijn kinderen waren vanaf het begin van hun leven alleen, ten dele omdat hun ouders geen warmhartige mensen waren. Psychologen begonnen over 'koelkastmoeders' te spreken. In een interview uit 1960 met *Time* beweerde Kanner dat autistische kinderen werden geboren als een koude vrouw 'toevallig voldoende ontdooide om van een kind te bevallen'. Professor Bruno Bettelheim, ook een uit Oostenrijk afkomstige kinderpsycholoog en overlevende van Dachau, vergeleek autistische kinderen met de geestelijke wrakken die in de concentratiekampen waren gekweekt.

Er valt hier een heel nieuw psychologisch artikel te schrijven over mamafobie, de irrationele afkeer van moeders. De inherente afkeer bij de psychiater voor autistische kinderen is net zo weerzinwekkend. Het is moeilijk te vatten wat psychiaters als Kanner en Bettelheim drijft in hun werk, behalve als dat bestond uit sadistische minachting voor mensen wier leven niet zo was als het hunne.

En je kunt je makkelijk voorstellen dat autistische kinderen in de jaren vijftig en zestig bij hun ouders, die waarschijnlijk de oorzaak van de aandoening waren, werden weggehaald om in een inrichting te verdwijnen. Dat verklaart op zijn beurt waarom er relatief weinig autistische mensen van mijn leeftijd of ouder zijn: die hebben hun kinderjaren niet overleefd.

In 1965 kwam er een nieuwe generatie onderzoekers met een minder hysterische theorie. Zij zeiden dat autisme niet wordt veroorzaakt door emotionele ervaringen en ook geen psychiatrische stoornis was;

het was een neurologische afwijking, iets in de hardware van het brein wat mis was.

Dokter Bernard Rimland, psycholoog in Californië en vader van een autistische zoon Mark, is de pionier van die denkrichting. Hij nam het eenvoudige en logische standpunt in dat de ouders niet verantwoordelijk konden zijn voor de afwijking, omdat de meeste autistische kinderen broertjes of zusjes hebben die er niet mee behept zijn. Bovendien wist hij vrij zeker dat hij en zijn vrouw Gloria geen koelkast waren, noch enig ander huishoudelijk apparaat. 'Vanaf het ogenblik dat Mark geboren was, wist iedereen dat hij anders was,' zei Rimland in een interview in 2002, vier jaar voor zijn dood. 'Hij schreeuwde constant zo hard als hij kon en niets kon hem tot bedaren krijgen.'

Leo Kanner zwoer in 1969 zijn 'koelkastmoeder'-model af en inmiddels hebben de meeste Europese en Amerikaanse psychologen zijn voorbeeld gevolgd. Maar een bericht in *The Guardian* in 2007 doet vermoeden dat kinderpsychiaters in Zuid-Korea, waar autisme een op de tienduizend kinderen zou treffen, het nog steeds op de moeder gooien: de vrouwen kunnen de culturele veranderingen niet aan, luidt de theorie.

Psychiatrie, neurologie en politiek: een heleboel mensen kregen autisme in de gaten en heel lang had niemand er een goed woord voor over. Het ongekunstelde, intelligente en onschuldige van autistische kinderen kwam niet aan bod.

Maar nog terwijl Kanner zijn eerste bevindingen publiceerde, bestudeerde een andere kinderpsycholoog soortgelijke gevallen aan de Universiteit van Wenen en van hem stamt de term *autistische psychopathologie* uit 1944. (Voor wie graag de tel bijhoudt: dat zijn dus drie Oostenrijkse kinderpsychiaters, twee baanbrekende artikelen halverwege de jaren veertig en twee van hen die op twee continenten het woord *autistisch* invoerden.) Het werk van dr. Hans Asperger was tot het begin van de jaren tachtig, na zijn dood, amper gelezen. Zijn artikelen waren niet in het Engels vertaald en zijn naam was niet algemeen bekend tot de schrijfster Lorna Wing in 1981 het *syndroom van Asperger* gebruikte om buitengewoon goed functionerende mensen op het autismespectrum te beschrijven.

Asperger had een positieve benadering. Hij bespeurde vermogens en zeldzame hoedanigheden die de moeilijkheden van de kinderen in evenwicht brachten. Vele beschikten over een uitstekende vocabulaire, aangeboren geduld, probleemoplossende vaardigheden, muzikaliteit en een beeldend geheugen.

Als ze de maatschappelijke etiquette moeilijk te vatten vonden, was dat amper iets om je voor te schamen; Asperger was zelf ook niet zo'n feestbeest. Hij noemde de kinderen zijn 'kleine professoren'.

Omdat Asperger zo veel lovenswaardigs vond en Kanner zo veel aan te merken had, wordt nu algemeen aangenomen dat de twee psychiaters heel verschillende groepen kinderen hadden onderzocht. In werkelijkheid komen in de meeste casusbeschrijvingen van Kanner kinderen voor die voldoen aan het Asperger-profiel en die hun unieke intelligentie gebruikten om de wereld aan hun behoeften aan te passen. Het meer verwoestende autisme dat communicatie en begrip trotseert, komt niet ter sprake; ironisch genoeg heet dat nu het Kanner-syndroom.

Autisme werd in de jaren veertig als een medische aandoening geïdentificeerd; de vraag is of het voor die tijd bestond. Kanner was tenslotte de eerste kinderpsychiater in de Verenigde Staten, niemand had voor hem dergelijke kinderen geobserveerd en daarover gepubliceerd. Psychiatrie stond in de kinderschoenen, ze bediende zich nog van behandelmethoden als lobotomie en elektroshocks. Je kunt aanvoeren dat autisme een oogverblindend duidelijk probleem moet zijn om al zo jong herkend te worden.

Maar het was duidelijk dat Kanner zijn elf gevallen als buitengewoon beschouwde. Hij noemde het: 'Uniek vergeleken met alles wat er tot nu is beschreven' en beschrijft ze alsof zijn medisch publiek nog nooit zoiets heeft meegemaakt. Het is ook veelzeggend dat de eigenaardigheden in de familie van de kinderen niet onvermeld blijven. Eén grootmoeder is 'een ongelooflijk door de wol geverfde zendelinge' een moeder is een 'hypomane' , een vader 'kan niet goed met mensen omgaan', een andere vader 'woont voornamelijk alleen, heeft alcoholische aanvallen' maar vermeldt niet één keer dat de familie zulke kinderen al eerder heeft gezien. Geen van hen zei: 'Zijn oom was net zo toen hij klein was.'

Voor 1943 waren her en der wat gevallen geregistreerd. Een van de meest overtuigende verslagen beschrijft Victor, een jongen van een jaar of twaalf die in 1800 werd ontdekt toen hij in het wild leefde in de wouden rond Aveyron in de buurt van Toulouse. Een jonge medische student, Jean Itard, gaf hem onderdak en probeerde vergeefs Victor te leren praten. Misschien was de jongen door zijn ouders in de steek gelaten, maar hij vertoonde duidelijk autistisch gedrag, zoals mensen als gereedschap gebruiken. Als hij een ritje in de kruiwagen wilde maken, pakte hij Itard bij zijn pols, sleepte hij hem de tuin door, drukte hij zijn vingers om de handvatten en klom hij er vervolgens in. Victor wist wat hij van zijn Franse dokter wilde, en dat was geen taalles.

Beroemder nog was Blinde Tom, een muzikaal genie dat nauwelijks kon praten, maar elk geluid kon nabootsen, drie melodieën tegelijk kon leren en alle noten kon opnoemen wanneer twintig vingers tegelijkertijd op willekeurige toetsen daalden. Mark Twain vertelt in 1869 in zijn krantencolumns in de *San Francisco Alta California* hoe hij Tom voor het eerst op de trein naar Illinois zag. *Hij zat als een woesteling op zijn stoel te wippen en bootste de geluiden van de sneltrein na. Geklepper, gesis, gefluit, het ontsnappen van de stoom door de drukregelaar, het rinkelen van de bel, het gedender over bruggen met een heidens kabaal alsof de hele wereld uit elkaar valt, jubelend door tunnels, koeien overrijdend... Hij hield het drie verschrikkelijke uren vol.*

Twee maanden later zat Twain drie achtereenvolgende avonden in vervoering te luisteren naar Blind Toms pianorecitals. De perfectie van het spel van de negentienjarige bracht de schrijver in verrukking, maar wat hem echt fascineerde was Toms gedrag: luisterde hij naar andermans pianomuziek, dan stond de blinde jongen op één been en hinkte hij voorovergebogen in kringetjes terwijl hij in zijn handen klapte. Daarna reproduceerde hij de muziek, ook duetten, noot voor noot en tempo voor tempo. Toen het publiek applaudisseerde 'klapte deze blije, onschuldige jongen mee'.

Het is een machtig stukje literatuur en verdient een prominente plek in elke bloemlezing van de literatuur over autisme. Maar dat zou een dun boek worden met een groot lettertype, en bijna alle personages zouden idiots savants zijn, mensen met onverklaarbare gaven. In tegenstelling tot genieën als Michelangelo en Leonardo da Vinci, die over een briljante en panoramische geest beschikten, is een idiot savant uitzonderlijk op een heel smal gebied. Buitengewone staaltjes wiskunde of geheugenprestaties krijgen geen grote bekendheid. Sommige savants zijn gewone mensen met een hersenkronkel die hen in staat stelt om zonder te rekenen vast te stellen dat 23 mei 1471 op een donderdag viel. Anderen in het autistisch spectrum zijn de Britse kunstenaar Stephen Wilshire, die na één blik elk detail van een stadslandschap kan vastleggen, en de schrijver Daniel Tammet die het getal pi tot op 22,514 plaatsen achter de komma kan opzeggen.

Onder autisten houden zich meer savants op dan onder de rest van de bevolking, misschien omdat ze minder remmingen kennen: zonder last te hebben van schaamte, verlegenheid of een instinctieve neiging tot conformeren zijn ze vrij om hun geest te verkennen. En misschien omdat mensen die via taal niet kunnen communiceren voor hun overleving op andere breinfuncties moeten vertrouwen, ontwikkelen ze uitzonderlijke muzikale, kunstzinnige of wiskundige vaardigheden: delen van de hersenen die de meeste mensen amper gebruiken worden tot constante activiteit opgehitst.

Maar de meeste autisten zijn geen idiots savants. Die zijn niet doordesemd met schilfers genialiteit. Het zijn geen aartsengelen gevangen in menselijke vorm, zoals Mark Twain Blind Tom beschreef.

Het hoeft geen verbazing te wekken dat Twain, de connaisseur van het excentrieke, zo veel belangstelling heeft voor zowel Toms savantkant als zijn autistische trekjes. Het echte mysterie is dezelfde rariteit die aan het artikel van Kanner kleeft: waarom hadden die professionele waarnemers van de menselijke geest nog nooit eerder met autisme kennisgemaakt?

Toms onschuld, zijn echolalie, zijn huppelen en tollen en handenklappen en met de armen zwaaien, zelfs zijn gewelddadige op en neer wippen: dat alles is de meeste ouders van autistische kinderen wel bekend. En als ik naar de overkant kan kijken, en de straat op en neer, en naar het huis achter het onze, en woningen zie van autisten die veel weg hebben van mijn eigen zoon... Waarom was Blind Tom voor Mark Twain dan zo uitzonderlijk?

Stel je die autistische bloemlezing voor. We zetten Dickens erin dankzij zijn portrettering van de lieve, eenvoudige Barnaby Rudge; we doen er ook een kort verhaal van Herman Melville bij, 'Bartleby the Scrivener', over de tragische kantoorbediende met autistische gedragingen. We halen de obsessieve excentriciteit van Sherlock Holmes aan, door talrijke deskundigen gezien als een schoolvoorbeeld van het aspergersyndroom. We kunnen wel doorgaan, en er ook mister Darcy uit *Pride and Prejudice* aan toevoegen, niet omdat wij denken dat hij een autist is, maar omdat de schrijfster Phyllis Ferguson Bottomley een beeldende analyse van 'autistische trekjes' in Jane Austens populairste boek heeft geschreven.

Boeiend, maar toch ver verwijderd van de verbijsterde, taalloze kinderen in Tyndall's Park en op de Briarwood School. Waar doemen zij op in de literatuur? Een eeuw voordat psychiaters autisme ontdekten, probeerden grote schrijvers de hele menselijke geest al in kaart te brengen. Je kunt er Balzac en Trollope, Eliot, Tolstoj, Zola en Dostojevski op naslaan, maar je zult er niemand in aantreffen zoals mijn zoon. Je kunt er zelfs de sensatieschrijvers op naslaan die een wereld van bevoorrechten met een scheut horror schilderen: Wilkie Collins en Mary Elizabeth Braddon, maar je vindt er geen portretten van autistische kinderen.

Veel van die schrijvers kwamen uit een grote familie. Tolstoj had dertien kinderen, Dickens tien, Braddon had er zes van haarzelf en nog eens zes stiefkinderen. De karakters, avonturen, ziekten en tragedies van die kinderen worden weerspiegeld in de boeken van hun ouders. Maar geen spoortje autisme.

De conclusie ligt voor de hand: tegenwoordig is autisme veel algemener dan honderdvijftig jaar geleden.

Wisten we de oorzaak, dan wisten we misschien ook waarom het zich verspreidde. Er bestaan talloze theorieën om de toestand te duiden: het is een erfelijke stoornis gekoppeld aan afwijkingen in de chromosomen, het is een neurologisch probleem waarbij de hersenen indrukken van de zintuigen verkeerd verwerken. Het is het misvuren van de 'spiegelneuronen' in het brein; het is een toxische reactie; het is een disfunctionerende spijsvertering waarbij enzymen door de darmwand in de bloedsomloop terechtkomen; het komt van vaccins, of van het kwik van kolencentrales, of van verdelgingsmiddelen, of van additieven in benzine, of van te veel televisie. Alle theorieën hebben hun voorvechters, hoewel de meeste het erover eens zijn dat het wel een combinatie van factoren zal zijn.

Omdat autisme veel meer lijkt voor te komen dan toen ik werd geboren, ben ik geneigd te speculeren dat het wordt veroorzaakt door een onbekend virus dat zich heeft verspreid. Daar is geen enkele aanwijzing voor.

Een speurtocht in het digitale archief van *The Guardian* wees uit dat de krant het woord 'autistisch' voor het eerst gebruikte in een bericht in 1964, twee maanden voor mijn geboorte. De Society for Autistic Children, die later de National Autistic Society (NAS) werd, had een waarschuwing uitgevaardigd dat het werkelijke aantal autistische kinderen in Engeland enorm verschilde van wat de statistieken hadden voorspeld.

Wat dat verhaal anders maakt dan alles wat je vandaag de dag kunt lezen, is dat het werkelijke aantal autisten veel lager was dan was geraamd. En die raming was al laag. Aan de hand daarvan schatte de Society het aantal autistische kinderen in Engeland op vijfduizend.

Maar de Society kende er maar tweeduizend.

Daaruit volgde dat er rond 1964 drieduizend gezinnen in heel Engeland waarschijnlijk worstelden met de zorg voor een autistisch kind, zonder het voordeel van een diagnose, medisch ingrijpen of educatieve steun. Aangezien het een bakerpraatje was dat koude ouders die toestand in hun kinderen fixeerden, hoeft het geen verbazing te wekken dat duizenden families misschien hebben verkozen het probleem onder het kleed te vegen.

Maar het blijft verbazingwekkend dat er in 1964 maar tweeduizend bekende gevallen van autisme van de kinderjaren bekend waren... En in 2007 meldde de NAS dat er in Engeland 133.000 autistische kinderen waren plus 392.000 volwassen gevallen, hun bekend. Wie denkt dat er louter en alleen door betere diagnostiek meer dan een half miljoen gevallen bij zijn gekomen, zal moeten uitleggen waarom de Society for Autistic Children er in 1964 met heel veel moeite maar tweeduizend boven water kon krijgen.

Het is niet zo dat het primaire kenmerk van autisme, de afwezigheid van communicatie, makkelijk over het hoofd te zien is. De meeste mensen verwachten van iedereen het vermogen tot communiceren. Er zijn geleerden die beweren dat dit ons menselijk maakt. Wij hebben, om met professor Steven Pinker te spreken, een 'taalinstinct'. Pinker is een oogverblindend briljante psycholoog en schrijver en dat ben ik niet, maar ik heb wel het gevoel dat ik hem in een open debat wat dat betreft kan aftroeven. De afkomst van mijn zoon is aan beide kanten van de stamboom geheel menselijk. Je mag zover teruggaan als je wilt, ik heb zelfs een tak ontdekt die teruggaat naar de Engelse Burgeroorlog (die voorouder uit de zeventiende eeuw was een Fransman, maar dat maakt voor dit debat niet uit.)

David heeft geen taalinstinct, maar hij is wel degelijk mens. Wanneer mensen hem als iets minder behandelen, leggen ze de nadruk op zijn autisme. Ze vergroten het uit.

Gedurende de maanden na de diagnose wilden Nicky en ik Davids probleem dolgraag laten behandelen. We probeerden te aanvaarden dat hij misschien nooit beter zou worden want zijn autisme was totaal, het kleurde alles wat hij deed en dacht. Als je die kleur wegnam, zou het zijn alsof je de verf van een schildersdoek krabt. Maar we wilden wel graag een onsje minder en waren bereid elke behandeling te overwegen.

Er waren twee belangrijke strijders op het toneel: gedrag en dieet. Via het plaatselijke filiaal van de National Autistic Society hoorden we van 'toegepaste gedragsanalyse', ook wel de Lovaas-techniek genoemd, naar de arts die haar ontwikkelde. Zijn methode behelsde intensieve therapie, waarbij de ouder of therapeut dertig tot veertig uur per week met het kind doorbrengt en elk gebaar en geluid nabootst. Ik zag me mijzelf nog niet de hele dag in het gezicht stompen en blèren, en ik weet ook niet of dat precies is wat dokter Lovaas voor ogen had, maar ik ging toch naar de lezing van de NAS over de behandeling.

De spreker was een vrouw met een autistische zoon die een paar jaar ouder was dan David. Het begon slecht. Haar openingszin was: 'Alle mannen zijn een beetje autistisch.'

'Wat een flauwekul,' mompelde ik. Ze trok slechts een wenkbrauw naar me op. Ik had weg moeten lopen, en dat zou ik ook hebben gedaan als het een racistische opmerking was geweest, en alles wat de spot drijft met de handicap van mijn zoon is net zo erg als racisme. Maar ik was de enige man in de zaal en ik wilde niet als een overgevoelige vader overkomen.

Uiteindelijk liep ik toch weg. Er was geen directe aanleiding, het was een opeenhoping van snierende afkeuring. In een zaal vol ouders van autistische kinderen beschreef ze de gedragingen en obsessies van het autisme met nauw verholen minachting. Ze beweerde dat ze een autist op vijftig meter kon herkennen: de blikken uit hun ooghoeken, de manier waarop ze hun hoofd hielden en waarop ze liepen, en hun geluiden. Niets aan een autist was *normaal* en alles *viel op*. Hoe langer ze praatte, hoe meer ik dacht: 'Ik hou van mijn zoon. Ik hou van de manier waarop hij is. Maar jou kan ik niet luchten.'

Tegen de tijd dat ze haar eigen zoon ging beschrijven en de behandeling die hij achter de rug had, had ik ernstig met de jongen te doen. Ik wilde dat hij alle pogingen om hem hondenkunstjes bij te brengen zou weerstaan. Dat deed hij natuurlijk niet, maar het kind dat ze triomfantelijk beschreef klonk me in de oren als verslagen en verloren. Hij klonk als het schildersdoek waar de verf af is gekrabd.

We wilden David niet met zwaar geschut tot conformisme dwingen, vooral niet wanneer hij niet kon begrijpen waarom hij zich moest conformeren. We wilden hem niet onzichtbaar maken. Hij was in de zevende hemel als hij zijn zin kreeg.

Wat wij wilden was een mirakel. We wilden de zoon die we hadden en de zoon op wie we gehoopt hadden. We wilden dat David leerde praten. Ik heb wat om een mirakel gebeden. In mijn tienertijd vond ik dat ik atheïst moest zijn omdat ik niet kon geloven in een God die menselijke tragedies ensceneerde. Later besefte ik dat ik wel in God geloofde, maar niet een god met een menselijke persoonlijkheid, niet iemand die verkiest of hij al dan niet in je privéleven zal ingrijpen. Na

Davids diagnose zou ik mijn dwaling met vreugde hebben toegegeven. Een kikkerplaag of de spontane ontbranding van elke struik in onze tuin zou meer dan welkom zijn geweest.

Ik speurde internet af naar nieuwsberichten over moderne wonderen. Ik las een verhaal over een meisje in Massachusetts dat in coma was geweest sinds ze op haar derde in een zwembad was gevallen. Ze heette Audrey Santo en haar familie was ervan overtuigd dat ze weliswaar niet kon praten noch bewegen, maar wel wonderen verrichtte. Haar kamer was gevuld met rozengeur, en de religieuze iconen en schilderijen aan de wand weenden olie. In ruil voor een donatie kon je een buisje van dat vocht bemachtigen.

Ik deed een donatie. Nicky vond het bespottelijk, maar anders belachelijk dan wanneer ik met Fairy Liquid in de vaatwasser experimenteerde of verdwaalde in steegjes om wegwerkzaamheden te omzeilen. Ik wist dat het belachelijk was, maar dat deed er niet toe.

Ik kreeg de olie op Davids hoofd gedept. Het lukte niet 'tijdens een rustig en meditatief' moment zoals de familie Santo aanried, want die hadden we niet. Het enige concrete resultaat was dat Davids haar een paar uur vettiger was. In 1998 onderzocht *The Washington Post* een buisje van Audreys olie en kwam tot de conclusie dat het voor tachtig procent een soja-extract was en voor twintig procent kippenvet. Ik heb ergere dingen in mijn haar gesmeerd en er ook meer voor betaald.

Terwijl ik de olie op het hoofd van mijn zoon depte, bad ik. En ik bleef bidden. Als ik om een wonder bad, kregen we het niet. Er was ook geen kikkerplaag. Maar als ik bad om kracht, kwam die altijd ergens vandaan.

Op Davids vierde was zijn dieet zo beperkt dat we niet begrepen dat hij überhaupt nog groeide. Hij dronk volle melk verdund met kokend water uit een zuigfles. En hij at droge Weetabix, tarwekoekjes. Dat was zijn hele menu.

Hij at geen Weetabix gedrenkt in melk, noch het huismerk tarwekoekjes van de supermarkt, en hij lustte evenmin melk met vitaminedruppels. Als we opeens geen volle melk meer hadden – omdat David bijvoorbeeld vier flessen op de keukenvloer had geleegd – accepteerde hij geen halfvolle melk als plaatsvervanger. Hij was dol op eieren, maar alleen omdat hij die kapot kon slaan om vervolgens met zijn lichaam over een rauwe omelet te surfen. Hij zou er niet over piekeren ze op te eten, noch alles wat warm was, noch alles wat zoet was, noch alles wat groen was, noch alles behalve hete melk en droge Weetabix.

Elke dag probeerden we zijn dieet te verbreden. Chocola, ananas, brood met boter, Honey Puffs... David had het leven van een verwende prins in een sprookje kunnen leiden als hij had gewild. Hij had zelfs ijs voor het ontbijt mogen eten, vla voor de lunch en slagroom voor het avondeten: we wilden alles wel proberen. Hij weigerde alles. Hij wilde alleen Weetabix eten en meestal kauwde hij op een dag een pakje van twaalf weg.

Hij groeide. Hij had goede tanden, sterke botten en een onuitputtelijke energie. Hij wist wanneer hij honger had en trok ons zo vaak als hij kon naar de ketel en de kast. Er hing een genadeloze zelfstandigheid om zijn eetlust. Sommige kinderen lijken wel geiten die alles opeten waarop ze de hand kunnen leggen. David was geen geit: hij was een leeuw die niets anders accepteert dan vers, rauw vlees en die alleen eet tot hij vol zit. (De analogie klinkt wat sentimenteel tot je een blik werpt op vierjarige kleuters die bij elke avondmaaltijd cheeseburgers, patat, tumtum en cola naar binnen werken: dan wil ik wel eens weten welk kind het gezondste instinct heeft.)

Maar we maakten ons wel zorgen over zijn eetgewoonten, want elk dieet dat een doorbraak in autisme beloofde, kende twee grondregels: geen tarwe(gluten) en geen melk(caseïne). Sommige beoefenaren hadden wildere claims dan andere, een aantal beloofde genezing en een paar hoopten op verbetering, maar allemaal stonden ze een gluten- en caseïnevrij dieet voor.

Als we tarwe en melk uit Davids dieet schrapten, zou hij verhongeren. En daar zou hij ook heel boos over zijn. We bespraken de voedingsregimes met zijn kinderarts en onze huisarts; die stelden voor dat we hem havermout in plaats van Weetabix en schapen- in plaats van koeienmelk zouden geven. We hadden hem net zo goed foie gras en raquettesalade met een glas gekoelde chablis kunnen aanbieden. David wist wat hij lekker vond en dat had niets te maken met haver of schapen. Dus wezen de kinderarts en de huisarts erop dat er geen medische ondersteuning was van genezing van autisme door middel van dieet; verandering van dieet hoorde bij de alternatieve therapie en een reguliere dokter kon geen alternatieve aanpak onderschrijven die kinderen van streek kon maken of schaden. Met andere woorden: het zal waarschijnlijk niet werken en je een hoop ellende bezorgen, dus doe het maar niet.

We zouden de ellende nog voor lief hebben genomen als we een overtuigend medisch motief konden vinden. Het was een zorgwekkend besef dat Davids enige twee voedingsstoffen op zo veel internetsites nou net als oorzaak van autisme werden aangegeven. We moesten onszelf eraan herinneren dat David autistisch was toen hij borstvoeding kreeg; en toen hij naar gepureerd fruit en vla promoveerde, was hij autistisch gebleven. Als iemand een samenhangende medische verklaring had kunnen geven op welke wijze tarwe en melk onze zoon van zijn spraak hadden beroofd en hem vervulde van de drang om met zijn hoofd op de badkamertegels te slaan, zouden we de oren hebben gespitst.

Vervolgens hoorden we van het lekkedarmsyndroom.

Ik las er voor het eerst over in het tijdschrift *New Scientist*, een slag beter dan een verdwaalde weblink. De theorie werd ondersteund door onderzoek aan een Engelse universiteit. Het verklaarde waarom tarwe en melk gevarenvoedsel waren. Het leverde een overtuigende reden waarom David niets anders wilde aanraken. En het bood uitzicht op wezenlijke verbetering van zijn autisme.

Het was nog steeds een alternatieve aanpak, maar met de duidelijke ambitie om gemeengoed te worden. Lekkende ingewanden, stelde de theorie, konden het voedsel niet in het spijsverteringsysteem houden. Ze lieten 'macromoleculen' van schadelijke allergenen zoals tarwe en melk in de bloedsomloop los. Dat gebeurde omdat de slijmwand van de darm was verdwenen door gifstoffen in antibiotica of door stress. Wanneer de macromoleculen het brein troffen, raakte dat beschadigd, maar de hersenen konden herstellen als de allergenen uit het dieet gebannen werden.

Dat klonk aannemelijk. Er waren nog wel gaten; hoe komt het bijvoorbeeld dat macromoleculen wel de communicatiefunctie verwoesten, maar de muzikale intelligentie ongemoeid laten? Maar we waren bereid ons te laten overtuigen.

Vervolgens kwam een van de meest vooraanstaande voorvechters van de theorie, een wetenschapper die beweerde te hebben gepionierd in de behandeling, naar Bristol voor een lezing.

Die had meer weg van een reizend medisch circus. De spreker opende met een korte fantasie over degene die hem de Hollywood-film van zijn leven zou laten zien, *De Man die autisme genas.* Ik geloof dat hij voor Brad Pitt zou kiezen. Hij legde de lekkedarmtheorie uit en waarschuwde ons dat het doorbreken van de 'verslaving' van ons kind aan tarwe en melk veel weg had van afkicken van harddrugs. Zijn bloed was volgens hem verslaafd aan macromoleculen en een autistische driftaanval verschilde niet van de kick van heroïne.

Hij was gelukkig geen charismatisch spreker. De meeste mensen in de zaal waren op zoek naar een manier om hun kind te helpen. Ze hadden geen behoefte aan een goeroe. Er weerklonk een gestaag geschraap van stoelpoten naarmate er meer mensen opstapten. Ik wachtte om te horen hoe het kwam dat macromoleculen het voorzien hadden op sommige hersencellen en niet op andere, en waarom ze verslavend waren, maar het praatje werd afgesloten en de spreker vroeg om vragen uit het publiek.

Een vrouw stak haar hand op en zei aarzelend dat ze zes maanden daarvoor al eens naar zo'n lezing was geweest. Sindsdien had haar zoon niets meer gegeten waarin tarwe of melk zat.

De spreker knikte goedkeurend. 'Gefeliciteerd,' zei hij. 'Hoe is het met hem?'

'Hij is erg mager. Hij eet niet. En zijn autisme is niet beter geworden,' zei de vrouw. 'En hij was erg boos toen we met zijn melk en Weetabix stopten.'

'Dat spreekt vanzelf. Hij is een verslaafde.'

'Maar hij eet niets anders. Het enige wat we voor elkaar krijgen is af en toe een slokje water. Hij weigert het gewoon.'

'Jullie varen de juiste koers,' hield de spreker vol.

'Ik wil alleen weten,' smeekte de vrouw, 'wanneer het goed is om het op te geven. Hij is nog net zo autistisch als vroeger. Faalt die methode van u wel eens?'

'Niet als u het goed doet,' snauwde de man. 'Goed, u hebt uw vragen ruimschoots gehad, nu hoor ik graag iemand anders.'

Na dat incident hoefden Nicky en ik er niet eens meer over te praten. We mochten niets doen om Davids gezondheid in de waagschaal te stellen. Iets had zijn autisme veroorzaakt, logischerwijs moest er ook een manier zijn om het te verlichten en zelfs om te buigen. Maar we zouden nooit iets toestaan wat hem zou schaden.

We vertelden onze huisarts over de lezing. 'Wáren zijn woedeaanvallen maar zoiets als een drugstrip,' zei ik. 'Dan zou hij er tenminste van genieten. Niettemin, de campagne voor de legalisering van cannabis krijgt steeds meer stem. Het zal niet lang duren voordat we David bij een driftaanval kunnen laten chillen door een stickie voor hem te draaien en een cd van Bob Marley op te zetten.'

'Interessant idee,' glimlachte onze huisarts. 'De volgende keer dat je een joint rookt, blaas je hem wat rook in het gezicht om te zien wat voor effect dat geeft.'

We roken geen dope. Nicky heeft zelfs nog nooit een sigaret aangeraakt. Jammer eigenlijk, anders zouden we elke avond op doktersvoorschrift knetterstoned kunnen zijn.

# *Acht*

In september van dat jaar kreeg David een plaats op de Briarwood School, in de laagste van de drie klassen op de afdeling autisme. Dat betekende elke ochtend en middag een busrit van vijftig minuten. De school was maar acht kilometer verderop, maar de bus moest zigzaggend door de stad om andere kinderen op te halen. We hadden er alle vertrouwen in dat David het allemaal wel zou omhelzen. We wisten het bijna zeker. Maar gewoon voor het geval we een eeuwigheid van schreeuwende woedeaanvallen tegemoet gingen, vonden we dat we vakantie verdiend hadden.

We huurden een huisje in Lympstone aan de binnenzee van de Exe in Devon. Uit de ramen boven zagen we een kasteel, en de sneltrein naar Plymouth die langs de kust aan de overkant denderde. Draaiden we ons om, dan zagen we een blonde sloperskogel over de bedden stuiteren naar de kast waar we de breekbare waar hadden verstopt.

Of het nu een vakantiehuisje, een restaurant of een wachtkamer was, waar we met David ook kwamen was onze eerste plicht het glaswerk en de ornamenten te verzamelen en verbergen. Zoek en vernietig was Davids eerste opdracht. Het grootste deel van die vakantie was besteed aan het vervangen van lampenkappen, bloempotten, boeken en bekers, en nieuwe bergplaatsen zoeken voor de overlevenden.

David was dol op de opwinding van de eerste dag; hij verwachtte de tweede dag al terug naar Bristol te gaan; verbande op dag drie voor de zekerheid James en mij uit het huisje en toog op de vierde op eigen houtje terug naar huis. James kreeg hem in de gaten. 'David ontsnapt naar Quay Cove,' zei hij terwijl hij en ik bij laagtij de kliffen ten zuiden van het huisje verkenden. En ja hoor, daar brak zijn broertje uit ons hermetisch afgesloten vakantiehuisje door een patrijspoortje waar een poes nog niet eens door naar binnen kon komen. Eén seconde te laat verscheen Nicky's hand om hem te grijpen.

Toen we omlaag waren geklauterd naar het strand, was David al onder een omheining de tuin van de buren in getijgerd en marcheerde hij door hun groentetuin met een spoor van kroppen sla achter zich aan. Ik hou er niet van hem op andermans terrein te vangen; als hij zo'n gillende driftbui zou krijgen, kon het wel eens lastig uit te leggen zijn. Zolang hij slechts een risico was voor de bloemkool en driepoten met pronkbonen en zelf geen gevaar liep, bleven we buiten de omheining naar hem roepen alsof dat iets zou uithalen.

Hij klom op een schuur en sprong over de omheining aan de andere kant. Er zijn weinig kinderen die een nonchalante zwier tentoon kunnen spreiden wanneer ze in een kavel stinkende rivierblubber vallen, maar David deed het als een filmster. Tegen de tijd dat we hem van de oever van de binnenzee wegsleepten, was hij het Moerasmonster. Met emmers water spoelden we het ergste eraf en op het erf achter de keuken boenden we hem schoon. Hij keek triomfantelijk, alsof hij een gewaagde ontdekking had gedaan.

En dat was ook zo. David had ontdekt dat zijn vader en moeder wanneer ze met hem op stap waren een rem op zijn plezier zetten... Maar als hij een andere uitgang nam en hen achter zich liet, kon hij alle opwinding gaan halen waar hij naar hunkerde. Over de schutting klimmen en in de modder glijden was nog maar het begin. De wereld beloofde alles wat een jongen maar wilde. Nieuwe huizen verkennen bijvoorbeeld.

Maar die ontdekking deelde hij niet met ons omdat hij niet kon praten. Daar mochten we zelf achter komen.

Een paar dagen na de vakantie, toen Nicky weer naar haar werk was en James bij een vriendje speelde, raakte ik David kwijt. Hij scharrelde lief door de tuin en zong een liedje toen de telefoon ging. Ik nam binnen op. Zolang ik zijn stem kon horen, wist ik dat hij veilig was... Behalve wanneer heel Noord-Bristol zijn stem kon horen en in dat geval zat hem iets dwars.

Toen ik een paar minuten later neerlegde, besefte ik dat David stil was geworden. Dat zei nog niets, soms ging hij zo op in zijn eigen wereld dat hij amper leek te bestaan in de onze. Maar hij zat niet op zijn schommel, noch in de schuur en lag ook niet languit in het bloemperk. Hij moest naar binnen zijn geglipt toen ik aan de telefoon was. Als hij naar boven was gegaan, zou ik hem gezien hebben, dus moest hij in de keuken of de huiskamer zijn... Alleen, daar was hij niet.

David perste zich graag in kleine hoekjes, dus keek ik achter de bank, onder de trap, in de dekenkist en zelfs in de keukenkastjes. Daarna keek ik onder de struiken, in de gft-bak... Hij was nergens. Maar hij kon niet uit de tuin zijn gebroken, er zat een driedubbel slot op het hekje en het laagste deel van de omheining was hoger dan hij, en hij kon zich er niet onderdoor hebben gewurmd.

Al wist ik dat hij niet boven was, ik keek toch onder de bedden. Het alternatief was het huis verlaten en de straten afspeuren, en dat zou gevaarlijk zijn, want mijn logica schreef voor dat David ergens in huis moest zijn. Ik had gewoon niet op de juiste plaats gekeken. Ik had niet goed genoeg gekeken.

Ik raak elke dag dingen kwijt. Mijn eerste reactie is aan Nicky vragen: 'Heb jij mijn portefeuille ergens gezien? Enig idee waar ik mijn sleutels heb gelaten?' Maar ik kon haar moeilijk op haar werk bellen en zeggen: 'David lijkt weg te zijn... Waar denk jij dat hij is?'

Hoe dan ook, Nicky's gebruikelijke reactie is de vraag terugkaatsen: 'Waar heb je hem voor het laatst gezien?'

De laatste keer dat ik David had gezien, was hij in de tuin.

Ik ging op het gras staan en keek hulpeloos om me heen terwijl het misselijkmakende gevoel dat hij al tien minuten gevlogen kon zijn groeide. En dat het de eerste tien minuten van de rest van ons leven konden zijn.

Toen hoorde ik hem, althans ik hoorde het geluid van zijn stilte. In de poort achter onze tuin praatte een vrouw met een mengeling van humor en verbijstering tegen iemand die geen antwoord gaf. 'Nou, als je me niet kunt vertellen waar je woont, kun je me je huis dan aanwijzen?'

Ik trok de grendels van het hek open en David, die de dame in zijn kielzog schitterend negeerde, marcheerde langs me heen. Volgens mij was hij op weg naar de voordeur, maar toen hij een stukje kon afsnijden, schoot hij langs me heen en ging hij weer op zijn schommel zitten zingen.

'Dus u hebt hem gevonden?' zei ik zwakjes.

De vrouw sloeg de armen over elkaar. 'O, hij heeft net in vijf minuten ons huis ondersteboven gehaald,' zei ze, en ze wees op een dak voorbij onze achtermuur. 'Daar wonen wij.'

Ik legde uit dat David autistisch was, dat hij niet kon praten, dat ik hem gezocht had, maar niet geloofde dat hij kon ontsnappen. 'Heeft hij veel schade aangericht?' vroeg ik.

'Een bende gemaakt, ja. Schade denk ik niet. Hij heeft voor de tv gezeten en stopte al onze video's tien seconden in de recorder en dan haalde hij ze er weer uit. Mijn partner vond hem en zei: "Er zit een kind in de huiskamer tv te kijken," en ik zei: "Nou en?" en hij zegt: "Ik denk niet dat het een van ons is." Ik kon uw zoon niet eens zo gek krijgen om op te kijken voordat hij alle video's had geprobeerd.'

'Hebt u *Postman Pat* niet?'

'Daar zijn mijn kinderen een beetje te oud voor.'

'Mooi. David zou de hele ochtend zijn doorgegaan. Ha! Zo flikt hij het!'

Ik was naar de schuur geschoven, uit Davids gezichtsveld in de hoop dat hij nog een gooi naar de vrijheid zou doen als hij zich onbespied waande. Voor de vorm riep ik nog: 'Nee, David! Heb het lef! Kom terug!' maar voor ik de tuin door was, was hij al verdwenen.

Ik boog me over de schutting en zag de lage doorgang in de muur van de buren die naar de tuin erachter leidde. Deze keer sloeg David daar geen acht op en kronkelde hij door een gat in het hek aan de andere kant van de tuin. Hij was op zoek naar andere videoverzamelingen in andere huizen.

Het had geen zin om achter hem aan te gaan door over schuttingen te springen. In plaats daarvan holde ik door de poort naar de voorkant, de straat door en de tuin van mijn buurman van twee deuren verder in. David stond op het punt het op te geven vanwege de raamsloten om het volgende huis te proberen. Hij accepteerde zijn aanhouding als elk ander oponthoud. Hij ging tenslotte terug naar een open inrichting, hij kon er weer vandoor wanneer hij maar wilde.

We ontmantelden de compostbak en verdubbelden de fortificatie. Ik wilde prikkeldraad boven op de schutting plaatsen. We kozen uiteindelijk voor een rotan borstwering. Nicky vond het niet erg dat de tuin eruitzag als een speelkasteel, maar ze trok een grens bij Colditz.

Wanneer David thuis was, waren al onze ramen zelfs op de warmste dagen dicht en vergrendeld en ik stond erop dat de voordeur ook was vergrendeld. Op een zaterdag vertrok ik om half zeven naar de krant in Londen. Ik deed de deur zorgvuldig achter me op slot zonder te bedenken dat ik beide sets autosleutels had en ook met de reserve grendelsleutels was weggelopen. En omdat ik de enige was die de combinatie van het nieuwe cijferslot op het hek van de achtertuin kende, had ik mijn gezin voor de hele dag vakkundig in huis opgesloten. Wanneer James buiten wilde spelen moest hij uit een raam klimmen.

Net op die dag kwam onze maatschappelijk werker langs.

Soms is het leven net een tweederangsklucht in de Westend: op het moment dat je broek zakt, steekt de dominee zijn hoofd naar binnen.

We verkeerden in die tijd niet op voet van oorlog met de Sociale Dienst. Een van de afdelingen, het Community Care Team, had Kate, een jonge maatschappelijk werkster in dienst genomen, die twee keer per week langskwam om David mee te nemen voor een uitstapje in haar Morris Traveller. David vond Kate een godsgeschenk. Wij ook. Hij mocht naast haar op de passagiersstoel zitten en al haar muziekcassettes inspecteren, en ze nam hem mee naar speeltuinen met vijvers waar hij de eendjes kon voeren, en wanneer hij zich in het water wierp of driewielers van andere kleuters pikte, raakte ze niet in paniek. Ze liet zich door de sarcastische opmerkingen en tirades van andere ouders niet van de wijs brengen. Ze ging gewoon door en miste nooit één afspraak. Toen het zomer werd, vertrok Kate naar India; de laatste keer dat we een ansicht van haar kregen, werkte ze in een weeshuis in Cambodja.

Kate was Davids ideale 'grote zus'. Nu nog zal hij, wanneer hij zo'n oude, half betimmerde Morris ziet, proberen erin te klimmen.

Het duurde lang voordat we iemand hadden gevonden die haar

kon vervangen. De volgende verzorger, een medewerker van het bureau die geen ervaring met autistische kinderen had, hield het maar één sessie vol. Ze nam David mee uit, hij zette een keel op en zij gaf het op. We hadden haar gezegd dat we maar een half uur weg zouden zijn omdat we James naar een vriendje moesten brengen, maar de vrouw bracht David toch terug.

Toen David ontdekte dat het huis verlaten was, flipte hij alle kanten op. Waarschijnlijk dacht hij dat we voorgoed waren vertrokken. Hij kon zich tenslotte niet voorstellen dat we terug zouden komen. Een van ons was altijd, altijd thuisgebleven en nu waren we weg. Hij lag op de oprijlaan en probeerde zichzelf bewusteloos te slaan op het asfalt, terwijl de verzorgster in shock tegen de muur stond.

Davids geschreeuw had de buren naar buiten gebracht. James' vriend Elliott en zijn vader klommen met een ladder in onze tuin in de hoop in huis te kunnen komen om David binnen te laten. Dat lukte niet en in plaats daarvan troffen we het gezelschap bivakkerend op de oprijlaan, gevangen in onze extra beveiligde tuin, en David gilde zo dat de ruiten gevaar liepen.

We hadden alleen maar onze zoon weggebracht om bij een vriendje te eten. We voelden ons het soort ouders dat de hele avond naar de kroeg gaat en de kinderen achterlaat om met een pitbull en een aansteker te spelen.

De dagelijkse spanning zou ondraaglijk zijn geworden zonder de steun van eerst Rosemary van Red House en daarna van Davids school. Binnen enkele weken na zijn begin in de peuterspeelzaal hadden we gezien dat David in een nieuwe omgeving ander gedrag wilde leren. Het eerste echte spelletje dat hij ooit met Nicky en mij speelde was iets wat hij van Rosemary had geleerd: als een mimespeler deed hij alsof hij thee inschonk uit een plastic theepot en ons thee serveerde. Hij deed de handelingen na die Rosemary hem had voorgedaan en waarschijnlijk geen betekenis voor hem hadden: hij kon zich geen onzichtbare thee in de pot voorstellen. En hij moest en zou moeder spelen: het spel werkte niet als wij thee voor David inschonken. Maar het was tweerichtingsverkeer en er zou meer volgen.

Een hele zaterdag vulde hij een steelpan met kraanwater die hij naar de keuken droeg om een emmer voor Nicky te vullen. Ze moest hem constant prijzen en aanmoedigen. Liet ze de emmer los, dan verloor David de belangstelling. Maar zolang zij het spel meespeelde, gehoorzaamde hij aan de regels, morste hij geen water en smeet hij de steelpan niet tegen de muur. Ik kon het amper geloven voor ik het met eigen ogen zag. Een week daarvoor had David nog geprobeerd alles wat hij te pakken kon krijgen kapot te slaan. Blikjes, deegrollers, weegschaal, placemats, ovenschalen, ketels, zakken suiker, pakken macaroni... er ging wat stuk, er viel wat kapot, er was wat troep, maar alles verrukte hem.

We leerden om de dingen waarmee hij smeet niet op te vangen. Als ze onbreekbaar waren, kon stuiteren op het terras geen kwaad; als het wel breekbaar was, waren onze handen nog kostbaarder. Een nieuwe ovenschaal konden we zo kopen en dat deden we ook, maar een maand met verband om de vingers lopen zagen we niet zitten.

Voor het meeste speelgoed had hij geen belangstelling. Teletubbies en Spiderman zijn gemaakt om ruwe behandeling te weerstaan, dus wat was er nu aan om die van de trap te gooien? Maar een piramide van gekleurde ringen om een stok vond hij wel leuk. Nicky zat uren bij hem en liet haar hand beurtelings naar alle verschillende ringen sturen. Ze moest de kleur zeggen voordat ze hem op de stapel mocht leggen: 'Paars, roze, oranje, rood...' Op een dag keerde ze de regels om en weigerde ze de ring op de stapel te leggen voordat David de kleur had gezegd. Ze bleef zijn lippen maar aanraken en de kleur herhalen, 'paars, paars' totdat David 'pas' fluisterde.

Dat leverde hem een heleboel knuffels en lof op. Hij was altijd argwanend wanneer we zo enthousiast deden, maar die aandacht zag hij ook wel zitten. De eerste keer dat David zijn kleuren zei: 'Pas, ros, orin, rud,' leidde tot een mediaspektakel: videocamera's werden tevoorschijn gehaald, flitsers flitsten en de gekleurde ringen werden als casinofiches op de stok geworpen. Daarna leek David net een pup met een nieuw kunstje; hij somde de kleuren op en juichte zichzelf toe.

Maar hij had geen idee wat de woorden betekenden. Hij verschilde niet van een kind dat touwtjespringt op een onzinliedje. We probeerden hem andere paarse en roze voorwerpen te laten zien: vestjes, gelpennen, plastic pony's en pakjes papieren zakdoekjes. David bekeek ze verbijsterd. Hoe moest hij die nou opstapelen?

Zijn lievelingsspel was kietelen. Als we met James stoeiden, voor de lol een beetje worstelden of elkaar achternazaten, wilde David wel eens meedoen. Dan ging hij op zijn rug liggen om ademloos te giechelen terwijl wij met onze vingers over zijn tenen en maag kriebelden. Daarna wendden we ons tot James die slap naast zijn broertje op de grond lag en kietelden we hem tot hij om genade smeekte. Daarop ging David fronsend rechtop zitten: de blik op zijn gezicht sprak boekdelen.

Toen we James kietelden, voelde David dat niet. Dat verbaasde hem. Hij hoorde lachen, hij zag het ouderding zijn vingers kietelend bewegen, maar het liet hem koud. Nicky en ik moesten lachen om zijn verbazing en legden hem de woorden in de mond: 'Jullie doen het verkeerd! Dáár kan ik wel tegen kietelen!'

Maar David dacht niet in woorden. Hij verwerkte ervaringen rechtstreeks, zonder tussenpersoon of vertaler. En zonder woorden konden we hem niet eens de meest voor de hand liggende dingen uitleggen: 'We kietelen je broer. Dat ben jij niet. Jij kunt dat niet voelen. James wel. Daarom lacht hij wel en jij niet.'

Voor hem sloeg dat allemaal nergens op. Het enige wat we konden doen was hem weer kietelen.

Maar hij probeerde het wel. Hij wilde echt lachen als James werd gekieteld, dus verzon hij het slimme idee om James na te doen. Het was net alsof David zijn eigen sensaties voor wilde zijn. We grepen naar James en die holde weg, en David holde ook weg. James viel en David liet zich ook vallen. Daar kwamen de videocamera's weer.

We speelden het spel tot iedereen behalve David uitgeput was. De volgende dag speelden we het weer, maar het duurde jaren voordat David zich liet overhalen nog eens mee te doen. Het veranderde van het mooiste spelletje ter wereld in een absoluut taboe, en de beste verklaring die we konden verzinnen was maar giswerk. Misschien raakte David verveeld of was hij de neuronenverbinding in zijn brein kwijt die hem in staat stelde James na te doen. Misschien stuurde zijn meerdere hem een sms van een verre ruimtevloot. 'Niet met de inboorlingen aanpappen, X901. Slecht voor het moraal.'

Het idee van een verloren schakel past in een theorie van de San Diego University in Californië, die suggereert dat 'spiegelneuronen' in een autistisch brein slecht functioneren, waardoor zijn vermogen om gedrag na te bootsen, een taal te leren of empathie te voelen verkeken is. Maar ik geef de voorkeur aan het idee van instructies van een buitenaardse bevelhebber.

Binnen zes weken nadat David op Briarwood was begonnen, zagen we nog meer verbeteringen. Rosemary had in Red House PECS geïntroduceerd, het *Picture-Exchange Communication System*, waarbij David een symbool kon ruilen voor een object dat hij wilde hebben. Om bijvoorbeeld de hand op de ringenpiramide te leggen, moest hij het plaatje van de gekleurde ringen zoeken en dat aan Rosemary 'betalen'. Hij leerde dat als onderdeel van een spelletje, hoewel het nooit bij hem opkwam om zelf met het spelletje te beginnen door het symbool ongevraagd te zoeken. Op Briarwood gebruikten ze PECS voortdurend. Elk kind had een bord aan de muur dat vol hing met symbolen. De onderwijzeres, Claire, vroeg of we foto's van onszelf, ons huis en de auto konden brengen, zodat David een catalogus van handelingen voor de dag kon aanleggen: wanneer het tijd werd om naar huis te gaan moest hij het PECS-kaartje met de schoolbus pakken en dat bij de foto's van zijn familie hangen. Voor het eerst in zijn leven gebruikte hij een soort taal: eenvoudig, beeldend en effectief.

Op de eerste ouderavond was Claire enthousiast over Davids potentieel. 'Hij is zo'n intelligente jongen,' zei ze nadrukkelijk. 'Zijn hersens werken heel snel, sneller dan de onze, wel twee keer zo snel. Hij heeft al gezien wat hij wil voordat wij hebben rondgekeken. Konden we hem maar helpen inzien... Het moet heel frustrerend voor hem zijn. Hij ziet alles, neemt alles in zich op, maar meestal kan hij er geen touw aan vastknopen.'

'Denk je dat hij ooit zal leren praten?' vroeg Nicky.

'Hij doet me erg denken aan een van onze andere autistische jongens, George,' zei Claire. 'Toen George hier kwam, praatte hij niet. Nu zegt hij duidelijk woorden na. Volgens zijn moeder is hij dol op die wiebelapparaten in supermarkten, net als David. Wanneer hij instapt, zegt hij: 'Hou je vast! Megasnelle reis!'

'We zouden David dolgraag willen horen praten,' zei Nicky. 'Hij zal een heel muzikale stem hebben.'

Hij begon al tekenen te vertonen dat hij begreep wat we zeiden, in plaats van zongen. Wanneer we zijn naam riepen, draaide hij zich om, al was hij in een andere kamer. En wanneer hij twaalf tot vijftien keer per dag zijn flesje met warme melk gevuld wilde zien, sleepte hij ons naar de koelkast, en in plaats van te proberen de deur met zijn hoofd uit de scharnieren te slaan, zei hij: 'Mè!'

Dat gaf aan hoe ingewikkeld David woorden vond. Na maanden zwoegen had hij de eerste helft van het woord voor zijn favoriete drank geleerd. Het leek wel alsof hij een halve symfonie in zijn geheugen had geprent, het hele werk was onmogelijk, maar hij had net voldoende geleerd om het onmiskenbaar te maken.

Nog beter was dat hij had ontdekt dat ouders niet alleen bediend konden worden middels eenvoudig handwerk, maar ook door een gesproken bevel. We hadden een serieuze technische upgrade ondergaan. 'Mama-ding en papa-ding, nu met vetgave stemactivering! Jij zegt iets... zij bewegen!'

Begrijpen en gehoorzamen zijn echter twee verschillende concepten. David wist wat het woord 'nee' betekende, maar tegen ons kon hij het niet zeggen wanneer hij een bevel in de wind wilde slaan. Voor David was 'nee' het geluid van een apparaat dat niet wilde doen wat hij verlangde, zoals een computer kwaakt wanneer hij een ongeoorloofd commando verwerkt. En omdat hij het meestal won van de computer deed hij dat ook. Als David niet binnen handbereik was, had het geen zin 'nee' te zeggen. Het woord moest kracht worden bijgezet. Voor de meeste kinderen herbergt 'nee' de dreiging van ingrijpen en daar reageren ze op, zoals Pavlovs honden leerden voedsel te verwachten wanneer ze een bel horen luiden. David had niets te maken met Russische goochelaars en hun huisdieren. Hij wist wanneer hij buiten handbereik was: buiten een straal van een meter was hij ongevoelig voor de wet. We konden 'nee' zeggen, of 'niet', 'nein,' 'votch', 'ez' of 'nahaniri', David kon in elke taal ter wereld ongehoorzaam zijn.

Zijn ongehoorzaamheid was ook niet altijd spontaan. Hij was begonnen vooruit te denken. Toen Nicky op een zondagochtend zijn veters onder aan de trap had vastgemaakt voor een uitstapje naar de dierentuin, draaiden we ons één ogenblik om. Hij leek rustig. Er schitterde niets in zijn ogen. Maar toen we even niet keken, hoorden we zijn voeten de trap op roffelen. Toen Nicky en ik hem achternagingen, was hij weg. Verdwenen. Hij was niet in zijn kamer, niet in de onze, niet in mijn werkkamer noch in de badkamer... Ik hoorde Nicky naar James roepen: 'Is je broer bij jou op de kamer?' maar ik wist het antwoord al: James' ordelijke schatkamer was verboden gebied voor de Kroonprins der Vernietiging.

Toen hoorden we hem zingen.

David had een liedje voor elke gelegenheid. Hij had het MusicSpace-concept om een melodietje aan specifieke activiteiten te koppelen overgenomen, en paste het toe op alles wat hij ondernam. Met een hoge, woordloze stem die nooit een noot liet vallen, leverde hij zijn eigen soundtrack. Wij moesten zelf voor de vertaling zorgen. Hij vertelde ons bijvoorbeeld nooit dat Windy Millers herkenningsliedje uit *Camberwick Green* in Davids parallelle wereld betekende: 'Het is drie uur 's morgens en ik ga op mijn tenen naar beneden om iets te zoeken wat ik stuk kan gooien.' (Daar kwamen we gauw genoeg achter).

Nu hoorden we hem ergens een liedje zingen dat ik nog niet eerder van hem had gehoord. Hij werkte aan een nieuwe ervaring.

We keken nogmaals in de badkamer. Het douchegordijn bewoog. Nicky keek erachter, maar daar was hij niet. Maar het raam boven het bad stond wel open.

Het raam had nooit opengemaakt mogen worden. Het hoorde altijd op slot te zijn. Maar ik had de avond tevoren een bad genomen, het raam opengezet om de stoom af te voeren en naderhand was ik vergeten de grendel er weer op te doen. Het was een halve meter breed en zat anderhalve meter boven het bad, met scharnieren aan de bovenkant. David moest er als een menselijke kanonskogel doorheen zijn geschoten.

De keuken aan de achterkant van het huis steekt uit en het dak glooit omlaag naar een balustrade boven een betonnen pad. David holde heen en weer over die balustrade, met armen die pompten als van een stoomlocomotief en stiet tot het eind van de balustrade sisgeluiden uit, dan wierp hij een blik over zijn schouder en tufte hij weer terug.

'Nee, David!' riep Nicky uit. 'Stop! Kom hier!'

Hij keek niet eens. Ieder ander kind zou beseffen dat het betrapt was. Het zou je kunnen uitdagen, het zou kunnen schreeuwen en smeken en ruziemaken, maar ze wisten dat ze dit niet ongestraft konden doen. David keek niet eens onze kant op, omdat hij wist dat hij niet gepakt was. Hij was buiten handbereik. En hij verwachtte niet dat iemand hem door dat raampje zou volgen.

Daar had hij gelijk in. Ik kan al amper in een rechte lijn over de stoep lopen, laat staan m'n evenwicht bewaren op een tegelrand van nog geen twee handbreedtes op twee hoog.

Ik probeerde het dierentuinliedje. David reageerde door zijn schoenen uit te trekken. Hij gooide ze in de tuin van de buren, ging boven aan die steile afgrond op zijn hielen staan en bewoog zijn tenen in de ruimte.

Nicky vatte de situatie nuchter samen. Haar kind was een haarbreedte van een verschrikkelijk letsel verwijderd en met paniek zou hij niets opschieten. 'Hij raakt super opgewonden als we tegen hem schreeuwen,' zei ze. 'We moeten Rolo's halen en hem omkopen.'

We boden hem een hele rol waarvan we de verpakking hadden gescheurd zodat je het goudpapier zag schitteren. Dit was geen tijd voor onderhandelen over een of twee chocolaatjes. David staarde treurig naar de lekkernij. Hij wist dat hij verslagen was. Hij stak zijn hand uit, alsof hij niet begreep waarom hij zijn Rolo's niet op het keukendak zou opeten, maar het was geen serieuze patstelling. Hij lanceerde zijn schouders door het raam, gleed met zijn hoofd omlaag in het bad en ging daar chocola liggen schrokken.

Zes weken laten gebeurde het weer. Op de een of andere manier is de tweede keer helemaal niet zo erg. We keken naar hem en dachten: 'O ja, dat kunstje met de dood voor ogen. Dat kennen we al.' Bovendien waren we maar half wakker.

We hadden arbeiders over de vloer gehad en die hadden door de ramen op de bovenverdieping materiaal aan collega's doorgegeven. We liepen hen achterna om alles weer af te sluiten, maar een van de sleutels was weg. Die moest David hebben gevonden en weggemoffeld.

Hij gebruikte hem niet meteen. Hij wachtte tot de dageraad op zondagmorgen, sloop onze slaapkamer in, trok het gordijn open en glipte naar buiten.

Ik werd een beetje wakker toen Nicky me aanstootte. 'We moeten de Rolo's weer halen,' zei ze.

'Wat? Waar heb je het over?'

'David kijkt door het raam. Vanaf de verkeerde kant.'

Het duurde even voordat mijn brein dat had verwerkt. Ik keek recht in het gezicht van mijn zoon, die in zijn pyjama en op blote voeten terug staarde door de dubbele beglazing. In een kamer boven. Onder dat raam zat geen balustrade, alleen maar een aflopende vensterbank van vijf centimeter plastic. Daar weer onder: rozenstruiken en asfalt.

Hij schoof zo prompt naar binnen bij de aanblik van het snoepgoed dat ik denk dat hij de hele stunt had bekokstoofd om zijn smeergeld te verdienen. David kon niet zeggen: 'Mag ik alsjeblieft een Rolo?' maar hij was er met suïcidale roekeloosheid achter gekomen hoe hij zijn ouders kon manipuleren.

We deden ons uiterste best hem te laten inzien dat hij zichzelf of iemand anders kon verwonden, maar David kon niet eens het verband leggen tussen verwonding en pijn. Toen de kerstversiering naar zolder verdween, namen we het risico kaarsen aan te steken, en weer uit te blazen zodra we even niet in de kamer waren. We verstopten de lucifers in een zak met een rits van een jas in de trapkast. David ging bijna in trance naar de vlam staan staren. Daarna stak hij zijn hand uit om hem vast te pakken, net zoals Pinokkio in de Walt Disney-film, die David talloze malen had gezien. Net als Pinokkio brandde hij zijn vingertoppen.

Hij schreeuwde een poosje, maar toen nam de fascinatie voor de vlam het weer over. Hij zag domweg niet in dat de kaars gevaarlijk was.

De enige manier waarop we dat konden begrijpen, was door aan te nemen dat David eeuwig in de tegenwoordige tijd leefde, in een universum waarin 'nu' het enige was wat er bestond. Toen hij zijn vingers van de vlam wegrukte, bleven ze pijn doen. De vlam was helemaal niet in de buurt, dus die kon de pijn niet veroorzaken. Een opmerking van Claire in Davids schooldagboek bevestigt dat. David kreeg op een middag een bloedprik. Een prikje met een naald en een pleister erover. Hij vond die pleister vreselijk. Die maakte hem razend. Zijn redenering lag voor de hand: zijn vinger deed pijn en er zat een roze plakstrip op. Was dat toeval? Hij dacht het niet.

Maar als er niets pijn deed was hij oppergelukkig. Met buitensporige vrolijkheid was David in zijn gewone doen. Hij broeide nooit, maakte zich nooit zorgen, pruilde nooit en piekerde nooit. Hij verbleef in een toestand van gelukzaligheid waarvoor heilige mannen in India een halve eeuw op een bergtop zitten. Zijn behoeften waren overzichtelijk en zijn plezier was intens. En omdat er geen sprake van was dat we met hem konden praten over wat hij wilde, waren Nicky en ik het erover eens dat hij alle lol mocht hebben die hij maar kon halen: zolang het hem of iemand anders maar geen pijn deed en wij er niet bankroet van raakten, kreeg hij de ruimte.

We moesten ons aanpassen om te overleven. Nicky zei wel eens, wanneer ze hem uit een kast peuterde en de scherven opraapte: 'Hij mag van geluk spreken dat we het kunnen aanvaarden, anders waren we gek geworden.'

Eén ding waarop hij echt dol was, was water. Hij kon de hele middag in het bad liggen met zijn neus boven water en zijn gouden krullen als een aura om zijn hoofd. We hadden de vloer vol gelegd met handdoeken en ochtendjassen, zodat het water niet zou doorlekken op de koelkast beneden als hij sleetje begon te rijden van de douche naar de kraan. Als hij zijn lichaam wilde insmeren met een hele fles parelmoerblauwe shampoo, mocht dat. Het was goedkoper dan een dagje uit naar Alton Towers en geen kind kon méér van de achtbaan genieten dan David van zijn glijpartijen in bad.

Van februari tot november lag er een opblaaskinderbadje op het gras dat we elke dag met de tuinslang vulden. Als het maar even kon, sprong David er geheel gekleed in, maar als we hem voor waren, mochten we hem zijn zwembroek aantrekken. De kou leek hem niet te deren. Op vuurwerkavond in november, toen James in een duffelse jas met zijn sterretjes op het terras stond, zagen Nicky en ik David in zijn pyjama heen en weer rennen tussen zijn kinderbadje en de schommel.

Op een nog koudere dag in januari, in het park van Ashton Courts aan de rand van Bristol holde David een trap af omdat hij een gesprongen waterleiding had ontdekt. Die nacht moest de vorst hebben toegeslagen in de ondergrondse buizen. Hij lag zes meter op ons voor en stond tot zijn middel in het ijskoude water voor we pap konden zeggen.

Hij deed niemand kwaad, het was gratis amusement en we hadden geen keus, dus mocht hij zijn gang gaan. In de auto lagen droge kleren en een handdoek, want bij de meeste uitstapjes vergt David minstens één schoon T-shirt of paar sokken. Op zo'n koude dag verwachtten we dat hij maar even in de overstroming zou blijven, maar hij plaste op en neer, rukte zijn schoenen uit, zijn jas, zijn broek en uiteindelijk zelfs zijn onderbroek. Nicky en ik stonden met onze voeten te stampen met onze vingers onder onze armen: wij werden blauw, maar toen David uiteindelijk uit het water kwam, gloeide hij van geluk en opwinding.

Als voorbijgangers naar ons staarden, fluisterde Nicky soms: 'Leg het ze maar uit. Dat hij autistisch is.' Maar vaak had ik geen zin om mijn energie te verspillen aan de opleiding van vreemden. Toen David vijf jaar was, besefte ik dat ik een heel boek nodig zou hebben om alle verschillen te beschrijven tussen David en andere kinderen. Voor iemand die van toeten noch blazen wist, waren de woorden 'hij is autistisch' helemaal geen verklaring.

Het was ook leuker om hun geschokte gezicht te zien.

David haalde zijn krankzinnige stunts uit met het instinct van een showman. Het kon hem niet schelen wat ze van hem vonden, maar hij leek de wereld wel uit te dagen om hem te negeren. Na een nacht van zware regenval kwamen we eens in de speeltuin, waar we een verzameling kleuters in designerkleding en een modderpoel aantroffen. Ik stopte zijn broek in z'n laarzen en liet hem de plas in waden. Hij ging in ganzenpas en bespatte zichzelf met modderwater. Moeders en kindermeisjes keken fronsend toe. Daarna sprong hij op en neer en plaste heen en weer, en de andere kinderen keken met grote ogen toe. Ze trokken aan de hand van het gezag: 'Ik wil ook! Laat me los! Ik word niet vies, echt waar!'

Nu stiet David een lach uit, een bevrijde, uitgelaten vreugdekreet. Hij sprong in de lucht en landde op zijn rug in de poel. De monden van de kinderen vielen open. Dat leek wel meer keet dan een jongetje toekwam. Het was niet eerlijk. David kreeg ook al hun keet.

David liet zijn ribcordbroek doorweken, schopte zijn laarzen uit, pelde zijn jas af en begon van het ene eind van de plas naar het andere te rollen. Hij kwam onder de modder. De andere kinderen keken met open mond toe. Ze leken op straatkindertjes die met hun neus tegen de etalage van een snoepwinkel gedrukt staan.

In een zwierige climax stond David op, gooide zijn kletsnatte broek weg en plofte op zijn buik in de plas.

Een van de moeders kon zich niet langer inhouden. 'Nou!' snauwde ze naar me. 'Het is wel duidelijk dat jij zijn kleren niet hoeft te wassen.'

Die maand gingen we voor het laatst met zijn vieren op vakantie. Het was niet de bedoeling dat het de laatste keer zou worden, we wilden alleen een lang weekeinde in een caravan in Devon doorbrengen ter gelegenheid van James' zevende verjaardag. Maar pas toen we van huis wegreden, merkten we hoe totaal Davids behoeften de scepter zwaaiden over die van alle anderen. Het was niet alleen de wijze waarop hij zijn moeder monopoliseerde, of zijn toenemende angst om een vreemde plek te moeten delen met James en mij. Het was zijn onvermoeibare drang om zijn zin te krijgen. Als hem twintig keer iets in de weg werd gelegd, zou hij voor de eenentwintigste keer terugkomen... Zo nodig een duizendeenentwintigste keer.

Dat bewuste weekeinde was hij geobsedeerd bezig dingen in de caravan te gooien: zijn flesje, James' verjaarscadeau, de inhoud van de kastjes. Nadat ik urenlang had geprobeerd te voorkomen dat hij een vierblikspak gebakken bonen naar de tv gooide, gaf ik toe, nam hem mee naar de slaapkamer en gaf hem een blikje per keer om op het bed te gooien. Hij glipte onder mijn arm door, dook naar buiten, sloot zichzelf op in de badkamer en vernietigde met een vreugdekreet de wastafel. Met een blikje bonen.

We raakten onze no-claim kwijt, maar dat was wel de minste van onze zorgen. Na de vooruitgang die hij op school had geboekt, waren we weer optimistisch. We dachten dat we het ergste gehad hadden. Maar daarin vergisten we ons.

# *Negen*

David probeerde in elk geluid muziek te herkennen. Hij schiep een kakofonische symfonie van de stemmen en mechanische geluiden om hem heen en vervolgens zong hij de partituur. We waren verbijsterd om hem woorden en zinnen op de juiste momenten te horen zeggen. Bijvoorbeeld 'sleutels' wanneer we de auto openmaakten, of 'Briarwood' als hij een liedje hoorde dat hij op school had geleerd.

Op een avond in bed giechelde hij zich slap en stiet hij uit: 'Nee Jack! Niet doen, Jack, hou daarmee op!' Het was een perfecte imitatie van zijn onderwijzeres, en het was een opluchting dat David niet de enige was die op haar zenuwen werkte.

Maar dat was geen praten. Het was geen communicatie. David imiteerde de gesproken geluiden van zijn symfonie. En zijn groeiende argwaan dat elk geluid iets specifieks betekende zoals zijn liedjes van MusicSpace, dreef hem buiten zichzelf van frustratie.

Davids woede-uitbarstingen waren inmiddels beangstigend. Hij liep gevaar zichzelf ernstig letsel toe te brengen. Nicky en ik konden die driftaanvallen niet altijd samen aan: ze brachten je zo van je stuk dat we het makkelijker vonden om ze in ons eentje onder ogen te zien. Het kon ondraaglijk zijn om elkaar alles in het werk te zien stellen om de aanvallen van razernij van ons kind te bedwingen. Op een avond was ik bezig wrakstukken in de tuin te verzamelen bij het geluid van Davids bonkende geschreeuw dat in de hele straat weergalmde, terwijl Nicky probeerde te voorkomen dat hij zijn hoofd tegen de muur sloeg. Ik hoorde een brekend geluid en daarna mijn vrouw snikken. Ik holde naar binnen: David had het slaapkamerraam aan gruzelementen geslagen, met zijn hoofd.

Hij was niet gewond. Ik snap niet waarom, want ikzelf bloedde als een rund toen ik de scherven uit de sponning verwijderde. David kon een spiegel kapotslaan en over de scherven rennen, of in zijn handen bijten tot die een hele rand littekenweefsel vertoonden, maar hij sneed zich bijna nooit. Hij liep wel blauwe plekken op. Hij ging vaak naar school met paarse vlekken op zijn voorhoofd en zwarte afdrukken als tatoeages op armen en benen. Gelukkig had de school zulke dingen al dikwijls gezien. We probeerden aantekeningen bij te houden over alle verwondingen die hij zichzelf toebracht en hoe ze gebeurden.

Op een middag na Pasen zette hij het op een schreeuwen. We begrepen niet waarom, of het nu van pijn kwam of van frustratie, maar we kregen hem niet stil. Hij wilde geen lievelingsspeeltjes, geen video's, noch zijn melk: hij bleef gewoon met zijn hoofd liggen slaan.

Daar was niets ongewoons aan.

Maar hij bleef de hele nacht gillen en de hele volgende morgen op school ook, en wel zo heftig dat we hem weer naar huis moesten halen. Hij bleef de hele tweede nacht ook gillen. En het hele weekeinde. En de hele volgende week en de week daarna: zonder ophouden, zonder één oog dicht te doen. Nicky en ik gingen om beurten bij hem zitten om te proberen zijn plotselinge bewegingen in bedwang te houden zodat hij met zijn hoofd tegen ons zou slaan en niet tegen de vloer of het meubilair. Ik herinner me nog een avond dat we naar een *Clangers*-video keken en dat David elke aflevering huilde en krijste, maar telkens wanneer het herkenningsmelodietje bij de aftiteling klonk, viel hij stil, en wanneer de muziek was weggestorven, haalde hij diep adem en schreeuwde hij weer verder. Aan het eind van de band stortte hij zich in een aanval van razernij die net zo lang duurde tot ik hem had teruggespoeld, en dan keken we weer. En nog eens. En weer.

Het enige wat me gaande hield was de gedachte dat Nicky wat slaap kreeg. Maar toen ze om vier uur 's morgens naar beneden kwam om me af te lossen, vertelden haar rode ogen dat ze luisterend en huilend wakker had gelegen.

De huisarts kwam langs en schreef David een gevoerde helm voor. Die wilde hij niet op. Al hielden we zijn armen vast en drukten we de helm op zijn hoofd, dan rukte hij die gewoon weer af. Het bandje was niet zo vast te maken dat hij het niet open kreeg. Zijn schedel zag eruit als een eierdoos, bezaaid met builen.

De arts kwam weer langs en was bijna in tranen toen ze wegging. Ze was bang dat David zichzelf een schedelbasisfractuur had bezorgd, maar zijn hoofd was zo'n moeras van kneuzingen, dat ze het niet met zekerheid kon zeggen. Nicky en ik zaten te springen om een verklaring voor de afgelopen weken, een antwoord dat hoop zou bieden. We werden gekweld door de angst dat deze ellende nog jaren kon duren, waardoor we niet konden werken noch aandacht aan James konden besteden en de kans op een gewoon gezinsleven verkeken zou zijn.

We geloofden niet dat David een schedelbasisfractuur had; zijn geschreeuw was met weinig bombarie begonnen. Maar de angst van de huisarts betekende dat er nog die middag een röntgenfoto gemaakt moest worden, en toen Nicky me hielp ons krijsende kind in zijn zitje te gespen, was ik vastbesloten het ziekenhuis niet te verlaten zonder de een of andere verklaring.

Ik hoopte dat de artsen van het Bristol Children's Hospital zo zouden schrikken van Davids nood dat ze hem kalmerende middelen zouden toedienen en op de afdeling zouden houden tot zijn razernij was bekoeld. Maar toen we hem de receptie in droegen, werd ons verzocht weer naar buiten te gaan en op het parkeerterrein te wachten: zijn geschreeuw was iedereen te veel, zowel personeel als patiënten.

Ik stond met David in mijn armen op het parkeerterrein en keek omhoog naar de ziekenhuisramen. Als we daar niet werden binnengelaten, wie zou ons dan helpen? Ik haalde mijn mobiel tevoorschijn en belde de Sociale Dienst: misschien was er iemand die David een paar uur kon vasthouden, al zouden ze het bij zichzelf thuis doen. Dan konden wij een hotelkamer nemen en een nachtje slaap krijgen. Optimistisch was ik niet; we hadden de hele maand al om hulp gebedeld.

De vrouw die Davids verzorgingsrooster beheerde, klonk akelig meelevend. 'Ik maak me zo bezorgd om hem! Ik zou u zelf komen helpen,' verzekerde ze me tussen Davids geschreeuw door, 'maar morgen ga ik op vakantie. We hebben een huisje in Anjou gehuurd. We zijn dol op Frankrijk, u ook? O, maar ik vind het heel erg voor u... Ik zal elke dag in de tuin zitten en denken, arme Chris en Nicky, die hebben dit niet.'

Ik zette de telefoon uit en fantaseerde dat ik een camper zou stelen, David voorop zou binden, samen de veerboot op en Frankrijk in, tot we als een atoomaanval in een slaperig Loire-dorpje zouden arriveren. Ik zou met de camper dwars door groentetuinen en schuttingen ploegen om als een stomende berg naast de ligstoel van de maatschappelijk werkster tot stilstand te komen. Ik zou haar mijn schreeuwende zoon overhandigen en zeggen: 'Hier, je maakte je toch zorgen om hem?'

Op het parkeerterrein van het ziekenhuis werd ik aangekeken door een jonge arts. Ik zag niet of hij zich meer zorgen maakte over Davids gebrul dan over de manische schittering in mijn ogen.

'Meneer Stevens? Ik begrijp dat u voor uw zoon komt. Wat is de moeilijkheid?'

'Luister,' zei ik. 'Kunt u dit horen? Dat is de moeilijkheid.'

'U komt voor een röntgenfoto... Ik denk niet dat we kunnen praten als hij zo schreeuwt. Kunt u hem zover krijgen dat hij ons laat praten?'

'Als ik dat kon, was ik hier niet.'

'Nou, luister, hij zal het wel gauw moe worden. Breng hem maar naar binnen wanneer hij bedaard is.'

'Ik denk niet dat hij zal stoppen voordat hij dood is. Dan heeft een röntgenfoto weinig zin.' Ik besefte dat ik sarcastisch en bitter klonk, maar ik kon niet blijven slikken.

De arts keek in Davids keel. Hij had er een goed uitzicht op, al kregen zijn oren ervan langs. 'Het zal niet meevallen hem zo te onderzoeken...' En hij gaf het op. 'U wordt gehaald door een verpleegkundige als we zover zijn. Breng hem alstublieft niet voor die tijd naar binnen.'

Jaren nadien mat ik Davids aanvallen van razernij af aan die bewuste middag. Die vertegenwoordigde een gulden ijkpunt van gillende razernij. Wanneer mensen klaagden over mijn zoons stemgeluid, zei ik dat dit geknor slechts laag op de schaal stond, zeg maar vijf à zes. 'Zes van de tien?' vragen ze dan, en ik knipper verrast met mijn ogen: 'Zes op een schaal van honderd. David is door zijn geschreeuw ziekenhuizen uit gegooid.'

De röntgenfoto toonde aan dat David een hoofd had als een kanonskogel van wolfram. Wat hem ook mankeerde, het was geen fractuur. En nee, de dokter wilde hem niet ter observatie houden.

Ik vond het ongelooflijk dat we zonder diagnose naar huis gestuurd werden. Een studente die coschappen liep, een vrouw van even in de twintig, kreeg met ons te doen en bood aan David aan een algemeen volledig onderzoek te onderwerpen, een soort 15000 km-beurt. Ze controleerde zijn blauwe plekken, zijn ogen en oren, zijn longen en daarna drukte ze op zijn maag.

Davids ogen waterden. Hij had die engelachtig angstige blik van een koorknaap die net beseft dat hij de hoge C niet zal halen zonder de trompet aan de andere kant te laten schetteren.

'Vult hij zijn luier regelmatig?' vroeg de dokter. 'Lijkt hij niet geconstipeerd? Hoe is de structuur van zijn ontlasting?'

Nicky en ik hadden bij de geboorte van onze kinderen een afspraak gemaakt: zij deed de import en ik de export. Elke vorm van gêne over het bespreken van luiers met vreemden was allang vervlogen.

'Het is erg nat,' zei ik.

'Dat is overloop,' zei de dokter. 'De arme jongen zit verschrikkelijk verstopt. Dat is niet verwonderlijk met zijn beperkte dieet. Geef hem een dosis laxeermiddel, en al geneest dat hem niet, hij zal zich heel wat prettiger voelen. U kunt het zelf voelen, onder zijn ribben, het is net alsof hij een cricketbal heeft ingeslikt.'

Ze schreef Lactulose voor. Binnen zesendertig uur was David gestopt met schreeuwen en konden we allemaal weer slapen.

Ieder ander kind kon gezegd hebben: 'Ik heb buikpijn,' of op zijn minst de pijn hebben aangewezen. Alleen David kon dubbel liggen van de folterende pijn, omgeven door mensen die hem dolgraag wilden helpen, en niet bij machte zijn zichzelf ook maar een greintje te helpen. We waren ons nog nooit zo bewust van Davids eenzaamheid geweest. Hij was als een jongen die op een eiland is aangespoeld, naar wie schepen en vliegtuigen de hele oceaan afspeuren, en hij kan ze geen teken geven, of zelfs maar begrijpen dat ze hem willen komen redden.

In die gruwelijke zes weken namen we twee beslissingen. De eerste was dat we het niet eeuwig zonder hulp konden redden. We hadden behoefte aan steun, iemand tot wie we ons konden wenden als we ten einde raad waren. Dat betekende niet dat we naar het ziekenhuis reden als we nergens anders terechtkonden. David was aan school gewend geraakt omdat die nu een onderdeel van zijn onveranderlijke dagelijkse patroon uitmaakte, en iedere andere vorm van steun zou in dat sjabloon moeten passen. David moest zich veilig voelen.

Church House werd gedreven door zusters die meer toegewijd waren dan we ooit hadden meegemaakt. Zoals het personeel van Davids school meer toegewijd en ervaren was dan doorsneeonderwijzers, waren de verzorgsters van Church House buitengewoon. Dat zijn ze nog. Misschien trekken de extreme behoeften van kinderen als David mensen aan die dol zijn op onmogelijke uitdagingen. Of misschien is een van de beloningen van de zorg voor buitengewoon moeilijk opvoedbare kinderen een diepgaander en meer meedogend inzicht. De zusters van Church House bleven dag en nacht aan Davids bed zitten, hielden gedetailleerde aantekeningen van zijn gedrag bij en belden ons, zodat we in lange en intense telefoongesprekken al onze zorgen met hen konden delen.

Wat niet wil zeggen dat David zich daar snel thuis voelde. Hij accepteerde zijn eerste paar bezoeken, voor een uur, en daarna een uur tijdens het middageten, en daarna een middag als een boeiende toevoeging aan zijn hectische maatschappelijke agenda. Maar toen ze hem vroegen een nacht te blijven logeren, was hij vervuld van afgrijzen.

Blijven slapen? Wat voor jongen dachten ze wel dat hij was?

Niet in staat te geloven dat hij naar bed mocht, in zijn eigen kamertje met de Thomas de Trein-sprei en een driedubbele vergrendeling op de ramen, bleef David de hele nacht kaarsrecht op de bank zitten. Hij hoefde geen video's, hij wilde niet eten, de nacht was een tijd waarin er niets gebeurde en David was bereid de hele nacht te blijven zitten huilen. Wanneer hij thuiskwam was zijn gezicht rood en pijnlijk, alsof zijn tranen zich in zijn wangen hadden gebrand.

Zo ging elke logeerpartij in Church House. Toen we een paar maanden later besloten hem twee nachtjes te laten overblijven, probeerde David het zestig uur vol te houden om zijn ogen open te houden. Hij haalde twee uur 's morgens gedurende de tweede nacht voor hij het bewustzijn verloor. De zusters brachten hem vriendelijk naar bed. Om kwart voor drie verscheurden zijn kreten weer de nachtelijke stilte. Hij was des duivels. Hij was erin geluisd. Ze hadden hem in bed gelegd, alleen maar omdat hij even was ingedommeld. Hij stampte terug naar de bank... en viel weer in slaap. En werd weer in bed gelegd. En werd weer wakker.

Die laatste keer haalde hij de bank niet eens. Hij bleef in de deuropening liggen en weerstond alle pogingen hem daar weg te halen. Vanaf dat moment sliep David in Church House als Long Tall Sally, met zijn voeten in de slaapkamer en zijn hoofd in de gang.

Zo sliep hij vijf jaar lang: niet op de vloer van zijn slaapkamer, niet op de gang, maar uitgestrekt tussen die twee. Nicky en ik vermoeden dat David zich veiliger voelt als hij twee werelden tegelijk kan bewonen, maar hij kan het niet bevestigen. Net zoals hij nog steeds graag tv-kijkt door een kier in de huiskamer; als een sciencefictionastronoom die een parallelle werkelijkheid observeert, lijkt hij te geloven dat de gang en de slaapkamer aangrenzende universums zijn. Tot nu toe kon hij altijd van de ene in de andere stappen, maar stel dat hun baan plotseling tijdens zijn slaap zou veranderen? Dan zou hij wel eens wakker kunnen worden en uit zijn raam een andere planeet kunnen zien. Het kon gebeuren: vroegere ervaringen waren volgens de kleine lettertjes geen garantie voor de toekomst.

Het was veel veiliger om het contact tussen de universums te bewaren door in de deuropening te gaan liggen. Vijf jaar lang sleepte David elke nacht die hij in Church House doorbracht zijn beddengoed door de kamer om zich op de grens van twee werelden te nestelen. Toen hij eindelijk voldoende zelfvertrouwen had om de hele nacht in zijn bed te liggen – hij was toen bijna tien – vonden we dat hij eindelijk gewend was in zijn logeerhuis.

Een andere beslissing was minder dramatisch, maar veranderde ons leven nog meer. Als David begon te schreeuwen, ging ik met hem wandelen.

Tot die tijd namen we David alleen naar buiten als hij in een zonnig humeur was. Was hij levendig en blij, dan namen we hem mee naar het park of uit winkelen. Omdat hij niet in zijn wandelwagentje wilde wanneer hij brulde, bleven we bij een woedeaanval binnenshuis. Maar dat was niet eerlijk tegenover James, die zich in zijn kamer of onder de keukentafel verstopte wanneer zijn broer schreeuwde. (Om een maat voor Davids volume te hebben, deden we, in een poging om de laatste psycholoog te doen inzien hoe ernstig het was, een keer alle ramen tijdens een knallende driftbui dicht en ging Nicky naar buiten om haar passen te tellen. Ze besefte dat ze David na honderd meter nog altijd door de dubbele beglazing kon horen.)

We hadden bij het Southmead Hospital een grote wandelwagen besteld, rolstoelbuggy genaamd. Hij had een aluminium frame, blauwwitte zuurstokstrepen, een voetsteun en een solide tuigje. Door over de rugleuning te hangen en de armsteunen te bedekken met mijn onderarmen, kon ik David niet alleen duwen, maar ook zijn headbangen verijdelen. Ik leerde met een wijde boog lantaarnpalen, brievenbussen en alle andere voorwerpen waar hij met zijn hoofd tegen kon slaan als hij even naar buiten boog omzeilen, en hij aanvaardde snel het alternatief: hij sloeg met zijn hoofd op zijn knieën en mijn ellebogen, maar meestal liet hij zich naar achteren zakken om de wereld te bekijken. En dan kon ik me oprichten om hem te duwen.

Na het eerste uitstapje, toen we zo'n anderhalve kilometer naar een wiebelapparaat van Bob de Bouwer reden, behandelde David zijn reisjes in de wandelwagen als een wapenstilstand in zijn driftbuien. We hadden dus een 'uit'knop gevonden. Hij kon in de greep van een schreeuwaanval met windkracht tien zijn, het kon zijn dat we met zijn tweeën zijn armen en benen in de buggy moesten worstelen, maar wanneer ik hem naar de hoek duwde, werd hij al rustig. In zijn knuist had hij zo veel pondmuntjes als hij maar in onze zakken had kunnen vinden en hij was van plan ze allemaal in Bobs gele graafmachine te stoppen. Ik mocht het geld niet uit zijn handen peuteren voor snoep of iets anders: dit was het geld voor zijn ritjes. Maar als hij op de terugweg naar huis een muntje vond, wachtte hij tot we een afvoerrooster passeerden en dan gooide hij het erin. Hamsteren had geen zin, je kunt je geld toch niet meenemen, het is de wortel van alle kwaad, enzovoort.

Een paar zondagen later, toen Nicky de hele nacht bij David was opgebleven, besloot ik eens te kijken hoe lang hij buitenshuis wilde blijven. Ik pakte een tas met luiers, schone kleren, reserveschoenen en zijn nieuwe basisvoedsel waartoe zijn leerkrachten hem hadden overgehaald: pakken Ribena-sap en plastic zakjes vol droge cornflakes. Met een portemonnee vol pondmuntjes togen we naar de dierentuin.

We inspecteerden de dierenverblijven in de goedgekeurde volgorde, ongeacht of er nu dieren in zaten of niet. Flamingo's en ooievaars werden begroet met een uitbarsting van 'Look Out For Mr. Stork' uit de Disney-film Dombo; de leeuwen meden we; vervolgens moesten er cornflakes worden gekauwd en worden verspreid over de vloer van het restaurantje waar ik koffie dronk en beleefd een stoffer en blik vroeg aan Sharon of Jo of Tracy achter de toonbank, die David jarenlang, week in week uit, groter hebben zien worden zonder ouder te worden. Pinguïnland moesten we tegen de wijzers van de klok in omcirkelen, tegen de instructies op grote, duidelijke borden in om alleen bij de ingang naar binnen te gaan en nooit via de uitgang; in het gorillahuis moesten we er de sokken in zetten zonder links of rechts te kijken – we mochten eens een gorilla zien – de speeltuinattracties moesten in strikte volgorde worden genomen... Totaal verstreken tijd één uur en dertien minuten, hoewel dat bij slecht weer kon worden teruggebracht omdat er dan geen andere kinderen in de speeltuin waren.

In de dierentuin had David geen behoefte aan zijn wagentje. Bij het vertrek gespte hij zichzelf er weer in en dan gingen we naar Bob de Bouwer. Deze zondag gingen we niet naar huis toen het geld op was. Ik zong een paar keer het liedje 'Barney The Purple Dinosaur' en David maakte het zich gemakkelijk voor de lange tocht in zijn wagentje. De wiebelende Barney bevond zich helemaal buiten de bebouwde kom aan de andere kant van de stad, aan de overkant van de rivier, bij Sainsbury. We waren er nog nooit heen gelopen, dus kon ik elke grillige route kiezen die ik leuk vond en er zo veel afleiding in verwerken als ik wilde. Zolang Barney maar de laatste halte was, wilde David best pauzeren in speeltuinen, restaurantjes en een paar musea. Op weg naar huis duwde hij zijn eigen wagentje om Ashton Court heen en de

Suspension Bridge over. Omstreeks het avondeten waren we weer thuis en ik schatte dat we zo'n achttien kilometer hadden afgelegd en David minstens de helft van de tijd had gelopen. Hij was zelfs niet een beetje moe.

Weer of geen weer, na school gingen we bijna elke dag wandelen. Het kon hem niet schelen als het koud was en hij genoot ervan als het regende, hoe harder hoe beter. We kleedden hem in een gewatteerde jas met daaroverheen een regenjas, en gaven hem een transparant regenscherm dat zijn hoofd als een astronautenhelm bedekte. Hij vond het heerlijk om stroken van zijn jas te scheuren en erop te kauwen.

We moesten een bekend duo zijn geworden voor de inwoners van Bristol langs de route, omdat we elke middag op hetzelfde tijdstip door dezelfde straten liepen. David trapte op de voorwielen als ik op een verkeerde plaats probeerde over te steken of de verkeerde splitsing nam, al maakte hij uitzonderingen voor wegwerkzaamheden en verhuiswagens die onze weg blokkeerden; niemand kon zeggen dat hij onredelijk was. Maar luidruchtig was hij wel. Onze overeenkomst over schreeuwen repte niet van gepiep, gegrom, gekreun, gejubel, manisch lachen of gezang uit volle borst. Hij was een eenmansoerwoud.

Ik had er nog niet bij stilgestaan dat mensen ons in het voorbijgaan gadesloegen, tot we op een middag in een wolkbreuk belandden. De lucht was nog helder toen we het benzinestation passeerden, hij werd grijzig in de buurt van de kleuterschool en toen we bij Friend's Meeting House waren, hoosde het uit loodgrijze wolken. David had een half opgegeten PacAmac, dus dat kon hem niets schelen. Maar ik drukte me tegen een taxushaag terwijl het hemelwater in de kraag van mijn overhemd stroomde.

Een vrouw met een paraplu boven haar hoofd en een exemplaar in haar hand kwam over het tuinpad aangesneld. 'Hier,' zei ze. 'Zet hem maar gewoon achter het hekje wanneer het weer droog is.' En ze holde weer naar binnen.

De meeste mensen zouden aarzelen een vreemde een paraplu te lenen, laat staan daarvoor in een wolkbreuk naar buiten te hollen. Ik had altijd aangenomen dat mensen weinig aandacht schonken aan Davids kabaal als we voorbijkwamen, en dat het me niets kon schelen wat ze van me dachten. De dame met de paraplu deed me beseffen hoe roerend het was dat iemand die ons niet kende iets om ons gaf.

Tegen de tijd dat we onze eerste buggy, of misschien was het de tweede, hadden versleten, liepen we veertig kilometer per week, ongeveer een marathon dus, door een heuvelachtige stad met drieëntwintig kilo explosieve ballast. Het kostte een klein fortuin in pondmuntjes, maar het was beter dan fitness.

In de vakantie gingen we nog verder.

In heel Engeland stonden Postman Pat-busjes en Teletubbies-draaimolens. In winkelcentra in Worcester en Exeter, op de pier in Burnham-on-Sea en Weston-super-Mare, voor supermarkten in Tewkesbury en Stroud, perste David zich in plastic stoeltjes bedoeld voor peuters, stopte zijn muntjes in de gleuf en drukte ernstig op de rode, blauwe en groene knop. Zeventig seconden heen en weer worden geschud in een bel van rood plastic die een herkenningsmelodietje van de tv liet horen, beschouwde hij bijvoorbeeld als volledige genoegdoening voor een uur rijden over de M5 en door de achterafstraatjes van Gloucester. Hij verwachtte ook een hele poos in zijn wandelwagen te worden gereden; de reis telde niet als we niet ergens aan de rand van het centrum parkeerden en de anderhalve kilometer wandelden naar het Tweenies-apparaat bij de Eastgate Market.

Maar de terugweg had minder hoogtepunten.

Onderweg naar huis kon David verveeld raken. Hij had al naar zijn bandjes geluisterd, hij had zijn schoenen al tegen de voorruit gegooid, hij had al Ribena over de stoelen gegoten, hij had al cornflakes door de troep gemalen, hij had zijn tas al over zijn hoofd getrokken en nu verveelde hij zich. Dat was moeilijk te verteren, omdat hij met een houdinituig in zijn zitje vastgegespt zat en ik weigerde van de snelweg af te slaan, ongeacht hoe zat hij het was. Hij was vijf, autoritjes waren nu eenmaal gekmakend saai. Ik had mezelf tot tranen toe verveeld achter in mijn moeders Mini toen ik vijf was, en ik had het overleefd. David had meer beenruimte en een met stof beklede bank. Hij zou die verveling ook wel overleven.

Dus toen we op een middag via de M5 terugreden uit Worcester, besloot hij hoog spel te spelen en probeerde hij ons allebei te vermoorden.

Een houdinituig ziet eruit als het gespenstelsel van een parachute. Je hebt beide handen en veel oefening nodig om de gesp in het midden open te maken, zelfs al weet je het geheim (hendeltje, samendrukken en optillen). David kon zich er niet uit kronkelen. Tijdens zijn eerste rit had hij zich met zo'n geweld heen en weer geworpen dat de gordels waarmee het tuig aan de autostoel vastzat los waren gaan zitten, maar dat hadden we verholpen met het soort stalen veiligheidsspeld dat een Schot op zijn kilt draagt.

De Hulk had zich niet uit dat zitje kunnen werken. Maar David was slimmer dan de doorsnee gemuteerde superheld. Buiten Pershore keek ik bij honderdtien in mijn spiegeltje toen ik een vrachtwagen passeerde en ik merkte dat het zicht werd geblokkeerd door een jongetje op de hoedenplank.

Hij lag op zijn zij tegen het glas te trappen. Ik schreeuwde zinloos: 'Niet doen, David!'

Ik kon me niet herinneren of de achterklep wel goed dichtzat. Ik had hem dichtgegooid, maar niet gecontroleerd. Als die klep openvloog, zou David eruit vallen. Eén gat of hobbel in de weg kon zijn einde betekenen: hij zou de auto uit worden gezogen en worden verpletterd onder de wielen van twintig vrachtwagens.

Het zicht naar achteren was geblokkeerd, maar in mijn zijspiegeltje zag ik een bus met het stuur links lichtsignalen geven. Het onbegrip of de ergernis van de buschauffeur hielp mij m'n zenuwen in bedwang te houden. Dat was echt David: hij leek misschien een superwilde jongen, maar hij was een gewone jongen die het leuk vond de dingen anders te doen.

Ik stelde me het commentaar van de reisleider tegen de bus vol Scandinavische bejaarden, of wie het ook waren, al voor: 'Voor u, dames en heren, ziet u een treurig voorbeeld van de aftakelende normen van het Britse ouderschap. Talrijke middenklassegezinnen zijn tegenwoordig niet meer in staat hun kinderen discipline bij te brengen...'

De achterklep sprong niet open. Ik begon te geloven dat David zich niet op de rand van de dood bevond, hoewel hij me zou onthoofden als ik plotseling moest remmen en hij tegen de voorruit smakte. Ik mocht vooral geen noodstop maken.

David kroop als een gekko met zijn hoofd omlaag langs de rugleuning van de achterbank. Ondersteboven maakte hij alle gordels vast. Hij probeerde naar links te bungelen. Hij probeerde naar rechts te bungelen. Daarna gleed hij op de vloer. Ik kon mijn ogen niet van de weg halen, maar ik stak mijn hand tussen de voorstoelen en daar trof ik David die zich een weg naar voren kronkelde.

'Terug naar je stoel!' snauwde ik, terwijl ik tegen zijn hoofd duwde. Hij schreeuwde. Ik hield op met duwen.

'Je komt niet naar voren,' zei ik. 'Nee, David. Nee!'

Hij duwde mijn arm opzij en wierp zich op de handrem. Ik tastte naar de kraag van zijn trui, maar hij klampte zich gillend vast aan de versnellingspook.

'Laat los! Hou op!' riep ik. Ik wilde eigenlijk niet omlaag kijken, maar in een oogwenk waren er twee wielen op de vluchtstrook gezwaaid. Mijn rechterhand kon het stuur niet recht houden. Ik probeerde het met mijn linkerknie in bedwang te houden en rukte aan Davids vingers op de plastic knop van de pook.

Hij trok zo hard dat de pook uit zijn vijfde versnelling schoot. De motor gierde als een sirene. Ik trapte de koppeling in en probeerde de pook in z'n vier te trekken, maar David trok hem opzij en hij kwam in zijn twee.

De auto vertraagde met een ruk en een gillende motor, de Scandinaviërs achter ons trapten op de rem, flitsen met hun lichten en toeterden, maar raakten ons op de een of andere manier net niet.

'Laat los! Laat los!'

Ik wrong de pook in zijn vier en gaf plankgas tot we weer rond de honderd zaten.

De bus denderde ons in de middelste rijstrook voorbij. Ik kon niet opkijken, maar voelde me nijdig bekeken door tachtig paar bejaarde Noorse ogen. Ik had mijn linkerhand om Davids polsen dus ik kon het niet riskeren om met mijn rechterhand een Engels saluut te geven.

Toen David op de passagiersstoel klom, gaf ik aan naar links te gaan, schakelde mijn alarmverlichting in en reed uit op de vluchtstrook.

We kwamen tot stilstand en ik boog me opzij om zijn tuinbroek vast te grijpen voor het geval hij het portier aan de passagierskant zou openmaken om eruit te springen. Op de achterportieren zaten kindersloten, die konden van binnenuit niet opengemaakt worden, maar hij had waarschijnlijk al in de gaten dat de portieren aan de voorkant anders waren, en de informatie opgeslagen voor toekomstige kamikazepret.

Met een arm om zijn borst schoof ik op de passagiersstoel en stapte uit. Elke vrachtwagen die voorbijraasde stompte ons bijna omver door de zuiging en het kabaal. Hun banden maakten een scheurend en knetterend geluid op het wegdek, alsof er plakband van bubbeltjesplastic wordt gerukt. Ik klemde David tegen me aan, trok het achterportier open en stootte hem in zijn zitje.

Hij kromde steigerend zijn rug, maar ik duwde net zo lang op zijn heupen tot hij zat en het tuig strak vastgegespt zat. Hij was al bezig de gesp los te maken voor ik me had opgericht.

'Heel slim,' zei ik. 'Als je daarachter kunt komen, waarom kun je dan nog steeds niet uit een kopje drinken? Nou?'

Ik hield David met een onderarm over zijn buik op zijn plaats en speurde de auto af naar iets waarmee ik hem kon vastbinden. Ik trok mijn sweater over mijn hoofd uit, stak de mouwen onder zijn schouderriemen en knoopte ze stevig vast. Daarna verpakte ik de gesp in het rompgedeelte.

Voor de zekerheid voerde ik mijn riem achter de autostoel om, maakte hem vast en draaide net zo lang tot de gesp achter de stoel zat. Nu stond ik te rillen in een T-shirt dat te kort was om in te stoppen en een broek die te los was om hoog te blijven zitten.

'Kom daar maar eens uit,' zei ik.

En dat deed hij.

De sweater hield hem een halve minuut bezig, lang genoeg voor mij om naar de honderd op te trekken. Om zich van de riem te bevrijden, hief hij gewoon zijn armen op, trok hij zijn schouders naar achteren en zonk omlaag als een kunstzwemmer die in het diepe glijdt.

Ik protesteerde niet toen hij naar voren krabbelde. Een luidruchtige berisping zou hem alleen maar meer hebben verrukt. Dit was een spelletje en een brullende volwassene was het zout in de pap. Ik voegde me met een gangetje van negentig in de trage rijstrook achter een caravan, met mijn linkerhand paraat, klaar om hem te grijpen wanneer hij aan het portier begon te morrelen. Toen hij de gordel vastgespte, ontspande ik me een heel klein beetje: hij had zijn voeten tegen het handschoenenkastje gezet en de borstgordel zat om zijn keel, dus als ik remde, zou hij zich verhangen.

Vijftien kilometer verderop gleed hij in de voetenruimte. Opgekruld als een kat was hij daar weliswaar niet veilig, maar zo leek het minder waarschijnlijk dat hij een ongeluk zou veroorzaken. Ik wilde de caravan inhalen, maar het lawaai en de vibraties moesten het oncomfortabel hebben gemaakt onder het dashboard, want David klauterde weer omhoog.

'Goed zo! Dat is verstandig van je, doe je gordel maar weer om. Het is veel leuker als je ziet waar je heen gaat... Nee, David, geen sprake van! Niet op het dashboard. Dat kan niet.'

Toen hij zich langs de voorruit probeerde uit te strekken, greep ik hem bij zijn kraag en kwakte hem op de passagiersstoel. Hij krijste, sloeg zijn hoofd tegen de stoel en daarna tegen het raampje aan de passagierskant. Toen ik hem naar me toe trok, krabbelde hij op schoot, probeerde hij het stuur uit mijn handen te trekken en ging rechtop staan. Toen we opnieuw de vluchtstrook op slingerden, lag hij weer languit op het dasboard.

'We hebben een nietpistool nodig,' zei ik, toen ik het houdinituig zo strak aantrok dat zijn armen en benen gevoelloos werden.

Uiteindelijk gebruikte ik mijn schoenveters. David bleef twintig minuten schreeuwen terwijl hij met zijn vingers aan de knopen peuterde. Daarna aanvaardde hij zijn nederlaag en werd hij sereen. Starend uit het raam naar het landschap van de Severn-vallei, leek hij opeens wel een dominee die zijn zondagspreek voorbereidt.

Ik reed naar huis in mijn sokken.

# *Tien*

En toen begon David op een dag te praten.

Het was even eenvoudig als onverwacht.

We hadden altijd volgehouden dat David geen leerstoornis had, maar een begripsstoornis. Hij kon alles leren doen wat hij wilde, zoals een houdinituig openmaken of een videorecorder bedienen. Hij wilde niets leren wat wij van hem verlangden, omdat hij niet inzag waarom. David begreep het niet... en zonder woorden konden we het hem niet laten begrijpen.

Toen hij wel begon te praten, beseften we dat het probleem gecompliceerder lag. Woorden waren maar een onderdeel van de puzzel. Maar het deed amper ter zake, omdat we zo verrukt waren zijn stem te horen.

Vlak na Kerstmis, toen hij vijfenhalf was, liep hij voor het eerst in de huiskamer met zijn vocabulaire te koop. Dat was Davids kamer geworden: we hadden alles wat breekbaar was weggehaald, een trampoline en een hobbelpaard geïnstalleerd, de tv op een tafel vastgeschroefd, het tapijt vervangen door een rieten wegwerpmat, de bank door een goedkope futon en Davids speeltjes in kleurige plastic emmers verzameld.

Hij had prachtig speelgoed omdat niemand – en zeker wij niet – kon accepteren dat hij niet wist hoe hij ermee moest spelen. We gaven hem modellen van gegoten metaal van zijn favoriete rijspeeltjes en van de vliegtuigen, treinen en bulldozers uit zijn video's, in de hoop dat hij er verhaaltjes omheen zou verzinnen. Hij was begonnen met het herspelen van Disney-films. Dan rende hij door het huis en zong de soundtrack terwijl hij van de trap danste (absoluut gehoor, volmaakt tempo, incidentele orkestratie incluis). Maar decor gebruikte hij niet. David kende elke noot van de Lion King, maar had geen idee hoe hij zijn plastic Simba of zijn knuffelige Pumbaa in zijn remake moest verwerken.

Dankzij de goede nieuwjaarsvoornemens rangschikten we al zijn speelgoed op thema: alfabetspeelgoed in de ene emmer, brandweerwagens en politieauto's in de andere, enzovoort. David nam aan dat we dit deden om zijn spelletje troep maken te stroomlijnen: het is bijvoorbeeld bevredigender om een emmer om te keren waarin alleen dinosaurussen zitten.

Ik behandelde dit als een conflict. Wij wilden orde, David wilde chaos en David won het altijd. Het heeft kennelijk iets te maken met de Tweede Wet van de Thermodynamica. Nicky zag het als een kans om met David te spelen: hij keerde een emmer om en zij vulde hem weer langzaam. Ze had ook gezien dat hij een half gevulde emmer niet omkeerde, dus hoe langzamer ze het speelgoed terugdeed, hoe minder vaak David een bende maakte.

'David, wat is dit? Wat is het? Dit is een raceauto. Kun jij *raceauto* zeggen? Laten we hem maar in de emmer doen. En wat is dit? Hoe heet dit? Dit is een helikopter...'

Ik sloeg ze gade door een kier in de deur, net zoals David van de ene wereld in de andere gluurde, want ik wilde niet dat hij me zag en afgeleid zou worden. Ik had een paar minuten bewondering voor het geduld van mijn vrouw en toen glipte ik naar de keuken.

Toen ik terugkwam met bekers thee, wiste Nicky haar tranen. Voor ik iets kon zeggen, legde ze haar vinger op haar lippen.

'Moet je opletten,' zei ze. 'David, wat is dit?'

Nicky hield een kleine oranje Kawasaki omhoog. David wierp er één blik op en zei: 'Motorfiets.'

'Hij zei *motorfiets*,' stiet ik uit.

'En hij zegt me niet na,' zei Nicky. 'Dat is echt ongelooflijk. Hij kent het woord. Kijk... David, wat is dit?'

'Raceauto.'

'Goed zo! In de emmer ermee... En wat is dit?'

'Ambulance.' Hij sprak de woorden perfect uit, zonder aanmoediging, en hoewel zijn ogen maar heel even over het speelgoed gleden, was het duidelijk dat hij dit een heerlijk spelletje vond en popelde om het volgende speeltje te benoemen.

Nicky werkte die ochtend alle speelgoedemmers door en David kende bijna alle namen. Hij kwam met woorden waarmee elke vijfjarige moeite zou hebben, zoals 'rijnaak', 'rinoceros' en 'stoomwals'. Daarna herhaalde hij ze nog een keer met zijn grootouders aan de telefoon.

'Een aantal speeltjes had ik hem al eerder laten zien,' zei Nicky, 'maar een heleboel woorden moet hij zich nog van weet ik hoe lang geleden herinneren. Hoe lang kent hij "rinoceros" al?' En hoe kan hij dat woord zo prachtig zeggen, zonder enige oefening?'

Hij liet zich niet knuffelen. Wij barstten van de lof en wilden hem vertellen hoe blij we wel waren, maar David had geen belangstelling voor wat wij vonden. Hij kon zich niet voorstellen dat we zelfs maar een mening over hem hadden, hij nam gewoon aan dat onze gedachten en gevoelens de zijne waren.

In feite voelden wij zo veel dat we onze emoties amper konden scheiden. Geluk, frustratie, verbijstering, opwinding en trots, het was één hutspot. Het enige gevoel dat we makkelijk onder woorden konden brengen, was hoe blij we waren dat we zijn stem hoorden. 'Hij zegt elk woord zo lief,' bleef Nicky maar zeggen. Ze had gelijk: David klonk blij en trots, maar bovenal klonk hij volmaakt onschuldig.

Maanden en jaren moest hij woorden hebben opgezogen. Nu kon hij ze zeggen, maar niet vertellen waarom. Het enige wat hij kon doen was de naam van elk object uitspreken. Al leek het wel alsof hij een vraag beantwoordde ('Wat is dit?'), in werkelijkheid reageerde hij op een signaal. Het spelletje zou net zo goed hebben gewerkt als Nicky op een gong had geslagen of op een fluit had geblazen.

David had die woorden opgepikt en nu legde hij ze weer neer, op een plek buiten de taal. Ze hadden betekenis maar geen context. Hij verwierp zelfs de meest fundamentele regels van de taal: een auto naast een vrachtwagen was geen 'auto en vrachtwagen', maar 'auto... vrachtwagen'. Er was nergens een 'en' te bekennen. Naarmate het spelletje vorderde, ontdekten we dat David een heleboel woorden voor lichaamsdelen kende ('oog', 'kin', 'knie', 'maag', 'vinger', 'haar'). Als hij een woord niet kende, leerde hij het in een oogwenk nazeggen. Opeens begreep hij ook hoe kleuren in elkaar zaten. Postbusjes waren rood, tennisballen geel en David kon dat zeggen.

Hij vond het spel zo leuk dat hij het bleef spelen toen we gingen wandelen. 'Wandelwagen... blauwe auto... groene auto... ambulance... motorfiets...' zei hij, niet om mijn aandacht te trekken (David had ze gezien, dus had het papading ze ook gezien), maar gewoon omdat het leuk was de woorden te zeggen.

Op de kleuren na waren alle woorden zelfstandige naamwoorden, etiketten en namen. David probeerde geen bijvoeglijke naamwoorden of werkwoorden te gebruiken om te beschrijven hoe de dingen eruitzagen of wat ze deden. Toen er een politieauto met loeiende sirenes langs raasde, zei ik: 'Lawaaiig!' maar David gaf geen antwoord. Hij keek ongemakkelijk. 'Politieauto,' voegde ik eraan toe en zijn opluchting was voelbaar: 'Politieauto!'

Een lijntoestel vloog over in de richting van Bristol Airport. Ik zei: 'Kijk, David, een vliegtuig!' en hij keek nog verbaasder om zich heen. Hij had vliegtuigen in zijn speelgoedkist. Hij wist wat hij zou moeten zien, maar om ons heen waren alleen maar auto's en fietsen en mensen met honden.

Ik boog me over zijn wagentje en wees. 'Kijk, daarboven,' zei ik. 'Kijk!' Ik pakte zijn vinger en deed hem naar de lucht wijzen. David trok zijn hand weg. 'Kijk' was een werkwoord, een instructie. Het was geen etiket, dus David begreep het niet.

Ik dacht nog eens na. 'Boven!' zei ik. 'Vliegtuig boven.'

David tilde zijn kin op en zag het vliegtuig. Er verspreidde zich een brede grijns over zijn gezicht. 'Vliegtuig,' zei hij. Hij volgde het toestel een paar seconden en daarna schopte hij weer tegen de wielen van zijn wagentje, als een cowboy die zijn paard de sporen geeft.

Zelfs een woord van vijf letters kan barsten van de overlappende betekenissen. Voor mij betekende 'Boven!' richting en beweging. Voor David was het een plek, een etiket voor de lucht. Hij zette woorden in, zoals hij had geleerd de liedjes van MusicSpace te gebruiken; elk woord had een vastomlijnde, enkelvoudige toepassing.

We konden geen gesprek met etiketten voeren. We konden hem niets eens vragen: 'Waar doet het pijn?' David kende wel het woord buik, maar als hij buikpijn had, kon hij dat niet zeggen.

Maar David wilde ook geen gesprekken. Net als Elvis wilde hij gewoon wat meer actie. Dankzij woorden kon hij zijn verlangens beter kenbaar maken en meer resultaat boeken. Nicky had sterk het gevoel dat David altijd moest worden beloond wanneer hij iets hardop vroeg. Het deed er niet toe hoe onbenullig zijn verzoeken waren: als hij iets graag genoeg wilde om de woorden eruit te persen, verdiende hij het. (Natuurlijk bleven de gewone taboes van toepassing, hij kreeg bijvoorbeeld niets te eten met blauwe kleurstoffen, omdat hij anders om vier uur 's morgens nog steeds hyperdruk zou zijn.)

Wanneer hij zijn woorden vergat en wild om zich heen begon te schoppen en slaan, probeerden we hem zijn woorden te laten gebruiken om uit zijn driftaanval te komen. Hij kreeg zijn 'melk' pas als hij 'melk' zei en niet als hij probeerde de tv met zijn hoofd in te slaan.

Een week later ging hij weer naar school en zijn onderwijzers waren net zo opgetogen als wij. Het was niet alleen dat de klas, evenals zijn huis, minder belastend en hoopvoller was geworden, maar ook het overduidelijke plezier dat David beleefde aan het feit dat hij kon benoemen wat hij wilde. Hij werd meer ontspannen, barstte niet meer zomaar in woede uit als hij niet direct exact kreeg wat hij wilde: net als een oude auto werkten woorden niet altijd bij de eerste poging, maar als je de sleutel maar bleef omdraaien, pruttelden ze uiteindelijk wel tot leven.

Dat seizoen op school leerde hij 'Ik wil...' zeggen voordat hij een object benoemde. Het was voor het eerst dat hij zijn innerlijke staat onder woorden kon brengen. David beschikte over een welsprekende muzikale bibliotheek met nummers die betekenden 'Ik ben moe' of 'Ik word boos' of 'Dat verrekte vaderding werkt niet goed, het is een waardeloze roestbak.' Een paar noten waren voldoende om ons in te lichten over zijn stemming, hoewel hij niet zong om ons te informeren, hij zong gewoon de soundtrack van zijn leven.

De woorden 'Ik wil' zetten hem in een andere versnelling. Hij kon omhoogkijken, een vliegtuig zien en zeggen: 'Vliegtuig' vanwege de lol van het benoemen. Het betekende niet dat hij een privéstraalvliegtuig wilde. Vliegen kon hij zich niet voorstellen, of welke bestemming ook die je niet per auto of wandelwagen kon bereiken. Maar even later kon hij zeggen: 'Ik wil... cornflakes.' En dat betekende iets heel anders: hij beschreef hoe hij zich voelde en wat hij verwachtte. Toen David 'Ik wil' zei, werd het ernst met de taal.

Die doorbraak was het gevolg van PECS, het ruilsysteem van plaatjes dat hij in Red House begon te leren en op Briarwood constant werd gebruikt. 'Ik wil' was de eerste grammaticaregel van PECS, de eerste stap van etiketten naar dialoog. En het is een machtig zinnetje; ik ken hoofdredacteuren die er nooit aan ontgroeid zijn.

David voegde er zijn eigen woordregels aan toe. Bijvoeglijke naamwoorden begreep hij niet, maar hij gebruikte kleuren: blauwe auto, rode brandweerwagen, zwarte kat. Dat vertelde ons iets nieuws over de wijze waarop zijn brein verwerkte wat hij zag: voor David was kleur iets concreets. Die was belangrijker dan vorm of afmeting. Een auto was een auto, of het nu een cabriolet was, er een bolle motorkap op zat of een stabilisator op de achterkant van Michael Schumachers Ferrari. 'Auto' was een klein woordje met een brede toepassing. 'Maar 'rode auto' was veel specifieker. Met 'rood' kon je niet alle kanten op. Probeerde je David wijs te maken dat een roze auto, een roestbruine auto of een oranje auto ook rood waren, dan zou hij je intelligent terechtwijzen. Kleur was belangrijk voor hem, net zoals een toonhoogte. Een groene auto 'blauw' noemen was even tegenstrijdig als het vals zingen van 'Heigh-Ho'.

Ook raakte hij woorden gauw beu. Na die eerste dag hoorden we hem nooit meer 'rinoceros' zeggen. James vond het altijd heerlijk om op allerlei manieren nieuwe woorden te proberen, om de klanken te herhalen en ze in zinnen te beproeven. Nu nog, op zijn veertiende, kan hij geen nieuw woord horen zonder te willen weten wat het betekent en het te gebruiken. David behandelde de meeste nieuwe woorden als rommel die hij kon missen als kiespijn. Hij had iets van de mannen die we op regenachtige ochtenden bij laagtij op het strand van Weston-super-Mare aantroffen, die over het strand zwaaiden met metaaldetectors. Voor elke munt van twintig penny's die ze vonden waren er tientallen kroonkurken en metalen trekringetjes van drankblikjes opgewoeld. David had honderden woorden ontdekt, maar volgens hem hadden maar een stuk of vijf echte waarde. De rest, de 'pinguïns', 'boemerangs', 'handtasjes' en 'dinosaurussen' waren gewoon kroonkurken en trekringetjes.

Sommige praktische woorden hadden verwarrend veel weg van totaal nutteloze, bijvoorbeeld 'telefoon' en 'olifant'. Het ene was een bron van vermaak, het andere een verspilling van mooie lettergrepen. David had een plastic olifant: te groot om op te kauwen, te klein om op te zitten en hij brak niet als je hem op de grond kwakte. Zinloos. Hij probeerde zijn naam uit te spreken: 'Olifoon.' Dat bracht het mading aan het lachen, maar het maakte het speelgoed geen centje nuttiger.

Aan de andere kant was de telefoon geweldig leuk. Personages in zijn video's grepen er altijd naar, schreeuwden erin en sloegen ze weer op de haak. Toen onze telefoon een keer overging, hoorde David bekende stemmen: als hij zijn kans schoon zag, zou hij opnemen en luisteren en soms iets terugsnateren. David had geen idee dat er echte mensen aan de andere kant van de lijn zaten, hij kende het hele concept 'echte mensen' niet eens, laat staan aan de telefoon. Maar de meeste slachtoffers begrepen dat niet. 'Ik heb je nummer gebeld,' klaagde een collega van de krant, 'maar er nam een kind op dat een potje tegen me begon te schreeuwen. Was dat jouw zoon? Je moet hem leren dat hij dat niet kan maken.'

David kon het maken en deed het ook. Maar we moedigden hem aan om 'hallo' te zeggen en opeens begreep hij de vijfpuntsetiquette van telefoongesprekken: je nam op, je zei 'hallo', je luisterde naar degene die belde, je zei 'dag' en je legde weer neer. David wist niet goed hoe lang je moest luisteren, maar een halve seconde moest toch wel genoeg zijn, langer was vragen om verveling.

Telkens wanneer de telefoon ging, holden we erheen. David won het vaak. Hij greep de hoorn, zei 'hallo-dag', klik, klaar in anderhalve seconde. De verklaring duurde langer. 'Natuurlijk heb ik de telefoon niet op de haak gesmeten, tante... We vinden het juist heel leuk iets van u te horen... Het was een spelletje van David...'

Speelgoedtelefoons interesseerden hem niet. Plastic mobieltjes die met een Amerikaans accent leuke dingen tjilpten waren ongeveer even nuttig als speelgoedolifanten. Hij wilde een echte telefoon, telefoons die met bekende stemmen spraken, stemmen die klonken als zijn opa en die 'Hallo, David' zeiden. Maar zelfs die waren meestal een teleurstelling. In tegenstelling tot de exemplaren op de video, die overgingen zodra ze in beeld kwamen, zweeg onze telefoon meestal, dus deed David een experiment.

Het eerste teken daarvan was dat er werd gebeld en er drie politieagenten in uniform voor de deur stonden. Toen ik opendeed, stonden er twee een flink eind naar achteren. De derde stond met een radio op de stoep en keek omhoog naar onze ramen.

Ik bevestigde mijn naam en mijn eerste reactie was gek genoeg opluchting: Nicky en onze kinderen waren thuis. Ik wist dat die veilig waren. Waarschijnlijk stond de politie voor de deur om verschrikkelijk nieuws te brengen, maar wat er ook was gebeurd, het had erger gekund.

'Is uw vrouw thuis?' vroeg een van de agenten. 'Maakt ze het goed? Kunnen we haar even spreken?'

Er flitste een afgrijselijke herinnering door me heen: ik was een jaar of twaalf en had opengedaan voor een politieagent die vriendelijk vroeg of hij mijn moeder even kon spreken, en ik schreeuwde naar boven: 'Mama! De politie is er! Verstop de drugs!' Dat was niet verstandig van me, om te veel redenen om nu allemaal op te sommen, en de les moest een diepe indruk hebben gemaakt. Deze keer slikte ik de lollige opmerkingen in, verzocht de agenten even te wachten en ging mijn vrouw halen.

Ze leken ervan op te kijken dat ze niet vermoord en gevierendeeld was. Ze waren openlijk sceptisch toen we volhielden dat we geen ruzie hadden gemaakt en dat Nicky het alarmnummer 999 niet had gebeld in een radeloze poging hulp in te roepen. En het verhaal over de 'getikte vijf jaar oude *Brandweerman Sam*-fan' geloofden ze al helemaal niet.

*Brandweerman Sam* is een kinderprogramma waarin pyromanie door middel van boetseerklei wordt uitgebeeld. In elke aflevering holt een personage naar een telefooncel onder het uitstoten van: 'Negen, negen, negen.' Nu wisten we dat David de negen op het toetsenpaneel kon vinden, wat waarschijnlijk inhield dat hij nummers uit zijn hoofd kende. De agenten voor de deur vonden dat minder indrukwekkend dan wij.

Een van hen kwam de keuken in om ons de les te lezen dat neptelefoontjes naar de alarmcentrale levens konden kosten en Nicky schonk koffie voor hem in. In een beker van aardewerk.

Misschien hoorde David het verschil toen het hete water erin werd geschonken. Misschien rook hij wel heet aardewerk. Hij kwam de keuken in geronkt met de blik op oneindig, en toen de agent vroeg: 'Dus hier hebben we de dader?' schoot Davids hand uit en hij gooide de beker stuk tegen de plint.

Dat was onze laatste aardewerk beker. Alle andere waren van kunststof of metaal en thee uit een tinnen kop smaakt smerig. Maar het offer was de moeite waard, ons alibi hield stand. Er liep hier echt een getikte kleuter los.

'Zijn daarom alle kasten met sokken dichtgebonden?' vroeg de agent.

De meeste mensen zijn te beleefd om iets over de sokken te zeggen, net zoals je niets zou zeggen over een onderbroek die over de radiator te drogen hangt. Maar de politie hoeft niet beleefd te zijn. En hij had gelijk: sokken waren de beste afschrikking die we kenden. Plastic klemmen waarmee je de krukken van de kastjes aan elkaar kunt bevestigen waren nutteloos: David kon met één hand de hendeltjes vinden en op de openknop drukken en met de andere hand een hele plank met glaswerk op de grond maaien. Hij kon ook strikken open krijgen die zo strak aangetrokken waren, dat we een schaar nodig hadden om bij de cornflakes te komen. Sokken waren ideaal. Davids vingers waren niet sterk genoeg om de knopen vliegensvlug open te krijgen, wat ons een paar seconden de tijd gaf om hem in de smiezen te krijgen en weg te trekken.

'En als jullie hem uit de keuken houden?' stelde de agent voor. 'Vrienden van mij hebben een peuterhekje om hun zoontje buiten te houden zodat hij zich niet kan branden.'

Dergelijke vragen kunnen mij tot uiteenzettingen van twee uur verleiden. Op kantoor, in het park of in de peuterspeelzaal komt dan mijn Oude Zeemanhart naar boven. Mensen denken dat ze een eenvoudige vraag hebben gesteld, maar met autisme bestaan er geen eenvoudige antwoorden, omdat het geen eenvoudige toestand is. Autisme doordringt alles: het is van invloed op alles wat een kind denkt en doet en daarom dringt het ook alle aspecten van het gezinsleven binnen.

Een hekje voor de keuken lijkt op het eerste gezicht verstandig. Tenslotte houden we David ook met een haakje uit de kamer van James. David zou er best eens naar binnen willen om de boel kort en klein te slaan. Hij zou het wel wíllen, maar hij hóéft het niet.

De keuken is anders. Zijn moeder gaat naar de keuken. Waar mama is, moet David ook zijn. Zolang hij in huis is, moet hij weten dat ze binnen handbereik is. Er zijn talrijke dagen en zelfs hele weken geweest dat hij haar geen ogenblik uit het oog verloor.

Wanneer hij uit school thuiskomt, moet Nicky daar zijn; wanneer hij inslaapt, moet zij erbij zijn; wanneer hij vakantie heeft of thuis is met een griepje, moet zij daar ook zijn. Een paar jaar lang hadden we eens in de week een crisis van tien minuten, wanneer Nicky op dinsdagochtend naar haar werk moest voordat de schoolbus was gearriveerd. Dat nam David haar niet in dank af. Het kon hem niet schelen dat ze maar twee dagen per week werkte en dan nog alleen als hij op school zat; hij telde ook niet de voortdurende offers die ze moest brengen om altijd maar bij hem te zijn, hij kon het gewoon niet aanzien dat ze het huis verliet. In een aanval van jaloerse razernij vloog David met zijn hoofd van de ene muur tegen de andere als de bal in een flipperkast.

Daarentegen stond hij op zaterdag vroeg op om mij te zien wegrijden. Ik mocht weggaan wanneer ik wilde en hij zat ook niet amechtig op mijn terugkeer te wachten. Hij vindt het leuk om mij in de buurt te hebben, maar hij heeft zijn moeders aanwezigheid nódig. Het verschil in intensiteit is onmeetbaar; de druk die dat op Nicky legt evenzeer.

Nu David elf is, weigert hij nog steeds van zijn moeder te worden gescheiden. Gisteravond klonken er een schreeuw en een plons in de badkamer toen hij bij zijn moeder in bad dook. Hij wilde niet in bad, hij had zijn schoenen niet eens uitgetrokken. Hij wilde gewoon bij haar zijn.

Als David van Nicky zou worden gescheiden door een hekje in de deuropening van de keuken, zou hij het huis afbreken, ook al kon hij haar zien. Hij zou zich een ongeluk schreeuwen.

Natuurlijk hadden we niets tegen suggesties. De meeste mensen bedoelden het goed en het gaf ons de kans hun bezorgdheid weg te nemen. Maar wanneer professionals soortgelijke suggesties deden en die verkochten als 'aanbevelingen' werden we razend. Het was erg genoeg om door vreemden aan een kruisverhoor te worden onderworpen, louter vanwege het feit dat ons kind met een handicap was geboren. Het was beledigend wanneer ze niets van autisme bleken te weten.

Een deskundige las tot zijn schrik dat David glas- en aardewerk kapot gooide. Dat was gevaarlijk, zei ze. Mensen konden op de glasscherven trappen; alsof zij degene was die om drie uur 's morgens haar voeten open had gesneden terwijl ze de ketel opzette voor het zoveelste flesje warme melk.

'Ik raad u aan een speciale plek in de tuin te reserveren,' zei ze, 'waar David dingen mag breken. Na een poosje kunt u hem op rantsoen zetten, misschien een fles per dag en uiteindelijk een fles per week.'

'En hoe moeten we hem dat laten begrijpen?' snauwde ik.

De specialist glimlachte vreugdeloos. 'Hoe legt u doorgaans dingen aan David uit?'

'Dat doen we niet. Dat kunnen we niet. Soms leert hij bepaalde liedjes te associëren met overeenkomstige handelingen, maar tot nu toe hebben we nog geen nummer gevonden dat betekent: *Ga naar buiten voordat je het aardewerk te lijf gaat, jongen.*'

Nicky keek me even aan. David had er niets aan als ik driftig werd. Dat zou nog erger zijn dan überhaupt weigeren de specialist te bezoeken. Ooit zouden we haar rapport misschien nodig hebben: het was een zoveelste vinkje op onze checklist. Maar mijn woede was zo voorbij; die laaide op en ik gaf er met sarcasme lucht aan. Dat soort inbreuk op de privacy raakte Nicky dieper. Het deed haar pijn.

Het ergst was een serie gesprekken met een klinisch psycholoog over Davids gedrag. Vier vrijdagmiddagen zat hij een uur lang in onze voorkamer om vragen over onze familie te stellen die zo persoonlijk waren dat zelfs míjn tenen er af en toe van kromtrokken. Na elke sessie was Nicky in tranen. Maar we konden die gesprekken met hem niet weigeren, dat zou er in de praktijk op neerkomen dat we in de toekomst alle hulp van het ziekenfonds weigerden... En nu David juist zo veel moeite had met de aanpassing in zijn wekelijkse logeerhuis, konden we die niet in de waagschaal stellen.

Voor ons allebei was het een aanzienlijk offer om een uur van onze tijd op te geven als David niet thuis was. Om dat vier keer te doen, terwijl de pure zinloosheid van die gesprekken met de week evidenter werd, gaf ons het gevoel dat we zelf wel een potje met ons hoofd tegen de muur wilden slaan. Tijdens een van de sessies vergeleek de psycholoog David met een tuin die door onkruid was overwoekerd – ofwel slecht gedrag – en dat we het onkruid met wortel en tak moesten uitroeien en vervangen door mooie bloemen, alsof we zijn problemen konden oplossen door hem de rug toe te keren. We moesten naar die beledigende banaliteiten zitten luisteren en verse thee blijven inschenken, want als we die gesprekken annuleerden, zouden we het spel verliezen.

Maar een van de suggesties van de psycholoog maakte de hele bezoeking bijna de moeite waard. We zijn nog nooit iemand tegengekomen die gelooft dat hij het heeft gezegd.

Hij vertelde dat bepaalde impulsen nooit uitgeroeid konden worden. Een valse hond zou altijd de neiging om te bijten houden. Maar die neiging kon wel worden beheerst met 'aversietherapie'. De hond werd geleerd om slecht gedrag met onmiddellijke straf te associëren. Hij kon dan niet van zijn neiging genieten omdat er tegelijkertijd pijn intrad.

'Een algemene methode,' legde hij uit, 'is een halsband die een elektrische schok kan afgeven. Bij het eerste teken van een gewelddadig plan kan het baasje op een knop van een afstandbediening drukken die een elektrische stroom door de hals van het dier voert. Het is pijnlijk zonder blijvende schade toe te brengen. Weldra begint de hond door te krijgen dat hij al spijt zal krijgen als hij maar overweegt om iemand te bijten.'

Dit akelige lesje in gehoorzaamheid bij dieren leidde natuurlijk naar de een of andere analogie. We zaten te wachten op de zin die begon met: 'Het is natuurlijk niet de bedoeling...'

In plaats daarvan vroeg hij: 'Wat dacht u van...'

We keken hem met open mond aan.

Jarenlange ervaring en opleiding moeten hem in staat hebben gesteld onze gezichtsuitdrukking te lezen. We zaten met open mond op het puntje van onze stoel en hielden de adem in.

'U zou zich niet op uw gemak voelen met zo'n therapie?' vroeg hij.

Waarmee we ons niet op ons gemak voelden, was in onze eigen voorkamer zitten luisteren naar een vreemde die een martelmethode voor ons kind uiteenzette.

Meer dan ooit waren we ons ervan bewust hoe kwetsbaar ons gezin was geworden. Wij hadden een gehandicapt kind en dat rechtvaardigde elke vorm van inbreuk door het gezag, dat de vrijheid had om alles te zeggen wat het voor de mond kwam.

Als een van de onderwijzers van James, al was het maar voor de grap, fysiek geweld had voorgesteld, kon de school een officiële klacht verwachten. Dreigementen van een draai om het oor of een lel met een rotanstok worden niet meer getolereerd.

Het is moeilijk voor te stellen dat de psycholoog voor David een project 'aversietherapie' op poten had kunnen zetten, al hadden we hem er toestemming voor gegeven. Zijn leerkrachten op Briarwood zouden alarm geslagen hebben.

Op zulke momenten voelden we ons misdadigers. We hadden de wet overtreden (Wet op de Onuitgesproken Vooroordelen, 1996) door een gehandicapt kind te krijgen en nu bevonden we ons buiten de normale, fatsoenlijke maatschappij. Zelfs de formulieren die we voor de Sociale Dienst moesten invullen benadrukten de minachting van het systeem voor ons gezin, het waren namelijk dezelfde formulieren die ze voor mishandelde kinderen gebruikten. Op een avond konden wij misschien proberen David vast te houden omdat hij zichzelf anders in een aanval van autistische razernij in het gezicht stompte, terwijl de dronken ouders van een ander jongetje elders in de stad hem in elkaar sloegen: voor de Sociale Dienst was er geen verschil. Beide gevallen kwamen op dezelfde formulieren.

We probeerden te protesteren, als maatschappelijk werkers week in week uit niet kwamen opdagen voor een afspraak, of wanneer het verplichte tussentijdse rapport over Davids vorderingen werd uitgetypt en vol gevaarlijke onjuistheden werd verspreid onder zijn verzorgers en leerkrachten. Van de Sociale Dienst kwam nooit een verontschuldiging of rectificatie; we waren niet in staat nog meer fouten te voorkomen en meestal kregen we geen antwoord op onze brieven. Als we een officiële klacht indienden, bleek de 'onafhankelijke arbiter' het sectorhoofd van de Sociale Dienst zelf, en als we het bijltje er uitgeput bij neergooiden, verklaarde die onze zaak met 'goed gevolg opgelost'.

Niemand die is opgezadeld met de zorg voor een ernstig gehandicapt kind kan de strijd met de Sociale Dienst winnen. De ambtenaren kunnen niet ter verantwoording worden geroepen voor hun fouten en dat weten ze. Ze zijn onaantastbaar. Ze vormen een soort bureaucratisch gangsterdom.

Davids rechtstreekse onschuld heeft niet te lijden onder die houding; dat is een van zijn vele fraaie en lonende trekjes. Wanneer hij gelukkig is, is het een vreugde om voor hem te zorgen, en dat is het grootste deel van de tijd. 'Ik hou van David,' zegt Nicky. 'Ik raak uitgeput van al het andere dat erbij komt kijken.' Een autist houdt juist 'al dat andere' buiten de deur. Geen wonder dat David dikwijls krom van de lach op de bank ligt.

# *Elf*

Op zijn zesde jaar had David het geheim van het geluk geleerd. Hij kon het tegen niemand zeggen... Misschien is het daarom wel geheim. De rest van de mensheid moet er zelf achter zien te komen. En een heleboel mensen hebben dat gedaan door alleen maar goed naar David te kijken. Net als de meeste andere kosmische waarheden is deze kort genoeg om op een T-shirt te zetten: DOE WAT JE WILT – HERHAAL HET TOT JE GAAT SLAPEN.

De lessen waarmee doe-het-zelf-goeroes hele boekenplanken vullen, kwamen David van nature aangevlogen. Wat mensen van hem vonden, kon hem niets schelen. Hij had geen remmingen en droeg niemand een kwaad hart toe. Dat soort zelfvertrouwen kost de meeste mensen veel moed. David ging het net zo makkelijk af als ademhalen. Als mensen dat doorkregen, kon het de uitwerking van een inspirerende openbaring hebben.

Op een lenteavond maakten David en ik na een zware regenbui een wandeling op Brandon Hill in het centrum van Bristol. Bovenaan zijn siertuinen en een vijver. David had zijn schoenen met de soepele beweging van een ballerina tussen de waterlelies geschopt en we hadden er een kwartier op de oever met een stok naar zitten vissen. Vervolgens renden we de trap op en neer, David op zijn blote voeten en ik met het wagentje achter me aan.

Aan de voet van een steile heuvel was een speeltuin die er door de regen verlaten bij lag. We hadden een slingerend pad naar beneden kunnen volgen, maar David wierp zich op zijn zij in het hoge, natte gras en rolde helemaal omlaag. Ik bleef hoofdschuddend boven staan, want ik wist dat hij terug zou komen voor meer van hetzelfde, en ja hoor, hij krabbelde overeind en wankelde op me af. Zijn haar zat op zijn hoofd geplakt, zijn jas was doorweekt en ik hoorde zijn broek de hele weg omhoog om zijn benen kletsen. En hij had een brede grijns op zijn gezicht. Hij was niet zomaar gelukkig, hij straalde van vreugde.

Een groep scholieren was blijven staan om te kijken. De jongens hinnikten van de lach. 'Moet je dat joch zien! Niet zo'n klein beetje nat!' Maar toen David zich in het gras wierp om weer als een gek naar beneden te rollen, keek een van de meisjes me met tranen in de ogen aan. 'Ik wou dat mijn vader me dat soort dingen had laten doen,' zei ze.

Ik wilde zeggen: 'Nou, ga je gang dan maar!' Maar dat bedoelde ze niet. Ze wilde dat ze van natte hellingen had mogen rollen toen ze zes was.

We konden hem niet alles laten doen wat hij wilde. Er waren obsessies waar een stokje voor gestoken moest worden. Ze doen niemand kwaad, ze kosten niets... maar we doen ze gewoon niet. Bijvoorbeeld andermans autoportier opentrekken. David zag een onafgesloten auto van twintig meter afstand. Zijn arm bungelde over de zijkant van het wandelwagentje, hij zong een vrolijk liedje voor de wolken en als we langs de auto kwamen, schoot zijn hand uit om aan de portierkruk te trekken.

Als een auto in Bristol niet is afgesloten, komt dat meestal omdat de chauffeur erin zit met een beker koffie en de krant. En als opeens het portier aan de passagierskant wordt opengerukt, zal de koffie waarschijnlijk over zijn krant en broek golven. Als zoiets gebeurt, kun je maar het beste een korte verklaring geven, en de kortste is gewoon even zwaaien, een opgewekt gebaartje, alsof koffie op iemands broek laten morsen in de meeste Europese talen 'goedemiddag' betekent. Niemand wil verontschuldigingen en excuses over autisme horen, of een leugentje om bestwil dat David dacht dat het ónze auto was. Ze willen alleen de cappuccino van hun krijtstreepje vegen en opgelucht zijn dat het geen overval was.

We moedigden ook geen gratis kauwgom aan, die David in klodders onder tafeltjes of op lantaarnpalen aantrof. Waar het vandaan kwam kon hem niet schelen, wat er wel toe deed was de vraag of hij de kauwgom weer sappig kon krijgen. Davids enthousiasme voor gevonden voedsel was opmerkelijk. Ik zag hem eens in de tuin met een peinzend gezicht op iets kauwen. Toen ik twee vingers in zijn mondhoeken stak, haalde ik een slak tevoorschijn.

Een andere keer trok hij zijn glijbaan naar de schuur en gebruikte hij het trapje om op het dak te klimmen. Daar zat hij een uur stil met zijn rug naar het keukenraam, en wij waren zo onnozel om te denken dat hij domweg vanuit een ander perspectief van zijn domein genoot. Pas toen hij zijn armen uitstak en een nerveus liedje aanhief dat we naar buiten moesten komen om hem naar beneden te helpen, ontdekten we dat hij de helft van het teerpapier van het dak had opgegeten. Hij had er steeds smalle stroken van afgescheurd en die opgerold in zijn mond gepropt om op te kauwen.

Hij wil alles wel proberen, als hij maar niet wordt gedwongen. Zeep, bloemen, hondenoren. Gisteren betrapte Nicky hem erop dat hij met blauwe lippen de werkkamer uit sloop. Had hij inkt gedronken.

Maar toen zijn onderwijzeres hem overhaalde om tijdens kookles aan een lepel te likken, was ze zo opgewonden dat ze ons e-mailde: *David vertrouwde me voldoende om het te proberen. Hij verwachtte niet het lekker te vinden... maar omdat het stroop was, ging het erin als koek!*

Als we hem zover konden krijgen groenten of ander warm eten te proberen, zou dat een waarachtige vooruitgang zijn. Tenslotte is na teerpapier alles vooruitgang. Afgezien van cornflakes eet hij de korst van broodjes, het glazuur van donuts en de kruizen van *hot cross buns.* Weetabix raakt hij niet meer aan. Hij eet geen kleverige bolletjes zonder krenten, maar hij eet wel een krentenbol als hij de rozijnen er eenmaal uit gepeuterd heeft. Hij houdt niet van chocola, behalve van Rolo's en verrassingseieren, eieren van een dun laagje chocola met een plastic speeltje erin. David gooit het speeltje weg.

Als u dit leest en denkt: wat een superverwend kind is dat, vergeet dan niet dat een legertje verpleegsters, onderwijzers, kookmoeders van de bijzondere school en wijzelf vergeefs hebben geprobeerd David iets te laten eten wat hij niet wil. Zelfs al slaag je erin een hapje in een wijd open mond te moffelen – bijvoorbeeld tijdens een schreeuwaanval, dan nog kun je hem niet dwingen het door te slikken. Hou je een hand voor zijn mond, dan slaat hij het eten als een hamster op in zijn wangen voordat hij het tussen je vingers door weer uitspuugt.

Davids dieet is een onderwerp dat we dikwijls met pediatrische deskundigen hebben besproken. Het heeft weinig zin om met artsen over zijn gedrag te praten, want ze hebben geen pil die hem weer normaal maakt. En als ze die wel hadden, zou hij die niet slikken. Maar wat we wel willen weten, is of zijn obsessieve kieskeurigheid slecht voor zijn gezondheid is. Het valt niet mee om te zien waar een jongen, die op droge cornflakes en de toplaag van paasbroodjes leeft, zijn voedingsstoffen vandaan haalt.

Toen David werd geboren, zat hij in het 'honderdste percentiel', de hoogste één procent van zware baby's. Tien jaar later zat hij in de middenmoot, meer gemiddeld kon het niet. Het is prettig om te weten dat iets aan hem normaal is, maar hij moest een heleboel vitaminen overslaan om gemiddeld te worden.

We wilden alles doen om David te laten eten. Dat betekende dat we hem anders moesten behandelen dan James en we vaak lange gesprekken met onze oudste moesten voeren om die te laten begrijpen waarom zijn kleine broertje zich zo veel vrijheden kon veroorloven. James moest rechtop zitten aan de keukentafel; David at zijn cornflakes met armen en benen wijd hangend over de tv met zijn neus op het scherm. Van James verwachtten we dat hij zijn bord leeg at voordat hij ijs kreeg. David leegde zijn bord met cornflakes op de grond als hij genoeg had. James kon een standje verwachten als hij snoep at voor etenstijd. David had geen etenstijd en at wat hij wilde wanneer hij dat wilde.

Davids favoriete traktatie was jamgebakjes van de bakkerij verderop. Het moest frambozenjam zijn en de vulling moest altijd dezelfde zijn anders weigerde hij, en de jam at hij nooit. Hij knabbelde het omringende gebak helemaal op en gooide de rest weg.

In de winter was jamgebak geen probleem. Elke ochtend kocht ik een zakje van zes, en na school knabbelde David zich er een weg doorheen (of liever gezegd omheen). Maar 's zomers was de jam kleverig en dat zorgde voor hoofdpijn. Als een taartje kleverig was, smeet hij het woedend door de kamer. En als er twee aan elkaar gekleefd zaten, riep hij de noodtoestand uit.

Het personeel van de bakkerij wilde ons wel een plezier doen. Ze deden Davids taartjes in gebaksdozen en aanvaardden ons veto ten aanzien van elk niet volmaakt exemplaar. In de herfstvakantie ging David met me mee op mijn ochtendlijke bezoek aan de bakkerij. Hij bleef gehoorzaam in de rij staan met zijn een pond vijfentwintig in zijn warme vuist, met mijn arm over zijn borst als een gordel om hem ervan te weerhouden zich naar voren te buigen om de vitrine te likken. We gingen elke dag en toen het zondagmorgen was, trok David zijn jas en schoenen aan voor zijn dagelijkse gebaksgang.

Niets kon hem weerhouden. Woorden als 'dicht' en 'gesloten' en 'zondag' zeiden hem niets. Hij wist wel wat 'nee' betekende, en daar wilde hij niets van horen. Dus besloten we hem er zelf achter te laten komen.

Er brandde geen licht in de bakkerij. Er stond niemand in de rij. De deur was dicht, de stoepreclame was binnengezet en door de etalage zag ik dat de vitrines leeg waren.

Dat zei David allemaal niets. Hij sloeg geen acht op de tekenen die riepen: 'Deze winkel is gesloten!' Ze brachten een boodschap over en daar heeft David geen boodschap aan. De bakkerij had voor zijn part in brand mogen staan, of vol mogen staan met partyende mensen in hawaï-topjes en hoelarokjes. Slechts één kwestie was van belang: dit was de plek waar hij zijn jamgebakjes haalde.

Ik liet hem aan de deur morrelen. 'Hij zit dicht,' zei ik.

De deur ging open. Hij zat niet op slot. David marcheerde naar binnen. Ik trok hem terug. Hij krijste en ik verstijfde. De gebaksvitrines waren leeg, maar de schappen stonden vol potten gemarineerde eieren, uien, augurken en kool. De kastjes hadden glazen deurtjes en de koelkast stond vol flesjes cola. Ik wilde daar geen aanval van een wervelende derwisj zien.

'Wie is daar? We zijn dicht,' riep een vrouwenstem, en ik herinnerde me dat het echtpaar dat de winkel dreef boven woonde.

'Het is al goed, wij zijn het maar,' riep ik, alsof David en ik elke zondagmorgen langskwamen om te helpen met de voorbereiding van de *roast*. 'Sorry, de deur was open, David is naar binnen gestormd, ik kon hem niet snel genoeg tegenhouden. Hij kan niet praten, weet u. U hebt zeker geen, eh... jamgebakjes?'

Er zijn mensen die alles willen doen om aardig tegen David te zijn, en de vrouw van de bakker is zo iemand. Ze plunderde haar voorraadkamer om zes van de beste frambozenjamgebakjes te vinden, vouwde er een cakedoos omheen en wilde er geen cent voor hebben. Thuisgekomen had David de hele doos soldaat gemaakt en droeg ik een stapeltje kleverige kwakjes jam.

Uiteindelijk noopten die jamklodders ons Davids traktatie af te schaffen. Ze landden altijd met hun kleffe kant op de grond als David ze liet vallen, en tegen de tijd dat we er een van de grond hadden geschraapt, waren er alweer twee op het meubilair beland. Als er een aan zijn voetzool bleef kleven, maalde hij die in het tapijt, ongeacht waar in huis. Als hij er een vergat in een hinderlaag van de divan, spatte die wel uiteen op Nicky's jurk. De hond at er vele op en zag eruit als een rugbybal.

Op een vrijdagavond toen ik naar bed ging met de wekker op half zes voor de eerste trein naar Paddington, drukte ik mijn gezicht in het met jam besmeurde kussen. Mijn haar zat vol kleverig, kruimelig gebak: ik moest opstaan, het kussensloop vervangen en een douche nemen.

Afgezien van gebak eten in bed, hield hij ervan om onderweg te eten. In de auto smulde hij van de cornflakes, hees zijn melk op de schommel, pelde het kruis van zijn paasbroodje in de wandelwagen en nam zakken met broodjes mee naar de garage, waar zijn eigen wiebeltuig was geïnstalleerd. Het was een groene raceauto op een rode sokkel, die mijn ouders van een speelhal hadden overgenomen toen de eigenaar met pensioen ging. Ze laadden het gevaarte in een geleende Ford Transit en kwamen ermee aanzetten vanuit Wales. David en ik hebben er die dag honderden keren op gereden. Er moesten muntjes van twintig penny's in, dus haalden we voor tien pond van de bank, maar hij verkwanselde ze zo vlug dat het niet meeviel om het ogenblik stilte tussen de ritjes te benutten om de muntenla aan de achterkant van het apparaat van het slot te doen om het geld er weer uit te halen.

De volgende dag ging David experimenteren. Hij probeerde muntjes van een pond en van vijftig penny's in de gleuf te duwen en daarna penny's en vervolgens tweepennymunten, die het mechanisme blokkeerden. Davids hart was gebroken. De muntengleuf zat vastgelast, dus belde ik de fabrikant voor advies. Ze verstrekten informatie waaraan geen ruchtbaarheid gegeven mocht worden... maar als iemand ooit een kluizenkraker zoekt, ben ik z'n man. Gewoon mijn uitgever bellen en naar Vingers vragen.

Dat was vijf jaar geleden en David maakt nog wekelijks een ritje. Tegenwoordig moet hij op de motorkap zitten, want zijn benen passen niet meer onder het stuur. Wanneer hij de raceauto aanzet, snort die *'Have a ride with me!'* met het accent van Blackpool, en David kan het vlekkeloos nazeggen. Ik kan niet naar hem luisteren zonder aan de voorspelling van Davids eerste onderwijzeres te denken, dat David op een dag zou leren praten, net als het jongetje in zijn klas dat kon zeggen 'Hou je vast! Megasnelle rit!'

David heeft veel leren zeggen wat hij niet begrijpt. Woorden hebben dezelfde betekenis voor hem als muziek: hij roept ze aan voor specifieke situaties. Voor wie hem niet kent moet het lijken alsof hij gewoon een eind weg babbelt. David heeft zelfs een manier gevonden om woorden te gebruiken waaraan geen grammatica of communicatie te pas komt. *'Have a ride with me,'* met die stem van George Formby, heeft een betekenis: het wil zeggen dat zijn groene auto werkt. De woorden zijn als vijf noten in een muzikale frase, een fanfare die aankondigt dat de lol begint. David kan ze perfect nazeggen, maar dat wil niet zeggen dat hij begrijpt wat hij zegt. Wat hem betrof kon het hetzelfde betekenen als 'Spring in de stoel' of 'Ga erop zitten en weg zijn we'. Dat zijn andere woorden die voor David evenzeer van elkaar verschilden als 'Beethovens Vijfde' en de 'Bohemian Rhapsody'. Als David wil dat zijn moeder ziet hoe hij plezier maakt in de garage, zegt hij tegen haar: *'Have a ride with me.'* Als de auto niet werkt, pakt hij haar hand, sleept hij haar mee en zegt hij klaaglijk: *'Have a ride with me.'* Hij zou van afgrijzen vervuld zijn als ze echt op de auto zou gaan zitten. De woorden zijn voor niemand anders een uitnodiging dan voor hem.

Omdat David Nicky wil betrekken bij alles wat hij doet, zelfs bij alles wat hij denkt, verwacht hij van haar dat ze allerlei zinnetjes zal papegaaien. Wanneer hij zijn video's naspeelt, neemt David bijna alle rollen voor zijn rekening en declameert hij bijna de helft van het draaiboek, maar voor mama is een sleutelrol weggelegd. Hij duwt haar met grote snelheid de keuken op en neer, schuift haar de tuin in, werkt haar weer naar binnen, sleept haar naar boven en ze mag geen seconde uit haar rol vallen, want anders zet David een keel op en wil hij helemaal opnieuw beginnen. Hij heeft haar nodig; ze heeft een leidende rol. Het kan maar één regel zijn, misschien maar één woord, maar in Davids denkwezen hangt daar de hele productie van af.

Eén favoriet is het gevecht op het hoogtepunt van Disneys *Jungle Book* tussen Shere Khan de tijger en Baloe de beer. David rent brullend rond, slaat zijn klauwen uit, blèrt en gromt en op het eind wordt de tijger overwonnen en zijn de rollen omgedraaid; onze poes Peggy zit ineengedoken op de hoogste kast en Nicky moet een stap naar voren doen en zeggen: 'Baloe! Ben je gewond?'

Ook een roerend tafereel is het slot van *Beauty and the Beast*: David stort ineen (na weer zo'n vechtscène) en dan springt hij overeind en wordt hij de heldin. Mama zou natuurlijk *Beauty* moeten zijn, maar het leven is nu eenmaal oneerlijk. *'Beast!'* klaagt David, en Nicky moet kwaken: *'Belle!'* Bij *101 Dalmatiërs* moet ze alleen maar gaan staan om zich op het juiste ogenblik te laten knuffelen. ('O, Roger, lieveling, wat moeten we nu?' - dikke knuffel).

De eerste keer dat ik hem een hele film zag naspelen, was in de speeltuin toen hij zes was. We arriveerden er om acht uur 's avonds, David zong de ouverture van *Jungle Book* en vervolgens verscheen er beeldje voor beeldje een remake. *'The Bare Necessities'* om half acht, King Louie's *scatjazz* rond kwart voor acht, de *barbershop*-gieren op het hele uur. Hij liet zich niet afleiden of wegsleuren tot de aftiteling voorbijkwam en ik een figurantenrol kreeg: David sloeg een arm om me heen en paradeerde het hek uit. Hij was Baloe en ik was Bagheera, en we liepen de zonsondergang tegemoet. Maar zingen mocht ik niet.

Tijdens de hele voorstelling uitte hij amper een herkenbaar woord: het hele libretto was gereduceerd tot onverstaanbare klanken. Soms kon ik wel raden wat hij probeerde te zeggen. Toen hij zich van het klimrek stortte en 'Ahoeoeo-a-a-ieieie' gilde, wist ik wel dat hij Mowgli's schreeuw 'Baloe, vang me op!' imiteerde. Maar het lag voor de hand dat David niet wist wat de woorden betekenden en het hem ook niets kon schelen.

Binnen een paar maanden was dat veranderd. Hij begon woorden vorm te geven met dezelfde precisie die hij al jaren op teksten van liedjes toepaste. Nu kon hij wel 'Baloe, vang me op!' roepen en klonk het alsof zijn leven ervan afhing. Maar hij had nog steeds geen idee wat de woorden betekenden.

De medische term voor dat verschijnsel is echolalie, wat 'spreken in echo's' betekent. Tot begin jaren tachtig werd dat beschouwd als onzinnig gebabbel, maar tegenwoordig wordt echolalie erkend als een complex verschijnsel dat vele doeleinden dient. Autisme-expert dr. Barry Prizant publiceerde in 1983 een artikel waarin hij echolalie onderverdeelde in veertien categorieën: negen waren er 'interactief', dus gericht op andere mensen en dingen, en vijf waren er 'niet-interactief'. Bij de externe factoren van het echopraten hoorden het etiketteren van voorwerpen, aandacht vragen, protesteren en om hulp vragen; interne functies waren minder concreet, maar leken te maken te hebben met de vervaardiging van een soundtrack, het oefenen van spraakgeluiden en gewoon plezier maken.

De meeste kinderen babbelen onzin voordat ze kunnen praten. Davids onzin ís zijn taal en daar is hij niet de enige in: volgens Prizants onderzoek bedient driekwart van de autisten zich van een vorm van echolalie, als ze al kunnen praten.

Toen Davids spraak zich ontwikkelde, beseften we dat we nieuwe manieren moesten zien te vinden om anderen uit te leggen wat er aan de hand was wanneer hij een scène trapte. Onze standaardverklaring 'David kan niet praten' had uitstekend dienstgedaan om boze omstanders te sussen. Het was beknopt en de meeste mensen begrepen het in een oogwenk, die schakelden over van 'Wat is er met dat kind?' op: 'Hoe speel je dat klaar?'

Als hij stampvoetend het scenario van *Jungle Book* naar de daken brulde, had het geen zin om te beweren: 'David kan niet praten.' Het feitelijke: 'David is autistisch, hij begrijpt het niet,' had soms wel effect, maar naarmate autisme algemener werd, leek het woord aan slagkracht te verliezen. 'De zoon van mijn buurman is ook autistisch,' antwoordde een vrouw, 'en die doet zulke dingen niet.'

Toen David een potje raaskalde in een boekwinkel, kwam er een vrouw op me af die zei: 'Ik weet wat er mis is met hem: te veel E-stoffen!' Ze had een zuinig Edinburghs accent en schudde met haar vinger naar me. 'Ik kan het weten... Ik ben lerares.'

Een andere vrouw in een winkel riep me na toen ik een schreeuwende David naar buiten droeg: 'Ik weet wel wat hij nodig heeft, een stevig pak slaag!' De meeste mensen bleven gewoon zwijgend staan staren, al dachten ze misschien hetzelfde. Als de verstoring alleen uit lawaai en geschreeuw bestond, merkte ik dat een glimlach de beste verklaring was. Mensen keken naar David en keerden zich af wanneer ze zagen dat ik naar hen lachte.

Deden ze dat niet, dan zei ik: 'Het is al goed, wees maar niet bang.' En als ze protesteerden dat ze niet bang waren, trok ik mijn wenkbrauwen op. Maar wanneer er glasscherven in het rond vlogen had ik meer nodig dan een geruststellende glimlach.

We waren vastbesloten dat David gewoon moest deelnemen aan alledaagse gezinsactiviteiten, zoals boodschappen doen, ongeacht hoeveel merkwaardige geluiden hij produceerde. Hij was een echte jongen en verdiende een echt leven. Als andere mensen daar niet mee konden omgaan, moesten ze maar thuisblijven, wij wilden David niet opgesloten houden.

De enige uitzondering was wanneer hij al zijn zinnen op vernielen had gezet. Het is geen goed begin van het wekelijkse winkelen als je zeven jaar oude zoon zijn schoenen uittrekt en ze naar de uistalling van speciale wijnaanbiedingen bij de hoofdingang van Piat d'Or smijt.

Soms verborg hij zijn bedoelingen. Op een middag duwde ik zijn wandelwagentje bij Sainsbury naar binnen, toen hij nog dromerig zat na te genieten van een ritje op de *Bananas in Pyjamas*, en stak hij zijn hand in een passerend boodschappenwagentje. Hij greep een fles wijn bij de hals en keilde die als een wentelende handgranaat over de kassa, waar hij ontplofte in een bloesem van glas en rode wijn.

David moest zo hard lachen dat hij er bijna in bleef.

Niemand was gewond. Het personeel behandelde het incident gewoon als elk ander ongelukje en de geschrokken eigenares kreeg een nieuwe fles wijn. Ik had het haar niet kwalijk genomen als ze die meteen in de auto soldaat had gemaakt.

Een andere keer kreeg David in het biergangpad van Tesco een fles Guinness in handen, die hij voor de voeten van een man van middelbare leeftijd kapot gooide. De arme drommel slikte mijn glimlachende schouderophalen niet: 'Dat deed hij expres!' tierde hij.

'Ja, zo is David,' knikte ik.

'Hij mikte op mij.'

'Hij mikte naast, anders zou hij u hebben geraakt.'

'Ik had wel een ernstige verwonding kunnen oplopen!'

'Maar u bent toch niet gewond? Dus eind goed al goed.' En terwijl hij dat nog tot zich moest laten doordringen, liepen we weg om een schoonmaker te zoeken.

Meestal kon ik David wel in toom houden als ik hem vasthield. Als hij iets wilde breken, aanvaardde hij dat ik alle recht had om zijn armen op de leuningen van de buggy gedrukt te houden. Dat maakte de uitdaging van het spel groter. En als David won, behandelde ik het ook als een spel. Het was de vlugste manier om andere klanten te verzekeren dat ik de situatie in de hand hield. Er smakte een pot bietjes op de grond en ik zei: 'Goed zo, David. Eén-nul.'

Toen David ouder werd, lieten we de buggy in de auto en hielp hij het boodschappenwagentje duwen. Ik liep met mijn armen om hem heen en hield zijn handen op de duwstang gedrukt. Die houding werd mijn tweede natuur wanneer we in de gangpaden op en neer liepen, en we doodden de tijd op die regenachtige namiddag door alle boodschappen hardop te benoemen. 'Pasta, David.' *Pastadavid.* 'Kijk, Marmite.' *Kijkmammie.* 'Appels.' *Puls.* 'Wat is dat?' *Wastat.*

Ik raakte zo gewend om op die manier door de supermarkt te lopen, dat ik op een zondag bij de koekjes omlaag keek naar een kronkelend jongetje met een rood gezicht in mijn armen en besefte dat ik niet David maar James had meegenomen. 'Pap!' siste hij. 'Laat me in godsnaam los!'

Extra beveiligd boodschappen doen werkte goed in de supermarkt, maar in andere winkels had David een voorsprong. Op een middag bracht hij in een platenzaak in Park Street zo veel schade toe dat we blij mochten zijn dat we niet werden gearresteerd. Meestal kalmeerde muziek hem: ik snuffelde door de rekken terwijl hij wegdroomde op Mogwai of Goldfrapp. Maar deze keer werd hij wakker, greep hij een handvol cd's en smeet die als een frisbee tegen de muren. Terwijl ik me verontschuldigde en hem naar achteren trok, haakte hij zijn voet achter een cd-rek en trok het omver.

Het personeel achter de toonbank moest ons hebben gezien als een stel vandalen, of misschien een stel zware jongens van een protectiecircuit. Ik zie er niet uit als een ingehuurde krachtpatser, maar David zette zijn beste beentje voor met zijn imitatie van Mad Frankie Fraser. Het lukte ons hem ondersteboven in zijn buggy de winkel uit te dragen en hij lachte tot de tranen uit zijn ogen spoten als bij een clown.

'Dat vond hij leuk,' zei ik.

'Ten koste van ons,' snauwde de manager.

David zag overal dingen die hij kon breken. Een ciderfles in de goot of een groot bierglas op een muur waren een makkelijke prooi. Hij had ze op de stoep kapot gegooid voor ik er zelfs maar erg in had. Mensen staarden naar ons en schreeuwden soms commentaar uit het raam, maar in mijn ogen was David onschuldig. Er waren lege flessen binnen handbereik omdat studenten en goedbetaalde kantoorwerkers dronken van de ene kroeg naar de andere wankelden, en de gemeente drankvergunningen verstrekte aan elk derde adres op een stuk van tweeënhalve kilometer op Whiteladies Road. Wie David de schuld gaf, sloot de ogen voor de werkelijke problemen.

Hij was ook niet de enige persoon die het lege glaswerk kon oprapen... Hij was gewoon de enige die er oog voor leek te hebben. Op een middag stak hij zijn hand uit om een wijnfles uit een portiek te pakken, maar hij genoot er net iets te lang van: ik griste hem uit zijn hand. De volgende dag werd hij verraden door zijn opwinding. Toen we bij het bewuste portiek kwamen, stond de fles er nog steeds en David sidderde van de voorpret. Ik stuurde hem eromheen. Hij zette zijn tenen schrap, trok zijn keel open en ramde met zijn hoofd op mijn handen toen ik de stangen van de buggy bedekte. 'Je mag schreeuwen wat je wilt,' zei ik, 'maar we gaan niet terug.'

Maar de volgende dag stond de fles er nog steeds. Ik miste de kracht voor een nieuwe driftbui. De ruggen van beide handen zaten van mijn polsen tot de knokkels onder de blauwe plekken van Davids headbangen.

Dus keek ik de andere kant op en liet ik hem de fles in het portiek kapotslaan. De volgende keer dat we erlangs kwamen, waren de scherven opgeveegd. Hij zal wel op iemands geweten hebben gewerkt.

Maar andermans geweten bezorgde ons problemen. Elke woensdag gingen de recycledozen op straat. David zag wodkaflessen die knalden als ballonnen, bruine bierflessen die in duizend stukjes konden vergruizen, wijnflessen van dik groen glas die stuiterden, champagneflessen die ploften. Guinness-flessen die veranderden in strookjes glas als een vliegerstaart, bijeengehouden door het etiket; alles stond door elkaar in zwarte dozen voor huizen in elke straat.

David dacht dat ze daar stonden om hem in verleiding te brengen. Naar mijn idee stonden ze daar om het leven net een stukje riskanter te maken. De meeste konden we omzeilen, maar als de stoep niet breed was, of er een slecht geparkeerde auto in de weg stond, moesten we een omweg over de straat maken. Soms scoorde David een punt door een fles op een oprit kapot te gooien. We stopten nooit om onze excuses te maken, omdat David dan zou aannemen dat hij gratis met het hele krat aan de gang kon. Ik versnelde gewoon mijn tred in de hoop dat niemand ons had gezien en het slachtoffer de schuld zou geven aan baldadige studenten of dronken kantoorpersoneel.

De luidruchtigste, meest boze en langste driftbui die hij ooit tijdens een wandeling heeft gehad, werd veroorzaakt door zo'n zwarte doos. David had zijn buggy verlaten, draafde door een straat met kinderhoofdjes in Brandon Hill en ik zwoegde naast hem voort. Hij had op de schommels gespeeld en ik wilde dat hij zo veel mogelijk lichaamsbeweging kreeg voordat ik hem weer in de stoel gespte. Toen hij de zwarte doos zag, stoof hij er zonder erover na te denken op af, zonder het te verdoezelen, het was gewoon een frontale aanval.

Het was een steile heuvel en er was geen sprake van dat ik hem kon tegenhouden als ik de buggy niet losliet. Die stuiterde langs geparkeerde auto's terwijl ik langs de kasseien omlaag glibberde en één arm om Davids middel sloeg. Hij dook net in het krat toen ik hem vasthad. Mijn ogen waren op de buggy gericht die zich in de richting van een splitsing met een drukke weg aan de voet van de heuvel stortte. Ik kon niet voorkomen dat David een bierflesje in de goot kapot gooide, maar kon hem wel naar achteren trekken. Hij schreeuwde het uit van woede.

Het wandelwagentje maakte een salto en belandde op zijn zij. David schopte en maaide zo wild om zich heen dat ik hem niet kon optillen, dus sloot ik mijn armen om zijn borst en liep achterwaarts met hem de heuvel af. Het was de enige manier om hem weg te krijgen en in evenwicht te blijven.

Hij was des duivels. Zijn vuisten beukten tegen zijn gezicht. Zijn geschreeuw vulde de straat. Het moest geklonken hebben alsof hij werd vermoord. Vijf deuren hoger boog een vrouw zich uit het raam en riep: 'Kan ik u soms helpen?' Ze klonk boos en bang. Ze wilde niet weten of we haar hulp konden gebruiken, ze bedoelde dat we moesten opduvelen anders belde ze de politie. Ik worstelde David in zijn buggy, maakte zijn gespen vast en kantelde hem naar achteren zodat zijn voeten niet bij de grond kwamen.

Hogerop in de straat stond de vrouw nog steeds nijdig naar ons te kijken, mijn lichaam stond strak van de adrenaline en emotie. Ik wilde terugschreeuwen: 'Hoe durf je! Hoe durf je boos op hem te zijn, hij is pas zeven. Dacht je soms dat hij het leuk vindt om zo te zijn? Dacht je soms dat zijn moeder en ik hem zo gewild hebben? Denk je überhaupt wel eens na?'

Ik had de neiging het krat zelf om te keren en alle flessen eigenhandig kapot te gooien door ze zo hard als ik kon tegen de grond te smijten. Honderd stuks hadden misschien één procent van de frustratie die ik toen voelde kunnen verlichten.

Op dat ogenblik begreep ik waarom onze zoon zo wanhopig graag flessen wilde breken. Ik reed met hem naar huis en zijn voeten stampten op de voetenplaat. We moesten nog anderhalve kilometer toen een van de buggyriemen het begaf en het canvas zitje zich als een inklappende ligstoel om hem heen vouwde. De rest van de weg trok ik hem achteruit.

# *Twaalf*

Dat was niet het eerste wandelwagentje dat hij had vernield. Het was niet eens de derde of de vierde. De geduldige en vergevingsgezinde mensen van de South Mead Wheelchair Services stelden een stoel met een buizenframe voor, een kinderversie van de volwassen rolstoel. Omdat ik lange benen heb, leverden ze me een model met verlengde handgrepen. Die braken tijdens het eerste uitstapje. Ik maakte de wandeling voorovergebogen af, want ik moest de stoel aan zijn armleuningen voortstuwen. We reden langs een man die we elke middag zagen: als het niet sneeuwde, stond hij altijd tegen de muur van zijn tuin geleund in een boxershort een boek te lezen. 'Als je zo doorgaat, heb je straks zelf een rolstoel nodig.'

'Die heeft dan een achtcilindermotor en messen in de wieldoppen,' beloofde ik. 'Dan neem ik wraak.'

Ik zei het luchtig om te verdoezelen hoezeer het me ernst was. Daar zijn remmingen voor: om ons duisterste instinct te begraven, om het alleen met mondjesmaat naar buiten te laten komen, bij wijze van grapje. Maar David had geen remmingen. Het enige wat hij had was mij, Nicky en zijn leerkrachten, die zich op hem stortten wanneer zijn vernielzuchtige neigingen te veel slagkracht hadden verzameld.

Dikwijls lukte dat niet. Als David zijn score kon bijhouden zoals een piloot in oorlogstijd elke overwinning op de neus van zijn straaljager noteert, zou hij van top tot teen beschilderd zijn met piratendoodskoppen. Een van zijn mooiste en vroegste overwinningen behelsde een gloednieuwe oven: die had een deur die naar voren omlaag klapte en de installateur had hem die ochtend geplaatst. We draaiden ons even om toen we de verpakking uit de keuken verwijderden en hij sprong. Of stuiterde.

Hij sloeg de voorklep met de veer omlaag en wipte erop; waarschijnlijk zag die eruit als een uitklapbare trampoline. De oven kantelde naar voren, de klep begroef zich in de houten vloer en David stortte door het Pyrex-raampje. Toen we de keuken in holden, stond hij in de scherven met de metalen deur als een hoelahoep om zijn middel. Er was geen spoortje kwade wil, hij was gewoon een energieke jongen en de wereld was zijn klimrek.

Na lange onderhandelingen betaalde de verzekering uit, maar ons eigen risico werd drie keer zo hoog. David was natuurlijk niet gewond, hij was er gewoon voor in de wieg gelegd om een keukenapparaat van vijfhonderd pond op zijn sokken te vernielen.

Maar ovens konden tenminste worden vervangen. Op een avond viel Nicky in slaap toen ze David in bed legde. Hij verwacht dat ze naast hem zit tot hij snurkt, of dat nu een half uur of drie uur kost. Nu zag David zijn kans schoon om eens een theorie te beproeven: op mamadingen kun je lekker stuiteren.

Misschien kwam het van het krakende bed, of was het gewoon een voorgevoel, maar Nicky werd wakker en zag David als een boosaardig duiveltje over haar heen gehurkt met zijn tenen schrap gezet tegen het hoofdeind. Die voeten konden dwars door Pyrex stampen; een badstof ochtendjas zou haar ribben niet sparen. Het lukte haar zich gauw op haar zij te wentelen toen hij naar haar borst sprong, en hoewel ze er een blauwe plek op haar arm aan overhield, was ze niet ernstig gewond. Maar het zou heel lang duren voordat ze weer rond Davids bedtijd in slaap viel.

Hij wilde haar natuurlijk geen pijn doen. Hij was dol op haar. Een leven zonder zijn mama was letterlijk ondenkbaar. Maar de oven werd vervangen nadat hij hem had vernield, en we konden hem niet uitleggen waarom mensen anders waren... hij incluis.

David kreeg eens een plastic gelhandschoen op zijn verjaardag. Het was zo'n zachte, drillende handschoen met puntige knokkels, en hij vond het lekker om die te dragen. We dachten dat hij geïntrigeerd zou zijn door de combinatie van sensaties en textuur. We kennen hem nu al zo lang, en we zijn nog steeds zo onnozel.

Toen ik op een zaterdag naar de krant was, moest Nicky het zoals altijd alleen met beide jongens zien te redden. James was boven en David klampte zich vast aan zijn moeder terwijl ze boterhammen sneed in de keuken. In de gang brandde een geurkaars.

En opeens klampte David zich niet meer aan Nicky vast. Ze zag hem niet weggaan, ze hoorde alleen het brandalarm.

David was de gang in geglipt, had zijn handschoen uitgetrokken en die op de kaars gelegd. De gel explodeerde en spatte hem van neus tot knieën onder, en de handschoen brandde met een vlam van een halve meter. Gelukkig was het bijna recht onder een brandmelder en kon Nicky de vlammen met een schooltas uitslaan.

Als ze niet zo dicht in de buurt was geweest, of als ze gauw iets had moeten halen om de vlammen te bedekken, hadden die zich meester kunnen maken van het meubilair of van David.

Hij vond het een fantastisch experiment. Hij is zeker van plan het te herhalen als hij er ooit de kans voor krijgt. Explosie, zuil van vuur, verwoesting van een stuk speelgoed, schreeuwende moeder, snerpend brandalarm: het was een doorslaand succes. Hij had natuurlijk geen notie dat hij gewond had kunnen raken, of dat het huis had kunnen afbranden. Hij kan zich consequenties letterlijk niet voorstellen. Zijn brein is niet tot verbeelding in staat.

Doorgaans hóéfden wij ons de consequenties niet voor te stellen: wij moesten alleen maar aan het geld zien te komen om ze te betalen. Een harddisk vol muntjes; videoapparaten vol appelsap of jamgebak, pleisterwerk dat loskwam van het plafond onder de badkamer; een pot met kalk over de traploper; versplinterde stoelen; verscheurde boeken; cd's en dvd's tussen de vloerdelen; gekrast, gedeukt en half vernield meubilair; gebroken spiegels en lijstwerk, balpenkrassen op elke muur; autobekleding onder de zwarte Ribena-vlekken en ingewreven cornflakes; honderden kop en schotels en borden en glazen vernietigd, waaronder een Wedgwood kaasplateau dat van Nicky's moeder was geweest, matrassen en banken doorweekt van de melk; in één slaapkamer is alle behang verdwenen.

We schertsten dat hij bezeten was van de geest van Keith Moon, de duivelse drummer van The Who, die tv's uit hotelkamers gooide en met een Rolls Royce een zwembad in reed. David was een geboren rockster. Een manier om hem in bedwang te houden heette zelfs *hardrockstoel*, een knusse houten stoel met een tuig voor zijn lichaam en riempjes om zijn enkels en een plateau dat over zijn knieën klapte. De basis was zo breed als een tafelblad en de stoel kon dus niet omvallen. Dit was een extra beveiligde stoutheidsmaatregel.

De school had hem met onze steun geïntroduceerd toen David promoveerde naar het bekogelen van bewegende voorwerpen. Hij was een jaar of zeven, en bekers kapot gooien was te makkelijk geworden. Hij had behoefte aan de extra uitdaging iets te raken wat hem probeerde te ontwijken. Het was een eenzijdig spel. Andere kinderen wilden niet meedoen, maar David kon dat niet weten. Je kunt net zo goed tegen Wayne Rooney zeggen dat de voetbal niet getrapt wil worden.

Toen David op doelen wilde oefenen, voldeed alles als projectiel. Het kon zo klein zijn als een speelgoedautootje of zo groot als een stoel: hij gooide nooit mis. Zijn onderwijzeres meldde dat hij een medeleerling had getroffen met een kartonnen bekertje vol rode verf, door het over een aansnellende volwassene heen te gooien. David zag het gevaar, timede zijn maatregel en scoorde een voltreffer. Als verfwerpen een erkende sport zou zijn, zou hij een gouden medaille winnen.

Op een zaterdag haalde hij alle blikjes uit de keukenkasten en maakte er torens van, zoals lieve autistjes in de boekjes doen. Daarna gooide hij ze naar Nicky. Ze moest zich verdedigen met een dienblad en al haar geschreeuw haalde niets uit tot zijn munitie op was. Daarna kroop hij bij haar op schoot en eiste hij gekieteld te worden. Want van alle beminden houdt David het meest van zijn mama.

Toen hij sneller en sterker werd, begonnen we ons ernstig zorgen te maken. Het besluit om een hardrockstoel te gebruiken was niet lichtvaardig genomen, maar al onze andere pogingen David te leren niet met dingen te smijten waren vergeefs gebleken. We mochten van geluk spreken dat de school ons zo steunde en dat Davids klasgenoten hem makkelijk konden negeren: de andere autistische kinderen op het schooltje zagen hem op zijn slechtst als een hinderlijk keffertje, iets waar je met een grote boog omheen moest lopen als het kon.

Als we hem konden doen inzien dat het gooien van dingen hem een poosje in de hardrockstoel opleverden, leerde hij zich misschien te gedragen. Het was een vage hoop, maar de keuzen waren beperkt. We konden David nooit slaan: we zouden ofwel geweld met voorbedachten rade gebruiken tegen een kind dat niet eens kon praten, of we zouden tegen hem tekeergaan in een spontane woede-uitbarsting. Beide waren ondenkbaar.

Briarwood had een hardrockstoel en we installeerden er thuis ook een, om hem te laten begrijpen dat de straf voor het bombarderen van zijn ouders en broer altijd een verblijf in de stoel zou opleveren. We probeerden er geen acht op te slaan dat hij het heerlijk vond om erin te zitten: de stoel was veilig, comfortabel en vertrouwd.

Niet alle brokken in huis waren het gevolg van Davids gooi- en smijtwerk. Hij brak dingen om een scala van redenen: bij wijze van experiment, omdat hij niet wist wat hij er anders mee moest doen, omdat ze hem verveelden en hij ervanaf wilde, omdat het leuk was, omdat het een gewoonte was geworden, omdat hij al dat gedoe en die aandacht leuk vond en soms gewoon omdat hij dingen wilde weggooien.

Eén hectische zomer vernielde hij alle video's die hij jarenlang met argusogen had bewaakt. Hij was blij om ze kwijt te zijn. Hij was er dol op, maar ze maakten hem niet gelukkig.

David had altijd meer van tv-kijken gehouden dan James. Hij hield van de voorspelbaarheid en volledigheid van video's: elke band begon in stilte met copyrightverklaringen; voor de reclame voor andere video's kwamen de fanfare en het logo, dan kwam de titelrol, en aan het eind van de film kwam er nog meer aftiteling en uiteindelijk het slotlogo. David wilde er niets van missen. Als de band nog niet helemaal was teruggespoeld wanneer hij op PLAY drukte, reageerde hij met het afgrijzen van een gast in een chic restaurant die een half verorberd bord eten opgediend krijgt.

Op zijn vijfde keek hij vanaf het begin tot het eind naar een *Pingu*-band, met wijd opengesperde ogen en de armpjes om zichzelf heen geslagen van de opwinding terwijl de aflevering zich ontrolde. De meeste mensen die naar een film op de tv kijken willen weten wat er gaat gebeuren. David wilde weten of hetgeen er de vorige keer was gebeurd niet was veranderd.

Zolang de band draaide, was hij gebiologeerd. Er waren dagen bij dat Nicky zelfs stilletjes de kamer uit kon. Maar wanneer de band was afgelopen, schakelde David onmiddellijk over op een driftbui. Hij wilde dat de band terstond werd teruggespoeld om opnieuw te worden afgedraaid, maar dat ging niet een twee drie, dus zette hij een keel op. Een van ons moest hem vasthouden zolang de band terugsnorde en hij brullend en kronkelend in zijn hand beet, vervolgens waren we weer terug bij het begin van *Pingu* met de copyrightverklaring en was David op slag weer stil.

We probeerden twee exemplaren van zijn lievelingsfilms bij de hand te houden, waarvan er één altijd helemaal was teruggespoeld, maar zo'n overschakeling wilde hij niet. Wanneer hij naar een band keek, moest hij absoluut zeker weten dat alle zelfde dingen zich in dezelfde volgorde afspeelden. Het was niet genoeg dat dezelfde dingen zich in dezelfde volgorde afspeelden op een ander exemplaar. Dat bewees niets.

Videocassettes gaan achteruit door veelvuldig gebruik. Ze oxideren en laten een roetachtig residu achter op de koppen, zodat er gebreken optreden. Soms duwden we een band in het apparaat en zagen we niets anders dan sneeuw op het scherm. Reinigingscassettes hielpen weinig. De op een na beste remedie was goedkoop: er kwamen een schroevendraaier en Kleenex aan te pas, plus een jongen die zo boos was dat hij zijn eigen hoofd probeerde te laten ontploffen door zo hard mogelijk te schreeuwen zolang zijn vader bezig was de ingewanden van de videorecorder te reinigen.

De beste remedie was een gloednieuwe videorecorder paraat houden in de trapkast. We kochten er in de loop der jaren zo veel dat mijn boekhouder om uitleg verzocht. Volgens mij dacht ze dat ik piratenkopieën maakte van Hollywoodfilms om op de markt aan de man te brengen.

We hoopten dat dvd's het merendeel van die problemen zouden

oplossen. Die kon je met een doekje schoonvegen, die konden meteen weer opnieuw beginnen en ze desintegreerden niet in de dvd-speler. Ze hadden ook niet de vorm van een band: we gaven David *Pingu* op schijf en hij bekeek twee afleveringen met puriteinse verontwaardiging. Daarna schoof hij de dvd's onder de vloerdelen in onze slaapkamer, bij zijn tweepondsmunten en bankpasjes en verdwaalde sleutels en een heleboel andere voorwerpen die David nutteloos vond.

Op zijn negende had David genoeg video's om zijn slaapkamer met een mozaïek van zwart plastic te betegelen. Dat was mijn eigen schuld, ik kan niet langs een tweedehandswinkel lopen zonder even op de boekenplanken te grasduinen, en toen de video uit de tijd raakte en Davids leeftijdgenoten *Teletubbies* en *Pingu* ontgroeiden, stroomden de koopjesbakken bij Oxfam en Clic over van banden die een halve pond kostten. David kocht er stapels tegelijk. Hij had het vooral gemunt op alles met het BBC-merk. Hij zag de hele serie van *Poldark* en *The Onedin Line*, *The Fast Show* en *Absolutely Fabulous*, de documentaires van David Attenborough en de lezingen van Reith, hoogtepunten van de sport en popconcerten, alleen maar om het wervelende omroeplogo te zien en de herkenningsklanken te horen. Maar twee keer kijken hoefde niet, één keer was voldoende om vast te stellen dat het logo op de juiste plek verscheen.

Elke avond zette hij voor hij in bad ging een video met meezingliedjes op die *Let's Go to Disneyland Paris* heette en tijdens de eerste paar nummers legde hij rijen banden kriskras op zijn bed. De meeste etiketten had hij eraf gepeuterd en toch kon hij de cassettes nog steeds op zijn gevoel uit elkaar houden. Wij moesten ze oprapen en naar de kleine lettertjes op de zijkant turen, maar David vond de juiste door ermee te schudden. Misschien verschilden ze een fractie in gewicht of rammelden ze gewoon anders.

Elke band had zijn eigen vaste plek en als hij het juiste exemplaar van *Brandweerman Sam* niet kon vinden om de pauze tussen *Dad's Army* en *Top Gear* op te vullen, zou hij die avond niet in slaap vallen. Wanneer de catalogus compleet was, kwam hij weer naar beneden om de volgende waterval van cassettes op de bank te rangschikken. Daarna kon hij zich pas ontspannen en het zich veroorloven om een sloot badwater op de grond te laten klotsen, voordat hij meezong met Japie Krekel tijdens de finale van de video en een in duet gezongen versie van 'When You Wish Upon A Star'.

Het was een leuke, opgewekte regelmaat. Hij werd er ook gek van.

Davids angst voor het verstoren van patronen had een bijgelovige intensiteit. Als je aan één los draadje van de stof van de werkelijkheid trok, kon het hele universum instorten. Maar in zijn bedtijdroutine waren talrijke losse draadjes: hij kon zo veel video's kwijtraken, er konden zo veel reeksen verknald worden. Hij was op van de zenuwen en moest de losse eindjes van zijn kosmos elke avond aan elkaar knopen.

Toen zijn *Disneyland*-band in het apparaat brak, was hij verontwaardigd en opgewonden. Het eind van de wereld was in zicht en eerlijk gezegd zou dat wel een beetje een opluchting zijn. Toen we de band met plakband hadden gerepareerd en de wereld niet ten onder leek te zijn gegaan, kreeg de regelmaat weer een complexe laag: elke avond wilde hij de band met zijn vingers breken en moesten wij hem weer maken.

De genezende krachten van plakband waren zo fantastisch dat David ze overal toepaste. Als zijn handen vuil waren of zijn voeten pijn deden, deed hij er meters plakband omheen. Toen zijn pyjamabroek scheurde, gebruikte hij een hele rol om de pijpen aan elkaar te plakken.

Elke maandag ging hij naar de Openbare Bibliotheek. Hij koos een video uit om te lenen, maar voordat hij ernaar kon kijken, moest hij stroken plakband over het etiket plakken. Toen hij alle banden van de BBC en documentaires had gehoord en gezien, werkte hij zich door een serie Disney-films die in het Spaans waren nagesynchroniseerd. Een van de bibliothecaressen vroeg elke week: 'Je weet toch dat deze in een vreemde taal is?' Dan zei ik: 'Dat zit wel goed. David spreekt geen Engels.'

Wanneer de bibliothecaresse hem de band gaf, gooide David de doos weg en drukte hij de cassette dicht tegen zich aan. Wanneer we hem terugbrachten, was hij overdekt met een dubbele laag plakband. Het personeel klaagde nooit. Jarenlang accepteerden ze mijn excuses wanneer ik uitlegde dat David de band in de haven had gegooid, of de verpakking had opgegeten, of de band kapot had getrokken, of het etiket eraf had gescheurd.

Het was een prettig besef dat David welkom was in de bibliotheek. Het personeel bewees geen lippendienst aan het een of andere politiek correcte openhuisbeleid, ze waren oprecht vastbesloten om de bibliotheek voor iedereen toegankelijk te maken. Toen David op een middag de gewijde stilte verbrak met het gebrul van een cowboy op een rodeo, kwam een van de medewerksters zeggen hoe heerlijk ze het vond om zo'n vrolijk kind te zien.

Nicky en ik hadden al lang geleden besloten David overal bij te betrekken en dat iedereen die dat niet zag zitten thuis achter de gordijnen kon blijven. Niettemin was het welkomstgevoel in de bibliotheek en veel andere plekken een pak van ons hart.

Het bibliotheekpersoneel luisterde zelfs geduldig wanneer ik uit mijn dak ging van Davids jongste linguïstische vordering. Hij had een grammaticaregel ontdekt en geleerd om die toe te passen. Goed, het was Spaanse grammatica en bovendien zo fout als wat, maar het sloeg wel ergens op. Hij had de video van *Los Aristocatos* gezien en besefte dat hij een Spaanse versie van elke film met een 'Los' en een 'os' kon maken. David verzon voor- en achtervoegsels. Nu eiste hij zijn beloning op: *Los Bambios, Los Robin Hoodos* en *Los Beauty and the Beastos.*

Hij aanbad zijn video's. Hij kon ze urenlang opstapelen, sorteren en bestuderen. Bijna zijn hele echolalie was erop gericht. Daarom kwam het zo onverwacht dat hij ze vernietigde.

Het begon in Nanny's Chalet, het zomerhuisje dat mijn ouders hadden aangehouden toen ze na mijn vaders pensioen naar de kust van Wales verhuisden. Ik ging er vier of vijf keer per jaar met David naartoe om er een paar nachten met hem te logeren. Er was altijd een assortiment van zijn favoriete films beschikbaar in een glimmende kartonnen boodschappentas van Debenham's. Die tas werd regelmatig van nieuwe films voorzien door mijn tante Barbara, die armladingen video's ophaalde van tombola's die ze hielp organiseren.

Wanneer we arriveerden, was het Davids taak om de tas met video's op het kleed om te keren, elke cassette uit zijn doos te bevrijden, de ongewenste video's in precies hetzelfde chaotische patroon te verspreiden als de voorgaande keer en een exemplaar van Disney's *Aladdin* in het apparaat te schuiven. Daardoor had ik ongeveer vijftien seconden om de elektriciteit aan te zetten en batterijen in de afstandsbediening te doen, voordat ik de woorden op de doos hardop moest voorlezen plus elke titel op de toegevoegde reclame moest noemen.

Het was eenvoudig: op zijn negende had David zijn hele familie gedrild om gesmeerde onderdelen van zijn precisieapparaat te zijn. Nicky pakte een koffer vol bijpassende kleren en paren reserveschoenen voor hem in, oma bakte een schaal flensjes, opa voorzag hem van voldoende muntjes van twintig penny's en een pond voor de ritjes in de speelhal. Ik hoefde alleen maar de elektra in te schakelen en voorkomen dat David de schapen iets aandeed.

De videorecorder was niet zo'n gesmeerd apparaat. Hij was zo oud dat er nog steeds kanalen op geprogrammeerd stonden als ATV en Southern television. Meestal werd hij niet gebruikt. Wanneer Nicky en ik met James naar het zomerhuisje gingen, tijdens Davids lange weekeinden in Church House, keken we als het regende naar dvd's op een laptop. Maar in etappes van achtenveertig uur, wanneer David en ik naar Wales gingen zodat Nicky tijd met James kon doorbrengen, kreeg die oude videorecorder het zwaar te verduren. En toen hij uiteindelijk bezweek, nam hij *Aladdin* mee in zijn graf.

Er klonk een zucht, gekraak en we zagen een wolkje rook. Geen geest uit de fles.

David begon te giechelen. Hij vond het leuk als dingen ontploften. Ik trok de stekker eruit en schroefde het huis los. 'Kapot,' zei ik, en ik kromde mijn tenen bij de gedachte aan de razernij waaraan hij ten prooi zou vallen wanneer hij begreep dat dit geen gewone pauze in het programma was.

Ik bracht de geblakerde recorder naar buiten met een hele sleep van band achter me aan. Ik wreef Davids vingers over het beroete mechanisme. 'Kapot,' herhaalde ik.

'Ka-pot. Ka-pot,' zei David. Hij bleef het herhalen, steeds harder, tussen manische lachuitbarstingen door, tot hij ineenzakte en zichzelf buiten adem giechelde. Toen oma kwam om zijn hand vast te houden wanneer hij ging slapen – ook een van haar taken – kon hij alleen nog maar naar de slaapkamer wankelen. Hij lag te happen naar lucht toen ik zijn tanden poetste en daarna viel hij stuiptrekkend van de lach in slaap. De hele nacht bleef hij wakker worden en 'Ka-pot!' roepen en zichzelf weer in slaap lachen.

'Hij is een blij jongetje,' zei mijn moeder tegen de buren, en dat was zo, op dezelfde manier als Billy the Kid een stoute jongen was en Olga Korbut een lenig meisje.

De volgende avond hadden we al een andere videorecorder en David was teleurgesteld dat die niet ontplofte, gedurende de hele video van *Sneeuwwitje* was hij ongedurig en ongeduldig. Toen de film was afgelopen – eerder was ondenkbaar – holde hij naar het apparaat, trok de cassette eruit, vernielde de band, krijste 'KA-POT!' en smeet hem naar buiten de heuvel af.

Hij zou hetzelfde hebben gedaan met de hele zak met video's als zijn opa die niet in de kofferbak van de auto had verstopt.

Toen ik Nicky over dat nieuwe spelletje vertelde, zei ze: 'Voortaan verwacht hij dat altijd te zullen doen wanneer hij naar het zomerhuisje gaat.' Wat we geen van tweeën hadden geraden, was wat hij zou doen wanneer hij thuiskwam. Voor het slapengaan rangschikte hij al zijn videobanden volgens het gewijde ritueel terwijl hij naar de meezingvideo van *Disneyland* keek, en naderhand trok hij de band kapot en gooide hij hem van de trap. De cassette viel aan stukken en bekraste de houten vloer, maar deze keer moest David niet lachen. Neerziend op zijn verwoesting stond hij boven aan de trap met samengeknepen ogen te knikken, als een Charles Bronson of Bruce Willis bij wie het idee rijpt om een hele stad met de grond gelijk te maken.

Die week vernietigde hij elke video waarop hij de hand kon leggen. Hij wierp ze tegen de muren, in het bad en naar buiten. Hij smeet elk exemplaar net zo lang tot de kleine veertjes waren gesprongen, de tandwielen erbij hingen en de plastic venstertjes ingedeukt waren. Daarna bracht hij het stoffelijk overschot naar Nicky, die het moest aanraken, de naam hardop moest lezen en 'kapot' moest verklaren.

Dat waren de heilige sacramenten van de video, daarna mocht hij in de vuilnisbak.

Niet een werd er gespaard. Hij was genadeloos. Lievelingsfilms die hij vijftig keer had gezien werden op één hoop gegooid met titels die hij maar één keer had gezien. Video's die collector's items waren geworden en tegen exorbitante prijzen op eBay te koop stonden, werden verpletterd en verdwenen in de vuilnisbak, tezamen met films die we al voor zijn geboorte van de tv hadden opgenomen. Hij speurde het hele huis af om ervoor te zorgen dat er geen centimeter magnetisch band gespaard zou worden; een zesde zintuig voerde hem naar de resterende. Ik had onze persoonlijke films, die van James en David als baby, in een doos gestopt en weggeborgen op de hoogste plank van de boekenkast op mijn werkkamer. De vloer was van beton, dus volgens mij kon hij de banden niet horen trillen wanneer hij langs stampte; ik denk dat hij ze rook. Hoe zijn detectoren ook werkten, we betrapten hem erop dat hij de boekenkast als een ladder beklom om de doos naar beneden te maaien.

Toen alle video's dood waren, kon David zich ontspannen. We waren bang geweest dat hij een onverzadigbare vernietigingslust had gevoed en dat ook boeken, kleren en meubilair het in de zuivering zouden ontgelden. In plaats daarvan verzamelde hij cd's van Disneyliedjes, niet om die af te draaien, maar om te dragen.

David behandelde cd's als namaaksieraden. Als hij ze als oorbellen wilde dragen, zouden we ons zorgen hebben moeten maken over langdurige blootstelling aan maatschappelijk werkers. Maar in feite droeg hij ze aan zijn vingers, met stapels tegelijk, als zingbare bling.

De schijven bleven niet lang afspeelbaar, maar we mochten er kopieën van maken. Zodoende hadden we een eigengemaakt exemplaar bij de hand wanneer er een cd brak, of als het gaatje aan de zilveren kant beschadigd was. David was in zijn obsessies zo gemakkelijk geworden, dat hij die DHZ-labels echt leuk vond.

Om de paar dagen koos David een video van een halve pond in de tweedehandswinkel, die hij één keer bekeek en vervolgens vernietigde. Hij was vastbesloten nooit meer een slaaf van zijn collectie te worden.

Hij kwam ook met een andere verandering: alle programma's moesten ondersteboven gevolgd worden. Dat wilde niet zeggen dat David op zijn hoofd ging staan. Zijn draagbare tv met ingebouwde videospeler zat aan de wand en aan zijn kast bevestigd, maar hij kreeg hem los en zette hem ondersteboven op het kleed. De eerste video die hij aldus zag was *Postman Pat*, en Nicky riep me om te vertellen wat er gebeurde. Ik staarde naar het beeld en even begreep ik niet wat ik zag. Een postbusje reed als een gekko langs het plafond van het scherm, maar nog veel vreemder waren de kleuren, die waren allemaal veranderd.

De lucht was rood. De weilanden waren geel. Pats busje was blauw. Door de tv om te keren had David de kleuren binnenstebuiten gekeerd. De zwaartekracht had het spectrum omgedraaid. David leek er geen erg in te hebben – want de soundtrack was nog steeds dezelfde – maar de beelden waren amper te herkennen.

'Het is net als dat Beatles-nummer over *marmelade in the sky*', zei ik en ik neuriede een regel.

David sloeg fronsend een hand voor mijn mond. Mijn zingen heeft hij nooit om aan te horen gevonden.

Ik moet altijd aan die omgekeerde tv denken wanneer iemand opmerkt dat 'autisme ons leven op zijn kop' moet hebben gezet.

Dat is zo. Wat moeilijk onder woorden te brengen is, is hoe totaal alles daardoor verandert. Het is niet alleen dat de wereld op zijn kop staat, het is de wijze waarop alle vertrouwde elementen van ons huwelijk en ons gezinsleven onherkenbaar zijn veranderd. De lucht is rood, de weilanden zijn geel en onze kleine jongen probeert alles een plaats te geven terwijl hij door het verkeerde eind van een caleidoscoop kijkt.

# *Dertien*

David slaapt als ik dit schrijf. Nicky en ik hebben samen naar hem staan kijken. Ze heeft me met zachte hand teruggebracht naar het toetsenbord, omdat ze weet dat ik dit hoofdstuk niet wil schrijven. Ik ben klaar wanneer ik lang genoeg naar hem heb gekeken om te weten dat hij in bed ligt en veilig is. De ramen zitten op slot, de deuren zijn vergrendeld, de sleutels zijn verstopt.

Hij is nu elf jaar oud, maar als hij slaapt, lijkt hij niet ouder dan drie. Er heeft zich geen spoor van ervaring op zijn gezicht afgetekend: hij is een onschuldige engel. Gouden krullen vallen om zijn omhoogkrullende mondhoeken, alsof hij heeft geposeerd voor een suikerzoete victoriaanse schilder. Hij lijkt nog niet eens oud genoeg voor de kleuterschool, laat staan voor de middelbare school.

Het is een gelukzalige slaap, omdat hij geen angst kent. David heeft nooit een nachtmerrie. We weten zeker dat hij droomt, omdat we zijn ogen onder zijn oogleden zien bewegen wanneer hij in zijn slaap woorden uit zijn video's roept. Maar hij is nog nooit zwetend en angstig wakker geworden. Wij denken dat dit komt omdat hij geen idee heeft van dood. Zelfs onbewust kan hij zich niet voorstellen dat hem of zijn familie iets verschrikkelijks kan overkomen. Hij is niet geprogrammeerd voor nachtmerries.

Maar Nicky en ik hebben wel onze nachtmerries en dit is er een van.

Toen David acht was, ging hij op een dinsdagochtend bijna dood.

Hij was voor zes uur op en hangend over het meubilair terwijl hij handenvol droge cornflakes in zijn mond propte, sloeg hij zijn moeder gade die zich opmaakte om naar haar werk te gaan. Om kwart voor zeven was hij aangekleed en klaar om naar school te gaan, al was zijn grote broer nog niet eens wakker. We zwaaiden Nicky uit. David was niet blij haar te zien gaan, maar had geleerd te aanvaarden dat ze eens per week het huis verliet. Later leerde hij ermee leven door zich op te sluiten in de huiskamer met de ontbijt-tv op hoog volume. Hij hield van het GMTV-logo en de herkenningsmelodie.

Davids schoolbus zou hem een kwartier later komen halen. Ik zat in de keuken in mijn spijkerbroek, T-shirt en teenslippers de krant te lezen. Een paar minuten later viel het me op dat de tv te hard aanstond. Ik ging hem lager draaien en zag dat de deur van de huiskamer openstond.

De voordeur ook.

Om te ontsnappen had David een klink, een ketting, een slot en een grendel moeten openmaken. Bovendien had hij het stilletjes gedaan. Dat moest tijd hebben gekost en Nicky was pas een paar minuten daarvoor naar haar werk vertrokken. Ik wist zeker dat David niet meer dan een halve minuut voorsprong op me kon hebben, en ik dacht dat ik hem op de tuinmuur zou vinden, waar hij op de bus wachtte. Maar daar zat hij niet. Hij was de voordeur uit gehold en verdwenen, en dat was iets wat hij sinds zijn tweede jaar niet meer had gedaan.

Het was geen impulsieve daad geweest. David dacht over alles na. Dit was voorbereid. Waar hij ook ging, hij had altijd een bestemming of een oogmerk.

Mijn eerste gedachte was jamgebak, maar ik kon de hele straat overzien en hij was nergens te bekennen. Hij moest heuvelafwaarts zijn gelopen, weg van de bakkerij, tenzij hij door het steegje naast het huis was gehold.

Ik rende met klapperende teenslippers het steegje in. Voorbij het eind van onze achtertuin was een trapje dat naar een doodlopend stuk afdaalde en bovenaan bleef ik even met gespitste oren staan luisteren. Het had geen zin om te roepen, omdat David geen antwoord zou geven, maar als ik goed luisterde, hoorde ik hem misschien zingen.

Het enige wat ik hoorde was het sissen van de banden van de auto's op de hoofdweg verder naar beneden en het toenemende bonken van mijn hart.

Ik holde terug naar huis om te kijken of hij niet toevallig via de achterkant weer naar binnen was geglipt. Daarna haastte ik me heuvelafwaarts.

Die kant ging zijn bus elke ochtend op. Hij sloeg scherp links af en reed naar beneden om zich bij de verkeersstroom te voegen die naar het centrum raasde.

De gedachte dat David misschien die kant op was gegaan, dat hij alvast naar school was gegaan zonder de bus af te wachten, en dat hij tussen de auto's door holde, maakte me misselijk. Hij was een minuut of drie uit mijn gezichtsveld geweest. Dat was lang genoeg om bij de weg te komen. Ook al kon ik er onmiddellijk zijn, dan kon het al te laat zijn om een ongeluk te voorkomen.

Een van onze buren, iemand die ik wel had gezien maar nooit had gesproken, riep: 'Was dat niet uw zoon die ik daarnet zag weghollen? Hij reageerde niet toen ik iets tegen hem zei.'

'Hij is toch niet de kant van de hoofdweg op gegaan, hè?' vroeg ik smekend.

De man keek onzeker. 'Hij zou toch niet proberen over te steken?'

Ik holde zo hard als mijn teenslippers me wilden dragen. Op de splitsing bleef ik staan om naar beneden te kijken, naar het verkeer dat honderd meter verderop in beide richtingen raasde. Van David was geen spoor. Er was ook geen teken van een ongeluk; de auto's namen geen gas terug.

Ik had de knagende angst, als een voorgevoel, dat ik David net voor een auto zou zien springen om overreden te worden als ik naar beneden holde, en wat ik ook deed, ik kon het niet voorkomen. Onverdraaglijk. Er moest een andere mogelijkheid zijn, een andere splitsing in de toekomst.

Misschien was hij helemaal niet de kant van zijn school op gegaan. Misschien was hij naar het park gelopen en volgde hij onze route voorbij de kruising naar rechts. Zo liepen we altijd. Het leek mogelijk, het leek zelfs logisch. En het betekende dat ik niet naar de hoofdweg beneden hoefde. Dus zette ik het weer op een lopen en keek halsreikend in elke oprit, voor het geval David iemands portaal in was geschoten.

Halverwege de straat riep ik zijn naam. Hij zou er niet naar luisteren, maar als hij op afstand werd gehouden door een geschrokken huisvrouw, zou die misschien iets terugroepen. Niemand gaf antwoord. Nu kon ik de hele weg naar het park overzien. David was deze kant niet op gegaan.

Ik maakte rechtsomkeert en holde weer terug. Ik had een dikke brok in mijn keel. Een auto kwam achterwaarts uit een oprit en ik struikelde eromheen. Toen ik weer voorbij de kruising rende, staarde ik naar het verkeer beneden om te kijken of er een auto was gestopt, ik wierp een blik over mijn schouder en knalde tegen een lantaarnpaal.

Een fractie van een seconde dacht ik dat iemand me een oplawaai had verkocht. Daarna stuiterde ik opzij, betastte mijn gezicht en voelde het bloed uit mijn neus stromen terwijl de tranen in mijn ogen welden.

Het deed zeer, maar de pijn speelde zich ergens onder de oppervlakte van mijn paniek af. Ik sloeg er geen acht op. De buurman die David had gezien was nog steeds buiten en zijn vrouw had zich bij hem gevoegd. Ik greep ze met beide handen aan als excuus. Ze waren de enige reden die ik overhad om bij de hoofdweg vandaan te blijven.

De tranen biggelden over mijn gezicht toen ik naar het stel wankelde. Die konden niet weten dat mijn ogen traanden omdat ik zojuist mijn neus had gebroken. De man vroeg of ik al naar de hoofdweg was gegaan en ik kon de woorden niet vinden om te vertellen waarom ik de andere kant op was gegaan. 'Stel dat David weer terugkomt terwijl ik hem aan het zoeken ben?' zei ik zwakjes. Het stel beloofde naar hem uit te kijken.

Er stopte een auto. Even dacht ik dat de chauffeur de weg wilde vragen, maar toen keek ik in de auto. Op de achterbank zat mijn weggelopen zoon te stralen als een filmster bij een première. Naast hem zat een vrouw die me bekend voorkwam.

De chauffeur stapte uit. Hij hield zijn mond dicht en leek niet te knipperen met zijn ogen. Hij keek zoals mensen kijken die besluiten te vergeten wat ze net hebben gezien. Op de passagiersstoel zat een tienermeisje strak voor zich uit te kijken. Ze was lijkwit.

'U hebt David gevonden!' zei ik.

De chauffeur knikte. Ik had de enige vraag beantwoord die hij wilde stellen. Hij maakte het achterportier open en de vrouw schoof David naar buiten. Hij glom.

Ik wist dat we die vrouw al eens eerder hadden gezien. Waarschijnlijk woonde ze in een van de huizen waar we op onze wandelingen langskwamen. Misschien hadden we een praatje met haar gemaakt, maar ik kon haar niet plaatsen. Ze wees naar de chauffeur, probeerde me iets over hem te vertellen, maar hij stapte alweer in.

De vrouw zag dat ik een bloedneus had. 'Bent u wel in orde?' vroeg ze.

'Nu wel,' zei ik, terwijl ik David tegen me aan drukte.

Een eindje verderop werd getoeterd. Davids bus was gearriveerd. Hij wrong zich los en draafde erheen toen de auto weer wegreed. Tegen de tijd dat ik hem had overgedragen aan de begeleider van de bus, was de vrouw verdwenen.

Nu denk ik dat David de hoofdweg op moest zijn gehold en dat de chauffeur op de een of andere manier een ongeluk moest hebben voorkomen. Zo te zien had hij geen flauw idee hoe hem dat was gelukt. En het meisje, waarschijnlijk zijn dochter die hij naar school moest brengen, evenmin. Ik denk dat de chauffeur iets naar David heeft geschreeuwd en vervolgens zag hoe bizar het kind zich gedroeg. Misschien had David wel gedanst en gezongen, of misschien lag hij op het asfalt een putdeksel te likken. Hij gedroeg zich in elk geval niet als een doorsnee schooljongen die net op wonderbaarlijke wijze aan de dood was ontsnapt.

Misschien had de vrouw bij de bushalte gestaan. Ze zal vast gegild hebben... en toen ze besefte dat de auto de jongen niet had overreden, is ze gaan helpen. Vervolgens moest ze hem hebben herkend en hebben ze hem in de auto geladen om zijn huisadres te zoeken, waar dat ook mocht zijn, omdat hij het hun niet kon vertellen. Ik heb me het tafereel vele malen voorgesteld in nachtmerries en knagende ogenblikken van overpeinzing. De bewuste vrouw heb ik nooit meer gezien en het was niet bij me opgekomen om het nummer van de auto te noteren. Als een van hen dit mocht lezen, willen zowel Nicky als ik zeggen dat we dankbaarder zijn dan we onder woorden kunnen brengen omdat jullie het leven van onze zoon hebben gered.

Toen de schoolbus was vertrokken, maakte ik een kop instantkoffie voor mezelf en schonk een beker melk voor James in. Die sliep nog en zou te laat op school komen, maar ik wilde hem niet wakker maken. Ik ging gewoon op het voeteneind naar hem zitten kijken tot zijn ogen opengingen en hij naar me lachte.

De ogenblikken dat Nicky en ik dachten dat we het met David niet konden volhouden waren zeldzaam, maar ze lieten pijnlijke littekens achter, als van brandwonden. Die ochtend was er een van: hoe konden we onze zoon veilig houden als hij niet eens het verschil tussen lol en zelfmoord kende?

Andere incidenten waren in een oogwenk voorbij, maar lieten ook ernstige brandsporen achter. Die keer dat we van de supermarkt naar huis reden en David met alle geweld op de passagiersstoel wilde zitten. Hij bleef kalm in zijn gordel zitten... tot we afsloegen naar onze straat en hij het portier opende om er bij dertig kilometer per uur uit te springen. Ik trok hem terug aan zijn haar.

Wanneer ik het gevoel had dat we het zouden afleggen, grensde mijn ongeduld tegenover mensen die het niet begrepen aan agressie. De gewone bereidheid die ik voelde om te praten en verklaren had plaatsgemaakt voor een constante staat van chagrijn, zoals de smeulende woede van een weerbarstige weggebruiker. Wie zijn stekels opzette tegen Davids excentriciteit, was de vijand. Als ze niet in een oogopslag zagen dat hij autistisch was, hadden ze kennelijk hun leven lang de ogen voor alle diversiteit en handicaps gesloten en verdienden ze geen uitleg. Voor het gemak vergat ik alle stompzinnige opmerkingen die ik zelf had gemaakt tegen ouders van andere gehandicapte kinderen rond de tijd van Davids diagnose.

Op een namiddag in het winkelcentrum behaalde ik een kleine overwinning door David over te halen een zakje patat te proberen. Het was het enige warme eten dat hij in jaren wilde aanraken; het was niet echt warm en het was niet echt eten, maar je moest het toch vooruitgang noemen. Hij haalde de frietjes een voor een tevoorschijn, bekeek ze, beet de kop eraf en gooide de rest weg, tenzij er bruine stukjes op zaten, want dan gooide hij het hele geval meteen weg. We trokken een spoor van weggegooide frietjes van het ene eind van het winkelcentrum naar het volgende. Kleine vettige plekjes waar het winkelende publiek over kon uitglijden. Hoewel ik het rondvliegende voedsel probeerde op te vangen, bleef ik niet staan om het op te rapen. Ik kon niet riskeren dat David me twee stappen voor zou zijn. Als mensen dachten dat hij een bende maakte, pech gehad. Het kon me echt niets schelen. Hij at iets en dat was het enige wat ertoe deed.

Soms bleef ik wel staan om een verklaring te geven, maar dat werd meer een schrobbering. Op een namiddag na een zware regenbui wandelden we naar huis en stuurde ik de buggy om grote plassen en andere voetgangers heen. David lachte naar de lucht en ik had tevreden moeten zijn, maar de bloeddruk tussen mijn oren was hoog genoeg om een stoommachine voort te stuwen. In het voorbijgaan zei een vrouw tegen haar vriendin: 'O, maar die is groot genoeg om te lopen, vind je niet?'

Ik liep tien stappen door en toen bleef ik staan. Ik maakte rechtsomkeert en duwde David terug, en dat was een teken hoe ontspannen hij zich voelde, want omdraaien was vaak het sein voor een schreeuwaanval. 'Hij is wel groot genoeg om te lopen,' snauwde ik tegen de vrouw, 'maar hij is ook autistisch.'

Ze stamelde: 'Ik wist niet... Ik...'

'Als ik hem uit dat wagentje liet, is het eerste wat hij doet de weg op hollen om onder een auto te komen.'

Ze leek me een aardige vrouw en ze kon wel huilen. Haar metgezel, een oudere dame, keek me fronsend aan, maar achtte het waarschijnlijk verstandiger om me te laten uitspreken en weggaan.

'Hoe erg het soms ook is,' grauwde ik, 'er zijn altijd mensen als jij die het nog erger maken.'

'Ik wist niet dat hij autistisch was,' zei ze.

'Je bent ook zo... verrekte... stom!' zei ik en ik stevende weer weg.

Natuurlijk was ik de domoor. Ik was boos op de wereld geweest, nu ging ik ook nog over m'n nek van mezelf.

Mijn korte lont maakte me niet alleen onbeschoft. Ik werd er ook agressief van. Toen ik Davids rolstoel op een namiddag op de invalidenparkeerplaats van Sainsbury in de kofferbak van de auto pakte, wierp ik een blik op het busje dat naast me stond. De chauffeur was even in de twintig, had een nek die breder was dan zijn schedel en een T-shirt waarvan de mouwen opgerold zaten zodat je tatoeages en steroïde spieren kon zien. Er blèrde rapmuziek uit het open raampje.

'Ja,' zei ik, toen ik mijn portier open trok, 'ik kan wel zien dat je gehandicapt bent.'

Hij was uitgestapt voor ik de sleutel in het contact had. Ik sloeg geen acht op de stroom van verwensingen en die vuist tegen het raampje, maar daarna rukte hij mijn portier open. Voordat hij naar binnen kon reiken om me uit de auto te sleuren, kreeg ik hem weer dicht. De portierkrukken van een Renault Scénic zijn groter en steviger aan de binnenkant en het gewicht van het portier was in het voordeel van de bestuurder, niet de razende bodybuilder.

Een ader zo dik als mijn vinger klopte van zijn slaap naar zijn sleutelbeen toen hij weer een ruk aan het portier gaf en ik gelijktijdig op de knop van de centrale vergrendeling drukte. Hij klauterde achter het stuur van zijn busje omdat hij me klem wilde rijden, maar het parkeerterrein was half leeg. Uiteindelijk nam hij er genoegen mee tien minuten voor me te blijven zigzaggen en gebaren te maken die konden betekenen 'Ik sla links af' maar waarschijnlijk iets anders beduidden.

'Hij zal zich wel twee keer bedenken voordat hij zijn auto daar weer neerzet,' zei ik tevreden tegen Nicky.

'Ja,' zei ze, 'de volgende keer neemt hij een shotgun mee.'

Ik had minder moeite met de beledigingen van dronkenlappen die op donderdag- en vrijdagavond al om zeven uur van de ene kroeg naar de andere wankelden. De meesten waren tieners of iets ouder. Allemaal moesten ze ofwel studeren ofwel op de laagste sport van een lange maatschappelijke ladder staan. Davids vooruitzichten zagen er heel anders uit, maar hij verspilde er nooit één gedachte aan.

Meestal voelde ik een beetje boosheid en een heleboel minachting wanneer groepjes meisjes en jongens Davids geluiden nadeden of riepen: 'Timmmmm-yyy!' en 'Spazz!' Toen een viertal arrogante studenten in rugbyhemden eens jouwden: 'Moet je dat grote joch eens zien, in een wandelwagentje!' draaide ik me om en zei in twee korte zinnen wat David was en wat zij waren. Een van hen haalde bleek van woede naar me uit, ik had hem iets genoemd wat hij van niemand pikte. Zijn vrienden hielden hem tegen. Daar boften we allebei mee.

David vond het niet erg. Hij had nooit iets door. Mensen staarden, wezen, maakten opmerkingen, schoven langzaam weg, en op elk mogelijk niveau zei het hem niets. Hij wist niet wat ze zeiden; het kon hem niet schelen wat ze dachten; hij erkende hun bestaan niet eens. Wat veel meer voor hem betekende was dat nieuwe woord: 'kietelen'. Wanneer hij het zei, kietelden mensen hem. Voor David was dat woord een gratis toegangsbewijs voor Disneyland en hij gebruikte het te pas en te onpas. Hij kon uren aan een tafeltje in een eethuisje of in de zandbak van de speeltuin zitten, 'kietelen' zeggen en giechelen tot zijn gezicht ervan glom.

We probeerden blij te zijn omdat hij gelukkig was en meestal lukte dat ook. We wisten dat er talloze acht- en negenjarigen in de stad waren die het heel wat moeilijker hadden. En maar een handjevol van wie het dagelijks leven van zo veel plezier en liefde vervuld was. Als andere mensen niet zagen hoe gezegend we waren, dan was dat hun zorg en niet de onze.

Maar het viel niet mee om dat perspectief vast te houden als we slecht geslapen hadden of moeite hadden voldoende uren te vinden voor zowel ons werk als onze twee kinderen. Dat waren dagen dat mijn lont extra kort en vuurgevaarlijk was. Maar de enige keer dat ik echt ontplofte, was tegen een stel van middelbare leeftijd dat op de claxon leunde omdat David voor de ingang van hun tennisclub lag. Naast hem lag zijn rolstoel op z'n kant, hij had het duidelijk erg moeilijk en wat ik allemaal naar hen schreeuwde kwam ze toe. Maar het zou handiger en bevredigender zijn geweest om niet driftig te worden: 'Mijn zoon is gehandicapt. Dat is zijn rolstoel. U ziet toch dat hij geschrokken is, waarom toetert u dan zo?'

De keerzijde was het plezier als mensen niet konden peilen wat David aan het doen was. Ze konden zien of horen dat David gehandicapt was en wilden eigenlijk niet meer weten.

Toen *The Lion King* – duizend keer zo groot als David gewend was op zijn tv – in de Imax bij de haven draaide, gingen we er een hele maand elke zondag heen. Hij zong mee met alle noten. De meeste woorden gingen hem boven de pet, maar er was geen akkoord van de soundtrack van het openingskoor tot en met de titanenstrijd op het hoogtepunt, dat David niet kende en niet kon reproduceren. Hij deed me denken aan de ernstige boekenwurmen op school die naar elpees luisterden terwijl ze met hun vinger de partituur volgden, alleen zat Davids partituur in zijn hoofd.

We zaten achterin, waar ruimte voor rolstoelen tussen de stoelen was en mensen soms opzij keken. Maar omdat ik het niet erg vond als hun kleuters met luide stem informeerden of de hyena's boos waren en waarom het wrattenzwijn slakken at, konden zij het verdragen wanneer mijn zoon de tuba uithing.

We gingen helemaal uit ons dak bij de gratis films voor gezinnen met autistische kinderen, georganiseerd door de afdeling Bristol van de NAS. Toen David voor het eerst een bioscoopscherm zag, kon hij niet geloven dat het echt was voordat hij op het podium was geklommen en er zo veel aan had gelikt als hij maar kon bereiken. Daarna zocht hij de beste plaats in de zaal op, waar toevallig iemand anders zat. Dus ging hij bij de vreemde op schoot zitten kijken naar *Monsters en Co.*

'Geen probleem, hoor,' zei de man naderhand. 'Hij gedraagt zich beter dan die van mij.'

In de zomer pauzeerden we 's middags meestal in de tuin van het Boston Tea Party-restaurant om thee en Ribena te drinken en cornflakes te eten. David zong tegen de parasols, lachte om zijn eigen gedachten en hield zijn ogen open voor verdwaalde theepotten die binnen handbereik waren. Er zat meestal een groep schoolkinderen om een tafeltje aan het eind van de tuin te roken en die waren altijd luidruchtiger en grover dan David, dus had ik niet het gevoel dat we de sfeer drukten.

Een van de personeelsleden kwam op een middag bij ons zitten om het over de kinderen van haar nieuwe partner te hebben. De jongste had speciale zorg nodig en de vrouw, die zich op onbekend gebied wist, wilde weten hoe andere mensen daarmee omgingen. Ik legde uit dat David autistisch was en hoe dat elk aspect van ons leven beïnvloedde.

'Aha, autisme,' knikte ze. 'Ik dacht dat hij gewoon... niet spoorde.'

Het Boston Teaparty was populair bij zakentypes, het soort mensen dat zijn stem verheft wanneer ze in een mobieltje praten om iedereen te laten weten hoe belangrijk dat telefoontje was. Iedereen behalve David natuurlijk: als mensen in hun mobiel schreeuwden, schreeuwde hij mee. Hoe meer ze probeerden hem te overstemmen, hoe harder hij brulde. Uit mijn ooghoeken zag ik een vrouw kronkelen van gêne terwijl ze probeerde dynamisch en doelbewust over te komen op een cliënt, terwijl David een zeeolifant nadeed. Op het laatst riep ze in de hoorn: 'Het gaat niet... Ik vertel het u later wel... Er is hier een kínd!'

Pech gehad, dacht ik. Als ze het verschil tussen haar kantoor en een restauranttuin niet wist, wilde David haar met alle liefde een paar nuttige wenken geven.

Soms wilde ik het uitleggen en ging het niet. Tijdens een autorit naar Wales in de stromende regen ontdekte David dat hij zijn lichaam in zijn tuigje in zulke bochten kon wringen dat zijn hoofd uit het raampje aan de andere kant stak. Hij leek meer op een hond dan een jongen, met zijn ogen dicht tegen het geweld van wind en regen, zijn tong uit zijn mond en zijn haar op zijn gezicht geplakt. Ik kon hem niet naar binnen blijven trekken omdat het een smalle weg was en ik beide handen aan het stuur moest houden; bij elke parkeerplaats stopten we en probeerde ik het tuigje strakker aan te sjorren, maar David bleef zich loswringen.

De gezichten van de chauffeurs van tegemoetkomende vrachtwagens waren van afgrijzen vervuld. Ze moesten het gezicht in de regen hebben gezien en gedacht hebben dat het een suïcidale labrador was, voor ze beseften dat ze elk moment een kind konden onthoofden. David probeerde niet de tegemoetkomende vrachtwagens te headbangen, maar ik was als de dood dat er een los riempje zou gaan flapperen dat hem een oog uit zou slaan. De bouwvakkers in de Transit achter ons waren er ook niet van gecharmeerd, ze flitsten en toeterden constant.

Ik had grote bumperstickers nodig: 'IK KAN ER NIETS AAN DOEN, HIJ SPOORT NIET! IK VIND DIT OOK NIET LEUK!' ('MIJN ANDERE ZOON IS HEEL NORMAAL!')

Soms, wanneer David te snel was of ik een situatie uit de hand liet lopen, waren verklaringen onmogelijk. Een deftige dame probeerde me staande te houden toen ik met topsnelheid de rolstoel achter een scharreljongetje aan joeg dat op de vijver van Brandon Hill af stoof. 'Pardon, is dit de juiste weg naar de concertzaal van St. George?' vroeg ze, maar ik kon alleen maar over mijn schouder uitstoten: 'Sorry... Kan niet... stoppen!'

'Nou,' snauwde ze, 'Dat is grof!'

Een andere keer liet ik David zonder stoel een schoenwinkel binnengaan met een wijsvinger door de lus van zijn jaskraag. Hij wilde mijn hand niet vasthouden en dit leek me een eenvoudige manier om hem vast te houden.

Om mijn greep te breken, draaide hij opeens met een ruk om zijn as. Dat zou zijn gelukt als mijn hand op zijn schouder had gelegen, maar nu werd het lusje om mijn vinger alleen maar aangedraaid. 'O nee, dat doe je niet,' zei ik, en meer aanmoediging had David niet nodig om het nog een keer te doen. En nog eens en nog eens en nog eens.

Jammerend zakte ik op mijn knieën en probeerde Davids middel vast te houden. Mijn vingertopje zag eruit als een paarse voetbal. De jongen achter de toonbank hoopte zo te zien dat ik dronken was en geen hartaanval had.

'Schaar!', snerpte ik. 'Heb je geen schaar?'

Nu wist de jongen zeker dat ik dronken was. Dit was een schoenwinkel. Waarom zouden ze scharen verkopen?

Toen het me lukte om David op de grond te drukken, hem de jas uit te sjorren en mijn vinger weer kleiner werd, probeerde ik het uit te leggen. Het was te laat. De jongen dacht dat ik ladderzat was. Zijn hand zat op de alarmknop onder de toonbank, maar hij had er nog niet op gedrukt. Hij gokte erop dat ik het kind niet zou uitschelden of smerige liedjes zou gaan zingen met een kind op sleeptouw.

We vertrokken. Sommige dingen, hoe onschuldig ook, zijn niet uit te leggen.

Een van Davids onschuldige genoegens was belletje trekken. Het is een klassiek lievelingsspel van ondeugende schoolkinderen. Davids versie was ongewoon: aanbellen, weghollen en papa ervoor laten opdraaien.

Hij ontdekte het spel toen Nicky en ik hem een keer bij thuiskomst van een wandeling leerden aanbellen. Natuurlijk hadden we een sleutel op zak, maar de voordeur ging pas open als hij op de bel had gedrukt. 'Aanbellen,' zeiden we keer op keer met zijn hand in de onze op de bel. Het idee was dat hij de gesproken instructie associeerde met een simpele handeling die meervoudige effecten opleverde: de bel gaat over, de deur gaat open, David komt thuis.

De les werkte te goed. Op onze zwerftochten door de stad, als David naast zijn rolstoel liep, draaide hij zich plotseling om en schoot hij een tuinpad in. Als we op een heuvel waren – en Bristol is gebouwd op heuvels – moest ik een keuze maken: de stoel loslaten en heuvelafwaarts zien verdwijnen, of David laten belletje trekken. Als er flessen melk in het portiek stonden die hij kapot kon slaan, gooide ik de stoel op z'n kant en stoof ik achter hem aan, maar dat was vaak de slechtste maatregel. David belde aan en ik bleef achter op de stoep van een vreemde, biddend dat er niemand thuis zou zijn. Andere keren greep ik hem voor hij de deur had bereikt. Dan zette hij een keel op en verscheen er een gezicht voor het raam terwijl ik mijn hysterische kind naar het tuinhekje sleepte. Toen ik hem het trapje van een bungalow bij een kerk af joeg, werd er opengedaan door een broze oude dame. 'Wilt u niet even binnenkomen?' riep ze.

Ik draaide me om en wilde het net uitleggen toen ik doorkreeg dat ze hoopvol glimlachte. Ze was niet bang voor een uitgelaten blonde jongen; ze wilde gewoon gezelschap.

'Dat is erg lief van u,' zei ik, terwijl ik David vasthield, 'maar ik ben bang dat hij een beetje te wild is. Hij is niet opzettelijke stout, maar hij wil graag dingen kapotmaken, begrijpt u.'

‘Dat is niet erg,’ zei ze. ‘Dingen doen er niet meer zo toe als je zo oud bent als ik.’

De meeste mensen zijn minder vergevingsgezind, maar het kon David niet schelen dat hij mensen tegen zich in het harnas joeg. Ik had uitvouwbare armen moeten hebben, of een lasso. Maar in plaats daarvan experimenteerde ik met peuterteugels. Ik gespte het tuig om zijn jas en liet de teugel achter hem aan slepen. Dan had ik iets om vast te grijpen.

Dat leverde me de verontwaardigde afkeuring op van een maatschappelijk werkster van de Afdeling Gehandicapte Kinderen. ‘Dat hoort niet bij een jongen van zijn leeftijd,’ zei ze.

‘Net als belletje trekken en weghollen... althans voor mij.’

‘Dan moet u hem dat gewoon afleren.’

Natuurlijk. Waarom waren Nicky en ik daar niet op gekomen?

David zag dat tuigje wel zitten. Het maakte hem tot Superboy. Hij kon vliegen, althans hij kon voorovervallen, zijn rug krommen, zijn enkels pakken en dan moest het papading hem van de stoep tillen. Op een middag, kilometers van huis, ging hij gewoon in de Superboypositie liggen en weigerde hij weer op te staan. Hoe vaak ik hem ook overeind trok, hij liet zich weer vallen. Dat was toevallig de eerste dag dat we er met dat tuigje op uit gingen, maar zonder de rolstoel. Ik had gehoopt dat David het hele rondje zou lopen. In plaats daarvan ging ik bijna door mijn rug door hem te sjouwen, te laten vliegen, mee te sleuren en uiteindelijk op mijn schouders naar huis te dragen.

We gaven het tuigje weer op.

Maar hij was te groot voor zijn stoel. Zijn benen waren zo lang geworden dat hij zijn tenen in de spaken kon steken als hij zich obstinaat voelde, of hij kon zijn voeten aan weerskanten van de deurpost van een winkeldeur haken. En als hij niet in de stoel zat, waren die lange benen van hem zo vlug dat ik hem niet langer met rolstoel en al kon bijhouden. Davids buggy’s en rolstoelen hadden ons leven veranderd, maar nu werden ze een blok aan het been... en wij waren net niet snel genoeg om dat te beseffen.

Op een zondag nam ik hem mee naar Wild Walk and Explore, de dubbele wetenschapsexpositie in de haven. Hij genoot van de dingen waar je aan mocht zitten, de strandbal die op een zuil van lucht dreef en de lift die langs een touw met een katrol naar het plafond werd getrokken. Hij vond het heerlijk om in de snoezelkamer te zitten om aan het fietswiel van de reusachtige gyroscoop te draaien. Het mooiste vond hij het spelen met de minisluisjes in het minikanaal. Door zijn kraag en riem vast te houden, kon ik meestal voorkomen dat hij zichzelf bij de kanaalbootjes in het water liet zakken, hoewel zijn mouwen altijd tot de elleboog aan toe kletsnat waren.

Daarna volgden we het pad van de evolutie, langs mastodontachtige schaaldieren over slingerweggetjes onder prehistorische palmbladeren. Nu David niet meer in zijn stoel door deuren wilde, moest ik zijn gespen losmaken en hem laten lopen. Hij stormde vooruit en ik moest zo snel mogelijk met de rolstoel om gezinnen heen manoeuvreren. Weldra was hij uit het gezicht verdwenen, maar ik maakte me geen zorgen: er was een snoepkraampje aan het eind van de wandeling en het ergste was dat hij zichzelf zou bedienen van de gemengde lekkernijen.

Maar waar ik hem vond was in een nieuw amfibieënterrarium.

De glazen wanden waren hoger dan zijn hoofd. Hij moest erin gesprongen zijn. Hem eruit hijsen was een glibberige, stinkende, lawaaiige bedoening en het werd er niet makkelijker op omdat we werden gadegeslagen door bezoekers en werden geholpen door twee studenten die bij Wildwalk werkten. Ze probeerden de salamanders en het kroos van Davids doorweekte jas te plukken.

'Het had erger gekund,' zei ik. 'In het volgende aquarium zitten toch piranha's?'

Een van de tieners wierp me een blik toe alsof hij zeggen wilde: wat een uitstekend idee.

Dat incident overtuigde Nicky en mij ervan om de rolstoel op te vouwen en weg te bergen. 'Hij heeft hem toch niet nodig,' hielden we elkaar voor. 'Hij kan heel goed lopen en kent alle routes als zijn broekzak. Het is veel beter voor hem als hij zich uitput.'

Natuurlijk was er iets waaraan we niet hadden gedacht.

# *Veertien*

Als ik er voor Davids geboorte bij had stilgestaan (en volgens mij is dat nooit gebeurd), zou ik denken dat toegewijde deskundigen hun uiterste best deden om het leven van gehandicapte kinderen gemakkelijker te maken. Zonder leerkrachten, verzorgers en verpleegkundigen zouden veel ouders het niet redden. David heeft zeker geboft met zijn school en logeerhuis bij Church House, maar vaak zijn het onverwachte mensen geweest die ons de kracht gaven door te gaan, mensen die ons hebben geholpen, al hoefden ze dat niet te doen.

Sommige mensen kenden David omdat hij dat kleine beetje extra chaos en vrolijkheid in hun dagen bracht. Meestal gingen we in de namiddag even langs bij de Starbucks Coffeeshop in Borders boekwinkel, waar hij cornflakes rondstrooide, Ribena spoot en luidkeels concurreerde met de achtergrondmuziek. Ondanks het feit dat ik koppig volhield David overal mee naartoe te nemen waar andere kinderen ook mochten komen, hadden we daar geen vaste klant kunnen worden zonder de oprechte hartelijkheid van het personeel. Een aantal was student met een parttimebaan, anderen volgden hun loopbaan binnen het bedrijf, en geen van hen heeft ons ooit verteld dat hij of zij ervaring had met kinderen met bijzondere behoeften, maar David was altijd welkom. Hij werd behandeld als een favoriete gast.

De eerste manager van Starbucks, Richard, had zelf een jonge dochter. Hij was een lange man en leek nog een paar centimeter extra van de grond te zweven wanneer hij het over haar had. Als toegewijd vader vond hij het volstrekt normaal dat we zo trots op David waren. Hij zou veel zenuwachtiger zijn geworden van ouders die naar hun kind fronsen en vloeken dan van onze luidruchtige opsomming van Disney-nummers.

David genoot van de suikergoedlolly's die ze bij Starbucks hadden: hij verzon er zelf een naam voor, *bumpipops.* Toen David een keer zo'n driftbui kreeg omdat de lolly's op een dag uitverkocht waren, en hij zich schreeuwend op de grond wierp en zich vastklampte aan tafelpoten, zou een andere winkel ons misschien hebben verwijderd, maar Richard reageerde door een reservedoos met Davids lievelingslolly's onder de toonbank te zetten, zodat we nooit meer teleurgesteld zouden worden.

'*Gaan bumpipop* was een van Davids eerste tweewoordenzinnetjes. Het combineerde een actiewoord met een etiket en het bezorgde hem het gevoel dat hij een opdracht had. We konden naar buiten lopen en links afslaan, rechts afslaan of in de auto stappen, zolang hij de bestemming maar goed had begrepen, kon hij kleine variaties wel aan. 'Gaan bumpipop' was een belofte: linksom of rechtsom, hij ging naar Starbucks.

We logen nooit tegen hem. Als hem werd gezegd dat 'gaan bumpipop' de orde van de dag was, gebeurde dat gewoon. We hadden jaren daarvoor een keer geprobeerd hem een rad voor ogen te draaien toen hij nog moest wennen aan zijn eerste uitstapjes naar Church House, en toen hadden we een hoge tol betaald. Nicky had hem de auto in gelokt zonder hem eerst zijn reistas te laten zien, en toen hij besefte waar ze heen gingen, probeerde hij zich met zijn tanden een weg door de bekleding naar buiten te bijten. Sinds die keer gaat hij niet meer op eigen houtje met zijn moeder de auto in, ook al is hij nu gewend aan en gelukkig in Church House.

We hadden onze les geleerd. Als we probeerden David voor de gek te houden met de valse belofte 'gaan bumpipop', zou hij ons nooit meer hebben vertrouwd bij een uitstapje.

We zaten op een van hun zachte banken aan de cornflakes en de koffie. David had zijn schoenen uitgetrokken en lag met zijn hoofd op de armsteunen en zijn voeten in mijn schoot, toen hij zijn volgende linguïstische sprong maakte. Het was in de schoolvakantie en die dag hadden we een hele trektocht gemaakt: voordat we in Starbucks neerstreken, waren we door het havengebied naar het Industrial Museum met zijn transporttentoonstelling getrokken. David was dol op de groene dubbeldekker met zijn steile trapje en plastic stoelen; daarop zitten was bijna net zo lekker als op de bank in zijn eigen schoolbus.

'Dat was een lange wandeling,' zei ik. 'Helemaal naar de groene bus en weer terug.'

David richtte zich met een ruk op. 'Niet groene bus!' zei hij. 'NIET GROENE BUS!' en zijn gezicht verschrompelde.

'Niet groene bus,' beaamde ik haastig. 'Groene bus helemaal weg. Dag groene bus.'

David hield de adem in. Hij wilde niet helemaal terug naar het museum worden gesleept. We waren tenslotte in Starbucks, dit was 'gaan bumpipop'. Daarna kwam 'gaan mama'.

'Dag groene bus,' zei ik nadrukkelijk. En daarna riskeerde ik het alle dingen die we onderweg hadden gedaan in de juiste volgorde op te noemen. 'Dag Bob de Bouwer, dag schommels, dag bootjes, dag groene bus, dag bibliotheek, hallo bumpipop.'

David deed zijn mond open om te protesteren, deed hem weer dicht, deed hem weer open... en snapte de clou. Hij moest lachen. Het was niet het giechelen van het kietelen, of een manisch ik-ga-iets-stouts-doengrinniken, het was een volle ik-snap-hem-lach.

'Dag groene bus,' gnuifde hij. 'Dag bibliotheek. Hallo bumpipop.'

Dat ogenblik was de grootste ontwikkeling in Davids denken sinds de dag dat hij objecten ging benoemen. 'Dag' gaf hem een handvat om over het verleden na te denken. Tot dan toe was dat een onrustig spoor van brokstukken achter hem, nu had hij een manier om in het hier en nu te blijven en tegelijkertijd een blik over de schouder te werpen zonder dat het verleden hem weer zou bestormen en overweldigen. Net zoals 'gaan' hem een opdracht gaf, gaf 'dag' hem een geschiedenis.

Misschien lijkt het alsof ik te veel betekenis aan één woord hecht, maar de verandering in Davids denken was adembenemend. In de tijd dat we naar huis wandelden, kwam hij tot de ontdekking dat we alle gebeurtenissen van de dag in de juist volgorde konden bespreken om ze veilig met een 'dag' achter ons te laten, en als dat voor het verleden werkte, kon dat ook voor de toekomst gelden. De toekomst was gewoon het verleden dat nog niet was gebeurd. Gebeurtenissen konden al uren van tevoren in de rij staan: 'Gaan mama, gaan bad, gaan Disneyland-video, gaan tandenpoetsen, gaan bed.'

Zijn wereld groeide. Hij telde de dagen tot zijn volgende bezoek aan Nanny's Chalet, telde daarbij alle activiteiten die van wezenlijk belang waren (gaan zuurtjes, gaan video, gaan wandelen, gaan ritje Postman Pat... Zijn grootouders werden niet per se genoemd, maar die hoorden er wel bij). Daarna componeerde hij een litanie die alle resterende dagen van de schoolvakantie in kaart bracht, al zijn excursies en gewoonten incluis, tot hij met dankbare haast kon arriveren bij 'gaan bus, gaan Briarwood'. De opsomming kostte hem bijna vijf minuten en Nicky moest elke zin herhalen, ter geruststelling en als een belofte. Hij nam de lijst telkens weer met haar door tot ze er schor van was. Maar de lijst werd elke dag korter omdat toekomstdagen verleden werden.

Dat gebeurde allemaal bij toeval, omdat ik toevallig de groene bus in het museum had genoemd toen we die al gehad hadden. Toen had ik moeten beseffen hoe nauwgezet David luisterde naar ons gebabbel, en dat hij dat analyseerde op fragmenten die hij kon begrijpen; hij had iets van een schotel van een radiotelescoop, gericht op de sterren, die de hemelen afspeurt naar uitbarstingen van begrijpelijke taal die konden vertellen of die buitenaardse levensvormen echt hersens hadden.

Die zomer begreep ik in het zomerhuisje uiteindelijk hoe aandachtig David zich op iets afstemde. Een naburig gezin laadde koffers in de auto en ik riep dat ze David mee naar huis konden nemen als ze nog ruimte voor hem hadden. 'Ruimte zat, spring er maar in,' grapte de vader, dus dat deed David. Hij stak het pad over, trok het achterportier open en glipte naar binnen.

Het leek me een akelige streek om hem de auto uit te slepen terwijl hij juist zo zijn best had gedaan om het te begrijpen. Maar het gezin keerde terug naar Birmingham, en ik dacht niet dat ze veel aan de tocht zouden hebben zodra David erachter kwam dat ze de verkeerde kant op gingen. Op de heenweg vanuit Bristol had hij blijk gegeven van een richtinggevoel dat een GPS hem niet zou verbeteren. Bij elke afslag en elke kruising herinnerde hij me eraan dat ik naar links of naar rechts moest. Hij sprak de woorden niet, hij bediende gewoon de richtingaanwijzer door een scherpe trap tegen mijn elleboog. Een harde por met de neus van zijn schoen betekende linksaf; een nog hardere por rechtsaf. Eenvoudig, doeltreffend en pijnlijk... Mijn linkerarm zat onder de blauwe plekken.

Dus pakte ik zijn hand en verwijderde hem voorzichtig uit zijn gratis vervoer naar Birmingham en zijn gezicht was een schoolvoorbeeld van verbazing, tot ik op het idee kwam om erop te wijzen dat deze auto de verkeerde kleur had: 'Geen rode auto! Rode auto? Nee! Gaan mama in Davids bláúwe auto.' David glimlachte: hoe kon hij zo'n elementaire fout hebben gemaakt? Voor hem deed het er niet toe dat hij dat andere gezin niet kende en dat er geen bagage van hem werd ingeladen. De enige duidelijke aanwijzing dat hij in de verkeerde auto was gaan zitten was de kleur.

Als de familie geamuseerd was geweest door Davids letterlijke interpretatie, moesten ze wel zenuwachtig geworden zijn van wat er volgde. Vijf kwartier hing hij rond bij hun zomerhuisje om hen te zien inladen. Toen alle huisdieren, kratten en kinderen in de auto waren gepropt, bleef David met een ijzig gezicht hun gezwaai negeren. Hij wachtte tot de motor was gestart en daarna holde hij gillend van vreugde weg zonder de auto na te kijken.

Na het einde van de rolstoel was dat een gewoonte van hem geworden die we niet hadden verwacht. Eerst bleef hij gewoon staan kijken hoe bestuurders hun auto startten. Hij hinkelde naast me voort, ik mocht zijn pols vasthouden als we naar het park of een eethuisje gingen, en dan zag hij iemand zijn auto van het slot doen. Hij bleef stilstaan. Hij moest blijven staan tot ze de contactsleutel hadden omgedraaid en de motor toeren maakte. Daarna mochten we doorlopen.

Weldra liep hij helemaal naar de auto toe om door het raampje naar binnen te gluren om het moment te zien waarop de contactsleutel werd omgedraaid. Sommige bestuurders letten niet op hem, anderen zwaaiden en hij negeerde hen allemaal. Ik keek naar de lucht en hield Davids arm vast. Het had geen zin om hem weg te slepen want dan zou hij zichzelf tot pudding schreeuwen. Hoe dan ook, er was geen wet tegen staren naar mensen die hun auto startten.

Een paar draaiden hun raampje omlaag om te vragen of ze ons misschien konden helpen. Dan glimlachte ik dat David het nieuwsgierigste jongetje van Bristol was. Korte, merkwaardige verklaringen werkten doorgaans beter dan serieuze langdradige.

De obsessie nam toe. Hij bleef naar alle mensen in een geparkeerde auto staan kijken, of ze nu net waren gestopt of niet, of ze iets zaten te eten of een krant lazen, of op de passagiersstoel zaten, of sliepen... We bleven een keer aan het eind van de middag staan staren naar een man van middelbare leeftijd die in een Toyota in een woonwijk zat te dommelen. Er stond een koude wind en mijn aanvankelijke hoop dat hij een hazenslaapje deed terwijl zijn vrouw even bij een vriendin binnen was, vervloog toen het bloed uit mijn vingertoppen week. David week geen centimeter en gaf geen teken zich bewust te zijn van de kou, dus legde ik me maar neer bij een lange wachttijd. Misschien was de dochter van de man bij een pianoleraar thuis, getuige die bronzen naamplaat naast het hek. Zo ja, dan zou ze over een half uur toch tevoorschijn moeten komen. Maar het werd acht uur en tien voor half negen en inmiddels stond ik zo hard te hoesten en te gieren dat de man wakker werd. Hij vertrok geen spier. Ik begon te denken dat hij dood was en dat David naar hem zou blijven staan staren tot wij ook waren doodgevroren.

Toen zijn oogleden eindelijk open knipperden, deed ik mijn uiterste best David mee te slepen. De man zag ons worstelen en moest zich hebben afgevraagd waarom de schreeuwende jongen als in een horrorfilm naar hem had staan staren. Ik gebaarde dat hij zijn raampje omlaag moest draaien en hij gehoorzaamde behoedzaam: het ging maar twee centimeter open. Toen ik het probleem uitlegde ('Autistische zoon, verroert zich niet voordat u de motor start. Zou u zo vriendelijk willen zijn?') wilde hij ons met het grootste plezier van dienst zijn. David stoof weg zodra de motor aansloeg; hij moest net zo blij geweest zijn om weg te kunnen als ik.

In het vervolg durfde ik mensen zonder scrupules te vragen hun motor aan te zetten. Een paar bestuurders protesteerden, maar wel vriendelijk: 'Ik ga over vijf minuten,' zeiden ze, en dan glimlachte ik en liet ik David zijn neus tegen hun voorruit drukken. Als ze de sleutel omdraaiden, ging hij weg.

De meeste mensen liepen zich het vuur uit de sloffen om behulpzaam te zijn. Een jongen van een jaar of zestien die met een boek op de passagiersstoel van een auto zat, stapte uit en liep driehonderd meter mee om David ervan te overtuigen dat de auto nergens heen ging voordat zijn moeder was teruggekomen. Andere mensen wilden met alle geweld wegrijden, hoewel David alleen maar hun motor wilde horen starten: ze wuifden altijd als ze wegreden, en de enige manier waarop ik hem terug kon laten zwaaien was door aan zijn pols te schudden als aan een lappenpop.

Zwaaien leek ons zo simpel vergeleken met de onthutsende complexiteit van een aantal andere gedragingen van David. Maar hij kon het niet. Hij vond het heerlijk om me op zaterdag na te kijken wanneer ik naar het station ging en dan hing hij uit het raam en herhaalde hij alles wat ik zei tot hij de auto hoorde starten, maar hij kon niet wuiven. Hij leerde zeggen: 'Dag mammie', wanneer ze hem op de schoolbus zette, maar hij zwaaide niet. Hij zag opa en oma met hun armen maaien wanneer we bij hen weggingen, maar hij wilde niet terugzwaaien. Hij begreep inmiddels zo veel woorden dat ik er vrij zeker van was dat hij wist dat 'zwaaien' het wapperen met de hand betekende. Hij zag er gewoon het nut niet van in. Mensen zwaaiden naar hem ten afscheid, maar het was zinloos om het terug te doen omdat andere mensen niet echt gevoel hadden. Die hadden geen hersens... ze leefden niet echt.

'David kijkt naar ons,' zei ik tegen Nicky, 'zoals wij televisiekijken. Denk maar eens aan *Crimewatch*. Aan het eind van het programma knipoogt Nick Ross naar je. Dat is geruststellend. Je zou het vervelend vinden als hij het een keer vergat. Maar je knipoogt niet terug. Dat zou bizar zijn. Hij kan je niet zien. Hij bestaat niet echt. Hij is maar een beeld. En zo interpreteert David ons ook; hij wil dat we de gebruikelijke geruststellende dingen doen, maar hij ziet de zin van reageren niet, omdat wij niet echt zijn.

Het was een trieste, eenzame gedachte. Ons jongetje werd omringd door liefde, maar hij was zo alleen als een vergeten kluizenaar in zijn appartement die alleen de personages op de tv als gezelschap heeft.

We verdubbelden onze ijver om David aan het zwaaien te krijgen. Het was een kans hem te laten zien dat wij er echt waren, dat wij zijn signalen net zo goed konden begrijpen als hij die van ons leerde doorgronden. Toen hij zich op een dag omdraaide om heel even naar zijn mama te zwaaien, juichten we allebei, en we waren ook weer gefascineerd door een glimp van zijn denken op te vangen.

Als David zwaaide, deed hij dat met zijn handpalm naar zich toe.

Dat leek me logisch. Als wij zwaaiden, zag hij onze handpalmen... dus als hij zwaaide, hoorde hij die van hemzelf te zien. Als hij de rug van zijn hand zou zien, zou hij het niet goed doen.

Het enige perspectief van de hele wereld was dat van David. Hij kon niet geloven dat iemand iets anders zag of iets anders voelde dan wat hij zag en voelde. Geen wonder dat hij de conclusie had getrokken dat andere mensen niets voelden: omdat we niet zagen wat hij zag en niet voelden wat hij voelde, waren we in wezen hersendood.

We hebben jarenlang geprobeerd dat te begrijpen. Het is eenvoudig en logisch en heel buitenissig. Het aan andere mensen uitleggen is dikwijls onmogelijk, al hebben we wel gemerkt dat verschillende anekdotes of metaforen het geheim voor verschillende mensen ontsluiten.

Op kerstavond klommen David en ik bijvoorbeeld naar Cabot Tower, een uitkijkpunt uit de victoriaanse tijd op de hoogste heuvel van de stad. Het schemerde, en halverwege de 108 treden kwamen we een gemeentewerker tegen die op weg was naar beneden. Hij had de deur bovenaan op slot gedaan en was op weg om de deur onderaan ook op slot te draaien, en we mochten alleen nog rechtsomkeert maken.

Ik legde uit dat David niet kon praten. Ik legde uit dat hij autistisch was. Ik legde uit dat hij het veel vlugger zou begrijpen als hij gewoon snel door mocht lopen naar de top om daar de deur dicht aan te treffen. Ik legde uit dat hij het koppigste kind in Engeland was, en als hij zijn klim niet kon voltooien, bestond de kans dat wij alle drie de kerstdagen op de smalle wenteltrap moesten doorbrengen.

De man van de gemeente zwichtte niet. Hij wilde ons niet doorlaten en hij zou pas naar beneden gaan als wij dat ook deden.

David werd het beu om mij te horen zeggen: 'Geen trap meer, dag trap, we gaan naar beneden,' en hij krijste telkens wanneer ik hem omlaag probeerde te manoeuvreren. Dus om de tijd te doden vertelde ik de man van de gemeente over autisme. Ik hoopte eigenlijk dat de arme man tussen mijn monoloog en Davids geschreeuw door de knieën zou gaan zodat we het beklimmen van de trap konden afmaken. Het zou hooguit dertig seconden duren.

Hij had nog nooit van autisme gehoord, maar herkende iets in mijn beschrijving. 'Ik speel cricket in de plaatselijke vereniging,' zei hij, 'en naast het veld is een tehuis, zo'n inrichting voor geestelijk gehandicapten, weet u wel. Een van hen komt naar ons kijken en hij weet er geen bal van. Af en toe gooit iemand uit en als de bal naar die jongen rolt, roepen we dat hij hem moet teruggooien. Toen hij dat voor het eerst deed, stonden we allemaal met wijd open mond te kijken. Ik had nog nooit iemand een bal zo hard precies naar de plek zien gooien waar hij hem hebben wilde. We probeerden hem de regels te leren, maar hij had geen benul. We konden hem niet eens leren vangen. Jammer, want met zo'n rechterarm was hij zo in het nationale team gekomen.'

Hij bekeek David met hernieuwde interesse. 'Denkt u dat uw zoon kan cricketen?'

'Misschien is hij wel de volgende W.G. Grace,' zei ik.

Dat had iets van een vrijmetselaarshanddruk. 'Kom dan maar mee,' zei de man van de gemeente, 'het kan geen kwaad als je alleen maar naar boven wilt.'

En dat was Davids teken. De eer was gered. Zonder nog één trede te klimmen maakte hij rechtsomkeert en jakkerde hij helemaal naar beneden.

Andere verklaringen waren beknopter. Op een zaterdag hoorde Nicky James de telefoon aannemen: de apotheek van Boots belde om te laten weten dat er een recept binnen was. 'Kan ik David Stevens spreken?' vroeg hij.

'Nee,' zei James, 'hij kan niet praten. Hij is autistisch.'

De tragedie die in dat achttal woorden schuilging leek veel echter, zei Nicky, toen ze die uit de mond van haar andere kind hoorde.

Soms was het niet Davids bizarre gedrag dat mensen aangreep. Het was hoe dicht hij op de rand van de gewoonheid was. Zijn stem was helder en duidelijk en zijn muzikale gehoor had hem geleerd woorden zo uit te spreken dat er geen vermoeden van een handicap in doorklonk. Bijna zijn hele taal bestond uit herhaling en echo's, maar het klonk als gewoon Engels.

We stonden voor de Starbucks-toonbank in Borders te wachten op Davids bumpipop, toen hij zei: 'BBC-video's, *The Onedin Line*.'

Ik grijnsde naar Rob, de student die koffie serveerde.

'BBC-video's, *The Smell of Reeves and Mortimer*.'

Rob kneep zijn ogen samen, alsof hij de grap had gemist.

'BBC-video's, *Absolutely Fabulous*.'

David gaf het op om op Rob te wachten en wendde zich tot mij.

'BBC-video's, *Absolutely Fabulous*,' zei ik gehoorzaam.

'*Absolutely*,' herhaalde David, want hij wilde horen of ik het woord goed uitsprak. Ik zei het nog een keer. '*Fabulous*,' concludeerde hij.

Ik bestelde koffie en legde Rob uit hoe het spel werkte, en hoe David vooral dol op BBC-video's was. Toen we een paar dagen later terugkeerden, zagen we Rob van de toonbank wegglippen naar de personeelskamer. Hij kwam terug met een pakje in een plastic zak.

'Ik was in een tweedehandswinkel,' legde hij uit. 'En toen ik dit zag, moest ik aan uw zoon denken.'

Hij gaf het aan mij. 'BBC-video's van *Fawlty Towers*,' constateerde David goedkeurend. Hij drukte de video de hele terugweg naar huis tegen zich aan en liet me om de paar meter stoppen om het etiket voor te lezen, en Nicky en ik zaten die avond in zijn slaapkamer naar de hele band te kijken. Hij was zo uitgeput dat hij zijn ogen amper open kon houden, maar de tv mocht niet uit voordat Basil zijn auto total loss had gereden, voor het laatst in paradepas door de receptie was gelopen en het slotlogo was verschenen. Daarna haalde hij de band uit het apparaat en hield hem de hele nacht tegen zich aan gedrukt.

We schreven Rob een bedankje voor zijn cadeau, maar hij kon niet hebben geraden hoeveel dat voor David of voor ons betekende.

Nicky noch ik zijn conventioneel religieus. We gaan niet vaak naar kerkdiensten. Toch vinden we het leuk om James mee te namen naar de kathedraal van Bristol, of een bezoek te brengen aan een kerk op het platteland op dagen dat David in het logeerhuis is, om een kaarsje aan te steken en een gebed op te zeggen. Er zijn weinig ogenblikken zo roerend als een kind een gebed horen improviseren voor een dood huisdier: 'Lieve God, zorg goed voor mijn woestijnratjes als ze in de hemel zijn en ik hoop dat ze gelukkig zijn.'

Wanneer James ouder wordt, zullen zijn gebeden niet meer over zijn woestijnratjes gaan. Ze zullen voor hemzelf zijn, voor zijn familie, en misschien wel voor zijn eigen kinderen. Maar de gebeden die ertoe doen zullen even eenvoudig zijn als de woorden die hij als kleine jongen heeft gezegd.

Onze gebeden waren vrij elementair. Toen David op zijn ergst was, kwam ik erachter dat het hielp om tijdens de lunchpauze weg te glippen van de redactie en naar St. Bride's in Fleet Street of St. Paul's te gaan, waar je gratis in de zijkapel mocht. Die zaterdagen waarop ik niet thuis kon zijn waren soms het ergst. Als ik Nicky belde, hoorde ik de tranen in haar stem terwijl David brulde, en ik besefte dat het uren zou duren voordat ik weer in Bristol was, al nam ik direct een taxi naar het station. Dus bad ik om kracht: kracht voor mij en kracht voor haar. Het hielp ook om in de kerkbanken te zitten denken aan de radeloosheid die ik andere keren tijdens Davids eerste jaren had gevoeld. Slechte dagen waren we te boven gekomen. Er zouden er meer volgen en we zouden de kracht vinden om ook daardoorheen te komen.

Op onze tochtjes door de West Country waren David en ik met een ronde langs de kathedralen begonnen. Die gaven de dagen een doel: hoezeer David ook genoot van zijn drie ritjes voor een pond in Thomas de Trein, ik kon het gevoel niet van me afschudden dat we een dag hadden verspild als we vier uur hadden gereden om alleen maar een munt in een gleuf te stoppen. We bezochten steden met bouwwerken die tot de spectaculairste Britse architectuur hoorden, dus leek het me zonde om ons tot de winkelcentra te beperken.

Toen David nog een peuter was, hadden we geen keus. Hij wilde niet naar kathedralen, of waar het ook maar galmde. Kerken en zwembaden waren voor hem even afschrikwekkend. In zijn eerste jaar op Briarwood bracht Davids klasje een bezoek aan een moskee, een experiment dat ze volgens het commentaar van de onderwijzeres niet spoedig zouden herhalen. *David lijkt een sterke afkeer van religieuze locaties te hebben,* schrijft Nicky in het dagboek dat tussen school en huis heen en weer pendelde. *Misschien is hij wel een vampier! Nee, dat kan het niet zijn... Ik kan zijn beeld in de spiegel zien.*

Zijn houding veranderde toen hij ontdekte dat gewelfde plafonds zijn gezang ten goede kwamen. Hij kon een hoge, zuivere noot zingen en die kwam dan keer op keer bij hem terug. De verrukking op zijn gezicht was prachtig om te zien, hij leek wel een jongetje aan het strand dat stenen over het water keilt en de keren telt dat ze stuiteren. In plaats van platte kiezels laten stuiteren, deed hij dat met geluid.

We bezochten de kathedraal in Wells and Exeter en de abdijen van Bath en Tewkesbury. In de kathedraal van Bristol zong David een perfecte toonladder, alleen begon en eindigde hij bij de tweede noot in plaats van de grondtoon. Het was een soort muzikaal spelletje dat ik van een geoefende musicus zou verwachten. Hij probeerde wel een trucje dat een muziekstudent niet in een kerk zou wagen: in plaats van *la, la, la* of *tum, tum, tum*, zong David *help*. Dus dat werd *Help, help, help, HELP, HELP, help, help, HELLLLPPP!*

Mensen staarden. Ik knikte en fluisterde: 'Geweldige akoestiek.'

Die bezoekjes begonnen toen David nog zijn rolstoel gebruikte en ik hoopte dat andere kerkgangers zouden beseffen dat hij een gehandicapt kind was dat genoot van de kans om een van de belangrijkste centra van zijn gemeente te verkennen, en niet zomaar een luidruchtig schoffie. Veel mensen beseften dat. Een paar niet.

Davids liedjes hadden een nauwkeurige betekenis voor hem, hoewel die iets totaal anders kon zijn dan iemand die de woorden hoorde zou denken. 'Help' had voor David niets met hulp te maken, en toen hij op een middag in de kathedraal van Bristol opeens uitbarstte in 'Happy Birthday' was hij niet jarig; hij had gewoon kaarsen gezien. Hij hoopte dat we er een aan zouden steken, zodat hij hem weer uit mocht blazen. De week daarvoor had hij er zes uitgeblazen die allemaal door andere mensen waren aangestoken, voordat ik hem ergens anders heen kon duwen.

De gedachte daaraan maakte hem blij, en de akoestiek vergrootte zijn geluk door zijn liedjes te laten weergalmen. Ik streelde zijn hoofd om hem rustig te houden en keek om me heen. Afgezien van twee dames met brochures bij de ingang leek de kathedraal vrijwel verlaten. Ik had me niet gerealiseerd dat er in een van de kapellen een dienst aan de gang was, totdat een koster naar ons toe kwam die furieus *sst* zei. Toen ik uitlegde dat David ernstig autistisch was en dat zijn geluiden ter ere van God waren, een reactie op zijn omgeving en even gemeend als die van de andere gelovigen, stelde de man voor dat ik hem dan maar naar de theekamer in de zuilengalerij moest brengen.

Dat maakte me pas echt woest. We vertrokken, maar ik bleef even bij de dames bij de deur staan om te zeggen dat David in andere kerken wel welkom was. Toen we naar huis liepen was ik razend. Wat me het meeste dwarszat, was dat David niet in het hoofdgebouw van de kathedraal mocht zijn; hij was alleen goed genoeg voor het restaurantje.

Nicky vond het een vreselijk verhaal. Zij was mijn barometer. Ik was soms zo lichtgeraakt door de reactie van andere mensen op mijn zoon dat ik haar reactie wilde horen voordat ik besloot of ik overdreven had gereageerd of niet. Deze keer was ze duidelijk van streek.

We schreven een klacht aan de bisschop van Bristol, Michael Hill. *De juiste reactie had misschien kunnen zijn om gebeden voor David in de dienst op te nemen*, schreven we. *We waren in elk geval niet gekomen om te storen, maar om eer te bewijzen.*

Het kantoor van de bisschop stuurde direct een e-mail met de belofte de zaak te onderzoeken en twee dagen later ontvingen we een brief van de deken, Robert Grimley. Het was een prachtig geformuleerd, ondubbelzinnig excuus. Het incident had iedereen in de kathedraal treurig gestemd; de koster had 'te goeder trouw' gehandeld, maar 'had het gewoon mis'. De kathedraal werkte nauw samen met een bijzondere school in Bristol, en als we de deken een dag voor Davids volgende bezoek belden, zou een personeelslid zich bij ons vervoegen 'om hem in staat te stellen volledig te genieten van het gevoel en het geluid van het gebouw'.

Een week later schreef bisschop Michael Hill een excuusbrief waarin hij ons verzekerde dat we bij ons volgende bezoek hartelijk welkom zouden zijn. We stelden die hoffelijke brieven wel op prijs, maar een paar maanden later maakte een spontaan incident in de kathedraal van Gloucester dat we David weer met echt plezier meenamen naar een kerk. Op een drukke middag, toen gezelschappen leerlingen er bedrijvig rondliepen en David opgewekt tegen het plafond praatte, kwam er een dame naar ons toe die glimlachend vroeg of hij soms autistisch was.

'Vroeger heb ik gewerkt met een kind dat net zulke geluiden maakte,' legde ze uit. 'Ik genoot er altijd van, hij klonk zo natuurlijk. Ik moet zeggen dat het me genoegen doet uw zoon hier te zien. Dat geeft me het gevoel dat dit gebouw voor iedereen is. Wat voor etiketten andere mensen ook op ons plakken, in Gods ogen zijn we mensen en dat is alles.'

Door een gril van het lot zagen we even later een stuk gebrandschilderd glas dat de waarheid van de woorden van die vriendelijke vrouw leek te onderstrepen. De ramen van de kathedraal zijn spectaculair, maar de kleinere gebrandschilderde exemplaren in de kloostergang zijn net zo mooi, zij het op kleine schaal. Ze illustreren verhalen uit de bijbel en onder een regel uit Lucas 18:16, *Maar Jezus zeide: 'Laat de kinderkens tot Mij komen...'* zagen we een afbeelding van Christus met een jongetje aan zijn zijde. Het kind was blond en zijn ronde gezicht leek sprekend op dat van David. Als het glas niet meer dan een eeuw oud was geweest, had ik kunnen aannemen dat het naar een foto van onze jongste was gemaakt.

Een andere favoriete kathedraal was die van Worcester. Het was een heel eind rijden over de snelweg, gevolgd door een lange klim, de 330 treden van de kerktoren op, maar het uitzicht over de rivier en de cricketvelden was genoeg beloning. David vond het onthutsend dat hij zo veel van de wereld kon zien. Hij was dol op hoge plekken: als hij in de vlaggenmast had kunnen klimmen om nog een paar meter hoger te komen, had hij dat gedaan.

Hij zong naar hartenlust in de toren, en hij zong nog steeds toen we naar het restaurantje aan de overkant reden. Dat heette Capuchins en verkocht niet alleen koffie maar ook tweedehandsboeken, en het werd een van onze favoriete pleisterplaatsen. Helaas is het nu gesloten, maar het concert dat David bij ons eerste bezoek gaf zal ik nooit vergeten. Hij zong niet alleen als een leeuwerik, hij kweelde als een lijster en tjilpte als een kneutje. De vrouw die het eethuisje dreef kon niet genoeg woorden vinden om hem te prijzen, en omdat opscheppen over mijn kinderen mijn liefste bezigheid is, deed ik er nog een schepje bovenop. David zong door tot hij in slaap viel met een speeltje in zijn hand. Ik liet het aan de eigenares zien. 'Andere jongens houden van autootjes of Transformers,' zei ik. 'David heeft de magnetische letter "Q" van het alfabet op onze koelkast.'

De hele weg naar huis speelde hij met die letter, en hij knaagde erop tot hij in bad ging, en hij gromde ernaar toen het allang bedtijd was geweest, en uiteindelijk beseften we dat de enige reden waarom hij de Q tot onafscheidelijk speeltje had uitverkoren, was dat hij hem niet van zijn vinger kreeg. Die vinger was inmiddels zo dik als een houten wasknijper en ongeveer net zo buigzaam.

We probeerden natuurlijk zeep. We probeerden boter. We probeerden het plastic met een schaar door te knippen en daarna met een tang. David werkte niet mee. Zijn vinger deed al ernstig pijn en nu zwaaide papading met een tang. Hij zette een keel op.

We eindigden op de EHBO van het ziekenhuis. 'Gaan dokter, gaan dokter!' zeiden we. Op het parkeerterrein stond ambulancepersoneel paraat, en toen ik David uit de auto hielp, boden ze hun diensten aan. 'Heb je daar je vinger in gestoken, jongen? Die hebben we er zo af.'

Vier van hen verzamelden zich om hem heen. David schreeuwde het uit. Iemand raakte zijn hoofd aan. Toen trok hij echt alle registers open. Het ambulancepersoneel deinsde terug: 'Die heeft een dokter nodig, meneer. Dat kunnen wij niet. Die deur door, daar helpen ze u wel verder. Maar met jouw longen is niks mis, makkertje.'

Inmiddels was het tien voor half twaalf, de cafés waren net dichtgegaan en de eerste hulp was vol mannen die dubbel geklapt op een plastic stoel zaten met de stank van bloed en braaksel om zich heen.

David bleef schreeuwen. De meeste mannen namen amper notitie van hem. Hij was gewoon de soundtrack van een foute avond. Maar wij werden het eerst geholpen; niets helpt je zo snel naar voren in de rij als een krijsende demon met een bonkende vinger.

Uiteindelijk kwamen er een dokter, twee zusters, een leerling-verpleegkundige, een portier en ik aan te pas om de letter 'Q' van zijn vinger te krijgen. Vier mensen hielden Davids ledematen in bedwang en ik zijn hoofd toen hij zich tot het uiterste verzette in zijn rolstoel, en ik zong woorden om hem gerust te stellen en de arts sneed het plastic weg. Zodra de letter eraf was, kalmeerde hij. Tot op het moment waarop we hem lieten gaan, was hij als de dood geweest en had hij niet begrepen wat hem overkwam. Toen hij naar zijn hand keek en zag dat de Q weg was, ontspande hij zich. Opeens was het allemaal heel logisch.

Wachtend op zijn flesje voor het slapengaan, ergens na middernacht, plukte hij de magnetische letter P van de koelkast en probeerde die weer aan zijn vinger te prikken. We gooiden het hele alfabet weg, zelfs de onschuldig ogende J en T. Die zou hij waarschijnlijk in zijn neus klem duwen.

Drie jaar later gingen we weer met hem naar het ziekenhuis. Deze keer wist hij wat er gebeurde: hij had zelfs gevraagd of hij erheen kon. 'Tanddokter, au,' had hij tegen zijn onderwijzeres Freja gezegd. We moesten een algehele narcose aanvragen. Hij was al een heel eind gekomen, hij zal mensen zelfs in zijn mond laten kijken, maar er was geen sprake van dat hij stilzittend in een gaatje zou laten boren. De hele toestand voltrok zich zonder één schreeuw; zelfs toen de anesthesist een naald in de rug van zijn hand stak, zong David een liedje om zichzelf tot rust te brengen, declameerde een paar regels van een Disney-scenario en zakte buiten kennis naar achteren.

'Wat een geweldige monoloog,' zei de tandarts.

Die avond droomde ik dat ik met David naar school liep. Hij hield mijn hand vast, op de onschuldige manier van een tienjarige die zich niet bewust is dat het helemaal niet cool is om zulke kinderlijke genegenheid tentoon te spreiden. En ik was blij omdat ik voelde dat hij ontspannen was en geen krankzinnige streken bekokstoofde... en omdat hij niet de weg op kon hollen omdat ik zijn vingers vasthad.

Zelfs in mijn slaap ben ik bang dat hij wordt overreden.

'Ik hou van je, David,' zei ik.

'Ik hou van je,' echode hij.

Daar moest ik van glimlachen. De helft van alle menselijke communicatie komt neer op herhaling, het beamen van wat er zojuist is gezegd.

'Ik ben gelukkig,' zei ik.

'Ja, ik ben ook gelukkig.'

Ik kneep in zijn hand. Het klonk echt alsof hij begreep wat hij zei, alsof hij wist dat ik zijn gevoelens kon begrijpen en met de mijne kon vergelijken.

'Jij houdt van school,' zei ik.

'Ja, ik hou van school.'

'Wie is je lievelingsjuf?'

'Claire. Nee, Freja. Eh, nee... Nikki. Ik vind ze allemaal lief.'

Dat is een antwoord, dacht ik. Geen echo. Ik heb zojuist een doorbraak meegemaakt. David en ik voeren een gesprek.

Ik moest denken aan de belofte die mijn vader niet lang na de autismediagnose aan David had gedaan. 'Ooit zullen wij een fatsoenlijk gesprek met elkaar voeren, makker, jij en ik.'

Papa had toch gelijk, dacht ik.

En daarna werd ik wakker.

# *Vijftien*

We hebben ons lievelingsverhaal voor het eind van Davids boek bewaard. Eerst dachten we om ermee te beginnen, omdat het zo opmerkelijk lijkt, zo buitengewoon. In al Davids kinderjaren is het maar één keer gebeurd. Maar voor mensen die ons gezin niet begrijpen, lijkt het maar een alledaags verhaaltje.

Dit is wat er gebeurde: op een zondagmiddag gingen we een wandeling maken op het platteland en de jongens speelden met elkaar.

We stapten alle vier in. We hadden David al weken aangespoord om Nicky een keer met hem naar buiten te laten gaan. Doorgaans flipte hij alle kanten op als ze hem ook maar probeerde uit te wuiven bij het hekje. We maakten grapjes dat hij de vader van alle seksisten was met het instinct van een holbewoner ten aanzien van de plaats van de vrouw. De waarheid was minder grappig. David was als de dood dat hij op een dag thuis zou komen en zijn moeder daar niet zou aantreffen.

Het is moeilijk je zo'n intense angst voor te stellen. Stel jezelf als kind voor... en dat je, telkens wanneer je het huis uit ging, wist dat je moeder voorgoed weg kon zijn. Je weet niet waarom ze weg zou gaan, of waarheen, of wie haar mee zou nemen: niemand kon je die dingen uitleggen. En het was verboden iets over je angst te zeggen.

Probeer die gedachte vast te houden. Ik kan slechts beginnen me een voorstelling te maken, zeg maar een fractie van een seconde, en zodra mijn verbeelding dat proeft, verdringt mijn denken die hele angst. Het is letterlijk te afgrijselijk om bij stil te staan.

Voor David was die dodelijke angst permanent aanwezig.

Nicky was dikwijls dagen achtereen aan huis gebonden, vooral in de schoolvakantie. Ze kon niet even de straat uit naar de winkels wandelen, of bij vrienden aan de overkant langsgaan. Voor David kon ze zomaar voorgoed uit zijn leven verdwijnen. Ze mocht geen uitstapje met hem maken, zelfs geen ritje naar zijn lievelingsplekjes. In de zomer was er op Briarwood drie weken lang een spelproject. Nicky hielp het organiseren, maar van David mocht ze hem er niet heen brengen als James en ik er niet waren. Freja, Davids onvermoeibare en toegewijde onderwijzeres, kwam ons redden met de minibus van school.

Hij bewaakte zijn moeder zo jaloers dat andere mensen, zelfs kinderen, werden geweerd. Als buren of zelfs zijn grootouders probeerden binnen te komen, ging David op de grond liggen schreeuwen en sloeg hij met zijn hoofd op de planken. Die episodes van intense jaloezie konden weken duren, en tussen de uitbraken door waren we heel voorzichtig, uit angst de volgende te ontketenen.

Wanneer we Davids uitputtende eisen bespraken met deskundigen als artsen of maatschappelijk werkers, kregen we het gevoel alsof ze ons als deel van het probleem beschouwden. 'We zullen David moeten laten inzien dat dit geen acceptabel gedrag is,' zeiden ze, alsof autisme een slechte gewoonte was, iets wat David aan ons armzalig ouderschap had overgehouden. Het personeel op Briarwood en Church House begreep de werkelijkheid, maar aan de andere kant kende dat David dan ook goed.

Dus toen rond Pasen zijn autoritaire regime sporen van vrijheid begon te tolereren, wilden we die maar al te graag aanmoedigen. Nicky mocht met mij en James aan de terrastafel zitten terwijl David in het bad spetterde. Zij stond in de voortuin met Vanda te babbelen. Zij en James gingen met ons mee voor een ritje met de auto naar het winkelcentrum. We namen wel onze voorzorgsmaatregelen: David zag Nicky niet uitstappen noch de tuin verlaten. Die vrijheden zouden wel volgen als de perestrojka doorzette.

David leek dat net zo graag te willen als wij. Hij was nu bijna negen en was het moe om alle elementen van de chaotische machine om zich heen te moeten besturen. Hij wilde meer dingen in goed vertrouwen aannemen... en hij wilde meer deel uitmaken van het gezin.

We planden het uitstapje naar Bournestream Farm een paar dagen van tevoren. Het was een van Davids lievelingsplekjes, een speeltuin in de glooiende akkers bij een boerderij in Gloucestershire voor kinderen met een handicap en hun familie. We waren al jaren lid, en het was een geweldige plek om zowel James als David mee naartoe te nemen, maar we waren er nog niet als gezin geweest.

David aanvaardde onze omstandige aankondiging van de agenda voor die dag: 'Gaan Bournestream. James gaan Bournestream. Mama gaan Bournestream. Papa gaan Bournestream. Mama en David en papa en James... in de blauwe auto.'

We verwachtten zorgelijke geluiden en op de valreep een aanval van de zenuwen, maar David wrong zich net zo comfortabel in zijn tuigje op de achterbank alsof hij elke zondag naast zijn grote broer zat voor een uitstapje naar het platteland. De rest van ons slikte twee keer voordat we iets durfden uit te brengen, maar David was ontspannen.

In de speeltuin mochten we allemaal in de openlucht met hem meedoen. Dat was sinds zijn vierde niet meer gebeurd. Hij zette alle trapauto's en loopstoelen op een rij op het pad, precies in de volgorde waarin hij ze altijd zette. Daarna mocht James hem in een exemplaar het hele veld op en neer duwen.

De jongens beklommen gezamenlijk het klimrek van touw. Ze klampten zich samen aan de draaimolen vast toen Nicky en ik er een zwiep aan gaven. Ze zaten naast elkaar op de schommels.

We liepen door de velden achter de speeltuin, langs groepjes schapen en het bos op de helling in. Er waren konijnen en boven de bomen cirkelden een paar haviken met de ruwe kant van hun vleugels naar voren zoals die van een Spitfire.

Voorbij een overstapje over de omheining beklom James een modderige oever en gleed er op zijn achterwerk vanaf. David deed hem na.

De jongens zaten samen schrijlings op een boomstam en deden alsof ze een kano peddelden. Vervolgens klom David op mijn schouders en James omhelsde me. Nicky nam foto's.

We volgden het pad bijna een kilometer voordat we rechtsomkeert maakten. David liep zwijgend naast zijn moeder en James stelde mij vragen over de dierenholen en bomen die we zagen.

Toen we in de buurt van het overstapje kwamen, zagen we een

lichtbruin hert met haar jong tussen een groepje bomen. James was gebiologeerd.

Sindsdien zijn we niet meer samen naar Bournestream geweest. Na die zondag kwam er een eind aan het vertrouwen dat die dag mogelijk had gemaakt, alsof er een smalle opening dichtgeklapt was. Nu begint David al te schreeuwen wanneer hij Nicky haar jas ziet aantrekken. Als James met ons probeert weg te gaan, steekt David zijn hand op als een verkeersagent en roept: 'Dág!'

We weten niet wat voor molecuul normaalheid Davids hersenen was binnengedrongen, dat ons veroorloofde een paar uur lang een gewoon gezin te zijn. Niemand die ons die middag over het overstapje had zien klimmen, zou iets zijn opgevallen, maar voor ons was die middag zo zeldzaam en bizar dat elke minuut ons nog levendig voor de geest staat.

Toen David opgroeide, hebben we ons aan één constante hoop vastgeklampt. Zijn autisme neemt af en het neemt weer toe, en als er ooit een verbetering optreedt, verbleekt die algauw, maar zo'n verbetering komt altijd ook weer terug en dan sterker. 'Als hij dit één keer heeft gedaan,' zeggen we, 'zal hij uiteindelijk weer iets meer doen.' Ooit zullen we met z'n vieren weer een wandeling door het bos maken.

Er is één teken dat onze hoop elk jaar weer voedt: met Kerstmis doet David elke keer mee aan de festiviteiten. Hij pakt dozen kerstversiering uit en snelt op een step om de salontafel terwijl Nicky en James de kerstballen in de boom hangen. Hij en James stuiteren hijgend en blazend op hun tenen in een poging de kaarsen op de hoogste plank uit te blazen. Hij zingt mee met de kerstliedjes en krult zich op in een bal met zijn vingers in zijn oren als we knalbonbons laten springen, en hij draagt armbanden van zilveren slingers.

Op kerstdag zoekt hij alle pakjes uit waar een video in kan zitten en scheurt het papier eraf. Alle andere dingen laat hij in zijn zuiveringsactie met rust, hoewel we de boeken en computerspelletjes die voor James bestemd zijn goed moeten verstoppen: alle cadeaus onder de boom zijn in Davids ogen van hem, tot hij zo royaal is de pakjes die niet de vorm van een video hebben af te staan.

Hij kon Kerstmis niet altijd goed aan. Toen hij twee was, zat ik urenlang bij hem in de auto. Hij wist dat er zich in huis vreemde rituelen afspeelden met lawaaiig speelgoed en overal gekleurd papier, en hij begreep er niets van. Dus zat ik achter het stuur en hij in zijn zitje gegespt, we gingen nergens heen, maar we waren in elk geval veilig op een vertrouwde plek die niet was opgetuigd met papieren slingers.

Nicky bracht me mijn avondeten en ik at het op terwijl de spruitjes en jus in mijn schoot klotsten.

Toen David vier was, moest ik hem op kerstdag naar het verlaten parkeerterrein van de supermarkt en de afgesloten poort van de dierentuin brengen, zodat hij met eigen ogen kon zien dat zijn favoriete plekken dicht waren op die ene dag van het jaar, hoewel ze in Davids ogen waarschijnlijk voorgoed gesloten waren.

Op zijn zesde begon hij mogelijkheden in Kerstmis te zien. Die kaarsen bijvoorbeeld... Hij liet ons aan de lunchtafel zitten en glipte weg om een experiment te doen. Zijn soundtrack verried hem: elk liedje dat hij zingt heeft een betekenis en we beseften dat hij 'Happy Birthday' zong. Nicky zei plotseling: 'Lucifers,' en we holden naar boven waar we David in de werkkamer troffen met zijn voeten op het bureau en geblakerde plekken op het kleed waar hij de brandende lucifers had laten vallen. Hij sloeg een stapeltje brandende papieren voor de computer gade.

Het jaar daarop wist hij waar de rituelen over gingen. De dierentuin was gesloten en de wiebelapparaten waren opgeborgen, maar ze zouden weer terugkomen; die opzichtige boom zou er niet eeuwig staan; er zou een hele stroom mensen aanbellen, maar niemand kwam zijn moeder weghalen. Er zouden cadeautjes zijn en David hield van cadeautjes. De met ontzag vervulde uitdrukking op zijn gezicht toen hij op kerstochtend zijn hobbelpaard zag zullen we nooit vergeten.

Er zou ook geknuffeld worden en David was erg dol op knuffelen geworden. Het gebeurde niet vaak dat hij zijn armen om iemand heen sloeg, maar hij vond het heerlijk om gepakt en tegen je aan gedrukt te worden. Hij vond het ook leuk om mensen met elkaar te laten knuffelen. Dan greep hij mijn pols, sleepte me naar Nicky en drukte ons met zijn knuistjes in onze onderrug tegen elkaar aan.

We waren op onze hoede. We verwachtten er niet al te veel van. Hij had een goede kerst gehad, de volgende kon tegenvallen. Maar een goede kerst is onderdeel van Davids patroon geworden, en zijn patronen verbreekt hij niet zomaar.

Eén dag per jaar wil hij wel bij Nicky op schoot zitten en toekijken hoe James en ik met de cadeaus spelen en luisteren hoe we allemaal door elkaar praten en lachen. Hij valt zelf om van de lach, soms omdat we hem kietelen en soms omdat het leven best lollig kan zijn.

Eén dag per jaar zijn al zijn gewoontes opgeschort. David laat ons het feest regisseren. Hij doet graag mee als deel van het gezin.

Hopelijk komt er ooit een tijd dat David begrijpt dat hij zo het hele jaar kan leven. Voordat het zover is, wensen we – hoe afgezaagd het ook mag klinken – dat het elke dag Kerstmis kon zijn.

Er is nog een aspect van Kerstmis dat belangrijk is voor Nicky en mij. Toen we het voor het eerst over het schrijven van dit boek kregen, wisten we geen van tweeën of we de juiste woorden wel konden vinden. Ik wilde geen beloften aan uitgevers doen over hoofdstuklengtes en deadlines om me uiteindelijk te verontschuldigen met 'te veel te zeggen' en 'emotionele spanning'. We besloten op de proef allebei een kort stukje te schrijven over een episode uit Davids leven, het maakte niet uit welk incident, gewoon het eerste wat in ons opkwam, iets wat een beetje liet blijken van de intensiteit, de pijn en de vreugde, de tegenstellingen in de liefde voor onze jongen.

We verdwenen allebei in een andere kamer. Twee uur later draaiden we een ruwe opzet uit om ze naast elkaar te leggen... en moesten lachen. We hadden hetzelfde incident gekozen: het kerstspel van school.

Zo toevallig was dat nu ook weer niet. David is dol op zijn school, die is een van de belangrijkste dingen in zijn leven, maar we krijgen niet vaak de kans om hem tegen die achtergrond te zien. We zwaaien hem elke ochtend uit wanneer hij op de bus stapt, en de toegewijde begeleidster Cheryl pakt het rugzakje van hem aan dat hij haar in handen duwt; acht uur later danst hij weer van het trapje van de bus en zingt hij de herkenningsmelodie van *Emmerdale*, die volgens mij betekent 'Ik ben thuis en moet heel nodig naar de wc.'

Wat er in die acht uur gebeurt, kunnen we alleen maar zijdelings beleven. David kan ons niet vertellen wat hij allemaal heeft uitgespookt, en hoewel het personeel ijverig in zijn dagboek schrijft, kunnen ze slechts hints over zijn bezigheden geven. Als hij thuiskomt met de broek van een ander kind aan, of met groene glittergel in zijn haar, of met gouden laarsjes aan zijn voeten en zijn eigen schoenen drijfnat in een plastic draagtas... moeten wij aannemen dat hij weer een prettige dag heeft gehad.

Eens per seizoen gaan we met Davids onderwijzeres en assistentes praten, en dan bladeren we zijn werkboek door of bekijken we de kiekjes aan de muur. Eens per jaar bezoeken we de school voor het kerstspel. Elk jaar zijn we weer verbijsterd over de hoeveelheid energie die het voltallige personeel erin heeft gestoken om het tot een succes te maken: een schitterend decor, een heleboel muziek en elk kind krijgt de kans om mee te doen. Een onderwijzer vertelt de vertelling en de kinderen lopen, of worden geduwd, of gaan stoeiend door het verhaal.

Eén keer speelde David de Artful Dodger in *Oliver Twist*. Hij is een van nature begaafde zakkenroller, en in zijn pet en regenjas zag hij er heel doortrapt uit.

Maar zijn grootste dramatische triomf vierde hij als de Sneeuwpop. Hij beseft het ook: als hij tevreden is over zichzelf, tjilpt hij de soundtrack. Op een keer maakte ik daar een paar aantekeningen over en ik dacht dat ik iets van onze trots en hartzeer had gevangen, tot ik las wat Nicky had geschreven:

*Het leven met David kan je een erg geïsoleerd gevoel geven. Behalve Chris, ikzelf, Davids leerkrachten en het andere personeel dat met hem werkt, is er niemand die onze zoon begrijpt. Het is uitgesloten dat iemand anders voor David zorgt. Daar is zijn gedrag te ingewikkeld voor.*

*Iemand die David kent heeft hem eens omschreven als 'iemand van uitersten'. Dat geeft hem helemaal weer. Hij is zo'n lonend en veeleisend kind. Hij kan het meest uitdagende en onvoorstelbare gedrag tentoon-*

*spreiden, maar hij kan ook zingen als een engel en hij heeft een heerlijk gevoel voor humor met de meest verbijsterende, allerinnemendste glimlach. Die is wel zo lief dat ik niet anders kan dan beseffen hoezeer ik heb geboft met hem als zoon.*

*We houden zo veel van David dat het nogal overweldigend is. Als je een ernstig gehandicapt kind hebt, tel je je zegeningen. Bij tijd en wijle is dat bijna te veel, maar het is iets moois. James, David en Chris zijn mijn hele wereld. Ik bof zo dat ik van ze mag houden en dat ze ook van mij houden.*

*David bezoekt een school voor de ernstigst gehandicapte kinderen van Bristol. Af en toe gaat er een leerling dood. Het schokt me als zoiets gebeurt: onze zoon gaat naar een school waar kinderen soms doodgaan. Dat is een deel van onze wereld en het is altijd diep triest.*

*Met Kerstmis was ik verrukt omdat David de hoofdrol speelde in het spel van Briarwood. Zoals bij talrijke schoolproducties krijgt ieder kind op Davids school een rol in het spel. Maar ik had bij eerdere voorstellingen gemerkt dat autistische kinderen dikwijls zo vlug mogelijk op het podium werden gebracht en weer afgevoerd, vermoedelijk omdat ze over buitengewoon sterke chaosscheppende talenten beschikken. Daarom was ik zo verbaasd en trots toen David de hoofdrol kreeg.*

*Ik was echt opgewonden en wilde het nieuws aan iedereen vertellen. Ik probeerde een paar vriendinnen te vertellen dat David de ster van het kerstspel zou zijn, maar uit hun reactie kon ik afleiden dat dit naar hun mening niet echt telde omdat hij gehandicapt was. Soms vinden mensen die niet weten hoe het is om een kind met een handicap te hebben het lastig om te zien waarom je trots zou zijn. Volgens mij denken ze dat je constant teleurgesteld bent. Sommige vrienden hebben dikwijls met me te doen. Eerlijk gezegd zou ik misschien net zo zijn geweest als ik niet deel was gaan uitmaken van de wereld van gehandicapte kinderen.*

*Dus hield ik op met mensen te vertellen dat hij de ster was, maar ik bleef zo opgewonden en verrukt als elke andere ouder zou zijn. Nog meer zelfs, omdat David de regels van de samenleving niet kent, en hij dus nog meer zijn best moet doen dan de meeste mensen, omdat de 'gewone' wereld voor hem nergens op slaat.*

*Hij zou de Sneeuwpop-rol krijgen uit* The Snowman *van Raymond*

*Briggs. David gaf me een hint dat dit misschien het kerstspel zou worden toen hij een keer in december midden in de nacht wakker werd en toonzuiver het liedje 'Walking In The Air' zong. Hij zingt zo mooi dat je het niet erg vindt om wakker gemaakt te worden... Je vindt het alleen maar jammer als het zingen ophoudt.*

*Het nieuws over het spel werd nog beter toen ik hoorde dat ik geen kostuum voor hem hoefde te maken, omdat de school al een sneeuwpoppak had. Ik ben vrij hopeloos als het op het naaien van kostuums aankomt.*

*Ik heb iemand een keer verteld dat het jaarlijkse kerstspel het maatschappelijk hoogtepunt van mijn leven was. Ze dachten dat ik een grapje maakte, maar het is echt zo. Ik ben dol op de producties van Briarwood, ze zijn geweldig. De kinderen zijn zo gehandicapt dat je er snel van uit zou gaan dat ze weinig idee hebben van wat er gaande is (al blijft het natuurlijk onmogelijk om te weten wat er omgaat in een kind dat niet kan praten). Toch zijn de onderwijzers zo creatief en intelligent dat ze ieder kind meekrijgen in een rol die het beste bij de bewuste leerling past. Het zou voor het personeel zo makkelijk zijn geweest om geen moeite te doen, maar dat doen ze wel en het is buitengewoon ontroerend om het respect te zien dat ze ieder kind betonen. Daarin lijkt de ware geest van Kerstmis besloten. Emotioneel is het een uitermate uitputtend evenement, maar het is een van de allerbeste dingen uit ons leven met David. Als ik die schooltoneelstukken niet had gezien, zou ik het getuige-zijn van de allerbeste kant van het mensdom hebben gemist. Het is echt een voorrecht.*

*Dat jaar werd het spel geopend door de kinderen in rolstoelen. Ze waren gekleed als sneeuwvlokken en hun rolstoelen waren feestelijk versierd met sterren, glitterfolie en bellen. Het personeel liet hen de dans van de sneeuwvlok uitvoeren op de ouverture van* The Snowman. *Je kreeg er tranen van in de ogen, in een cocktail van verdriet en vreugde, verbazing over al het werk dat het personeel had verzet en een overweldigend gevoel van liefde voor degenen op het toneel.*

*Soms vraag ik me af of er een grens is aan de hoeveelheid tranen die ik kan vergieten. Ik stel het me een beetje voor als de menopauze: wanneer je al je tranen hebt opgebruikt, zijn er niet meer over... Maar nee, dat lijkt me niet, er zijn er altijd nog genoeg over.*

*Die kinderen hebben een onvoorstelbaar moeilijk leven en toch roe-*

*pen ze zo veel liefde op. Ze zijn volmaakt onschuldig: ze missen gewoon het vermogen om boosaardig of gemeen te zijn. Ze belichamen het beste in de mens. Ze doen je echt nadenken over wat belangrijk is en hoe je je tegenover andere mensen moet gedragen.*

*David zag er in zijn sneeuwpopkostuum en roze slappe hoed geweldig uit, en de onderwijzeres had hem met make-up dikke, rode wangen gegeven. De dame achter me zei: wat een knappe jongen. Ik had zin me om te draaien en op te scheppen: 'Dat is mijn zoon, weet u. Ja, in de hoofdrol.'*

*David deed alles wat hij moest doen. Misschien werd hij wat te enthousiast in het onderdeel waarbij hij de kerstverlichting moest ontsteken – Aan... Uit... Aan... Uit... Aan... Uit – en hij stribbelde een beetje tegen toen hij uit de diepvrieskist moest klimmen waarin hij had liggen koelen. En inderdaad, misschien was zijn dans met de Kerstman net iets te uitbundig...*

*Niettemin werkte hij goed mee, vooropgesteld dat hij op tijd zijn zuurtjes kreeg. Aan het eind van het spel smelt de Sneeuwpop. David eiste luidkeels een zuurtje en daarna smolt hij gehoorzaam en op een prachtige manier.*

*Ik keek naar Chris. In zijn ogen stonden ook tranen. Maar het waren geen tranen van verdriet. We moesten allebei huilen omdat we zo trots waren op onze zoon.*

De hartelijkheid, het geduld en het begrip van het personeel waren die ochtend meer dan we hadden durven vragen. Ze behandelden onze zoon en alle andere kinderen met echte liefde. Iedere leerling deed aan de productie mee en kreeg een ogenblik in het voetlicht. En nadat onze bloedeigen ster was gesmolten en de berg verkreukte kleren op de grond zijn hoofd optilde om nog een zuurtje te eisen, werden de kinderen bijeengebracht voor een echte disco onder gekleurde lichten. Een aantal rende rond, een aantal zwaaide op de muziek heen en weer en een aantal stond alleen maar te grijnzen. Ze vonden het allemaal fantastisch.

De schoolt telt maar enkele tientallen leerlingen en de ouders passen op vier rijen stoelen in de aula. Wij gingen achterin zitten in de hoop dat David ons niet zou ontdekken. Een paar jaar daarvoor was zijn oog op Nicky gevallen, en toen zijn aanvankelijke ongeloof was geweken, protesteerde hij op een volume dat dreigde de serene scène van de geboorte van Jezus te veranderen in een opname van een rampenfilm.

Die reactie betekende dat we nooit stiekem een blik in een klaslokaal konden werpen om hem aan het werk of verdiept in zijn spel te zien. Onze verschijning zou hem in de war brengen en hem opzadelen met een soort zintuiglijke overbelasting die de meeste mensen ervaren wanneer ze proberen én tv te kijken én naar de radio te luisteren. Daar krijgt iedereen hoofdpijn van. David weet één remedie tegen hoofdpijn: met zijn hoofd tegen de tafel slaan, tegen de grond, de muur en alles wat hij nog meer kan vinden. Het werkt niet, maar het is het enige wat hij kan doen.

Je kunt zo zien dat hij dol is op school, niet alleen omdat zijn onderwijzeres meldt hoe gelukkig hij is, maar ook omdat hij 's morgens niet kan wachten om zijn jas aan te trekken en naar de bus te hollen. Davids emoties zijn transparant en als hij niet wilde gaan, zouden wij dat wel horen. Plus de hele straat. Maar elke ochtend staat hij te springen, en we begrijpen dat dit komt omdat iedereen op Briarwood hem hetzelfde geduld, hartelijkheid en liefde betoont waarvan wij eens per jaar getuige zijn bij het kerstspel.

Het is natuurlijk niet alleen maar spel. David moet werken in de les. Hij geniet van sommetjes en tellen en zijn rekenvaardigheid is zo'n beetje dezelfde als van een gemiddeld kind van twee jaar jonger. Omdat het gemiddelde kind naar uitleg kan luisteren en lesboeken kan lezen en de onderwijzer vragen kan stellen, is dat een fenomenale prestatie: David heeft zonder taal leren optellen en aftrekken. De lof daarvoor komt hem evenzeer toe als zijn onderwijzers.

Hij kent ook het alfabet en vindt het heerlijk om letters op te schrijven. Het fascineert hem dat een geschreven woord altijd op dezelfde manier wordt uitgesproken, hoewel hij alleen de betekenis van etiketwoorden kent. Iedere volwassene met een vinger kan als leesapparaat worden gebruikt. Hij pakt zijn hand, drukt die op de pagina en wacht tot hij de woorden hoort. Zijn lievelingswoorden zijn de titels op zijn videodozen. Als de onderwijzeres hem een woord laat zien waaraan een letter ontbreekt, kan hij die op de open plek invullen, en hij kan ook met zijn eigen naam tekenen. Dat is 'David Stevens' en als er een adres bij moet, is dat 'Church House'.

Hij kan op fundamenteel niveau lezen en rekenen. Hij kan alleen niet fatsoenlijk communiceren.

In de vakantie telt hij de dagen af tot het nieuwe schoolseizoen. Hij heeft best plezier, want daar staan we op, maar hij heeft iets van een werkverslaafde zakenman die met zijn gezin op vakantie is aan de Spaanse kust en elk excuus aangrijpt om zijn e-mail te gaan controleren.

Zijn liefde voor school is niet ongewoon en dat weten de leerkrachten van Briarwood. Een heleboel leerlingen zouden tijdens de vakantie liever naar school gaan. En een heleboel leerkrachten zouden blij zijn met de kans om een extraatje te verdienen, en daar staat dat grote gebouw twaalf weken per jaar of langer leeg.

Dankzij de buitengewone motivatie en toewijding van Davids onderwijzeres Freja Gregory is dat allemaal veranderd: van het gemopper van ouders tot een spelproject dat tegenwoordig niet alleen drie weken in de zomer duurt, maar ook een week met Pasen. Er moesten duizenden ponden bijeengebracht worden, een wirwar van bureaucratische vereisten worden uitgewerkt, transport gevonden worden, personeel dat gerekruteerd moest worden, en dankzij Freja's enthousiasme werd een oudercomité geïnspireerd om al die moeilijkheden te overwinnen.

Als mensen zich afvragen: 'Hoe red je dat allemaal?' is het antwoord dat David van het leven houdt en dat dit mogelijk is dankzij het personeel van de Briarwood-school en Church House, en alle mensen die veel meer voor hem doen dan wij durven vragen. Hij is nu elf en hij kan tot zijn negentiende in Briarwood en zijn zusterschool blijven. Wat ons betreft zal hij altijd een schooljongen blijven, we kunnen hem op geen enkele wijze duidelijk maken dat hij zal opgroeien en we zouden hem niet van zijn stuk willen brengen door de illusie te verstoren.

We weten niet of hij zal leren een gesprek te voeren en ons zal begrijpen. Sommige autistische kinderen maken in de puberteit een doorbraak mee; andere bereiken hun plafond en leren er nooit iets nieuws bij.

We weten niet of hij ooit zal begrijpen dat andere mensen gedachten en gevoelens hebben, dat die dingen weten die hem kunnen helpen en dat zij niet altijd kunnen gissen wat zich in zijn hoofd afspeelt.

We weten niet waar hij na zijn tienerjaren zal wonen, of hij zich zal vestigen in een beschermde gemeenschap, of dat hij bij ons blijft. De beste oplossing zou een boerderij in Devon zijn, waar een schuur speciaal is omgebouwd voor hem en zijn vaste verzorgers, maar het Idyllic Future Fund komt tegenwoordig ettelijke miljoenen ponden op zijn begroting tekort.

Nicky's grootste angst is dat wij doodgaan en David alleen een broer overhoudt die van hem houdt. Ik ben hoopvoller: hij vindt waarschijnlijk de erfgename van een Californisch fortuin die behoefte heeft aan een knappe gigolo die geen kritiek op haar gespreksonderwerpen uitoefent. Nicky vindt mij woest onrealistisch en ik zeg dat zij zich te veel zorgen maakt, en in die kant van ons huwelijk is de afgelopen tien jaar weinig veranderd.

En in David evenmin, nu we het daar toch over hebben. Hij houdt van alle dingen waarvan hij altijd heeft gehouden, zoals Rolo's, en het kauwen op de banden van speelgoedautootjes, en de advertenties aan het begin van een video, en bij zijn mama zijn. De dag dat we dit huis betrokken, moest ik hem meenemen naar de dierentuin om voor twintig penny's een rit op een plastic olifant te maken; komend weekeinde is het negen jaar later en doen we waarschijnlijk hetzelfde. Het kan hem niet schelen als het regent. Hij heeft het niet in de gaten als mensen staren naar die grote jongen op een kinderspeeltje. Hij zal het gewoon naar zijn zin hebben, geweldig naar zijn zin.

# *Woord van dank*

Er zijn zo veel mensen die onvermoeibaar en onzelfzuchtig hebben gewerkt om David te helpen, dat het onmogelijk is iedereen met name te noemen... maar we willen het wel proberen. Een van de mooiste dingen van de opvoeding van een kind met een ernstige handicap is de steun en vriendschap die door inspirerende mensen worden geboden. Ons leven is zeer verrijkt omdat we jullie allemaal kennen.

Het personeel van de Briarwood-school is boven alle lof verheven. Er zijn gewoon geen woorden voor. De hoofdonderwijzer David Hussey; Davids klassenonderwijzers, vooral Freja Gregory en Claire Bullick; de lesassistenten, de administratie, het keukenpersoneel, ze vormen een verbijsterend team en iedereen die het geluk heeft een bezoek aan de school te brengen weet hoe gelukkig de kinderen er zijn.

Onze welgemeende dank gaat ook uit naar:

Tracy O'Neill en het hele personeel van Church House, dat met eindeloos geduld en doorzettingsvermogen hun best hebben gedaan David een tweede thuis te geven. Tracy heeft David altijd gesteund en zich jarenlang voor hem ingezet, waarbij ze dikwijls haar vrije tijd opofferde, en zij is een betekenisvolle kracht in zijn leven geweest.

Het transportpersoneel, dat Zijne Hoogheid van deur tot deur brengt en dikwijls beschadiging van de trommelvliezen riskeert, want David is een lawaaiige meerijder. Bijzondere dank gaat uit naar Cheryl Young, die jarenlang heel vriendelijk is geweest, en naar David Griffith voor zijn extra steun.

Iedereen die Briarwoods New Friends Playscheme mogelijk hebben gemaakt, vooral Freja Gregory, Deborah Smith, Sheila Clark,

Carol Bold en de onvermoeibare leidster van het spelproject Lisa Foster. Dank ook aan het personeel van de school dat zijn vakantie eraan geeft om met de kinderen te werken, en aan de talrijke donateurs die het spelproject steunen.

De medewerkers van Community Care, vooral Kate, Stephanie en Anna.

Rosemary Baker, Maggie Kirby en het hele personeel van de Red House peuterspeelzaal in Redland.

Al het personeel dat de eerste paar jaar met David heeft gewerkt in de Time Zone-crèche in het winkelcentrum Cribbs Causeway.

Heel veel geduldige, hartelijke en tolerante medewerkers van Starbucks bij Borders in Bristol, vooral de voormalige manager Richard, en ook aan Rosario en alle leden van het team van de Boston Tea Party in Park Street: we zijn deze beide gelegenheden een heel schap met serviesgoed schuldig.

Jane Ling en haar collega's bij MusicSpace in Southville: jullie hebben David op het juiste spoor gezet.

Iedereen bij het Avon Riding Centre for the Disabled in Henbury, Bristol... en vooral de bombestendige paarden.

Het hartelijke personeel van de Bristol Central Library, waar de stilte dikwijls wordt verstoord door luid gezang.

Het personeel van de Bristol Zoo, vooral de mensen in de kantine die David ijverig met een stoffer en blik naliepen.

De opmerkelijk tolerante medewerkers van @Bristol, niet alleen bij Explore, maar ook bij het helaas aan zijn einde gekomen Wildwalk en het zeer gemiste Industrial Museum.

Barbara Saxton wier speeltuin voor gehandicapte kinderen Bournestream Farm en zusterspeeltuinen in Wotton-under-Edge, Gloucestershire, onbetaalbare toevluchtsoorden en prachtige oases zijn.

Onze vrienden en collega's bij Connexions en *The Observer*, voor hun hulp en steun bij dit boek en al die jaren in het algemeen.

Heather Holden-Brown, wier inzicht en steun dit boek mogelijk hebben gemaakt.

Barbara Reeves, die ons vele jaren heeft geholpen de chaos op afstand te houden.

Vanda Cream, voor al haar vriendschappelijke steun.

En tot slot maar bovenal onze familie en vrienden: bedankt voor jullie emotionele en praktische steun.

Dank aan iedereen die met Kerstmis en op verjaardagen aan David heeft gedacht en hem als een echte jongen heeft behandeld.

Meer informatie: www.autisme.nl

www.autisme.nl is de website van de Nederlandse Vereniging voor Autisme (NVA). Op deze site kunt u lezen over de NVA en haar activiteiten. De NVA is een vereniging voor mensen met autisme, hun ouders en partners en voor alle anderen die in autisme geïnteresseerd zijn.

BAR

VDW